As Últimas Quatro Coisas

SUMA de letras

PAUL HOFFMAN

As Últimas Quatro Coisas

Tradução
André Gordirro

SUMA de letras

EDITORA OBJETIVA LTDA.
Rua Cosme Velho, 103
Rio de Janeiro – RJ – CEP: 22241-090
Tel.: (21) 2199-7824 – Fax: (21) 2199-7825
www.objetiva.com.br

Título original
The Last Four Things

Capa
Pronto Design sobre design original de Peter Bergting

Revisão
Fatima Fadel
Talita Papoula
Ana Grillo

Editoração eletrônica
Abreu's System Ltda.

CIP-BRASIL. CATALOGAÇÃO-NA-FONTE
SINDICATO NACIONAL DOS EDITORES DE LIVROS, RJ

H647u

Hoffman, Paul
As últimas quatro coisas / Paul Hoffman ; tradução André Gordirro. - Rio de Janeiro : Objetiva, 2011.

Tradução de: *The last four things*
Sequência de: *A mão esquerda de Deus*
303p. ISBN 978-85-8105-009-6

1. Ficção inglesa. I. Gordirro, André. II. Título.

11-4138. CDD: 823
CDU: 821.111-3

Para Richard Gollner

Deem-me uma dúzia de crianças sadias, bem-constituídas, e um ambiente de acordo com minhas especificações de onde criá-las e garanto que, tomando uma ao acaso, posso treiná-la para que se torne qualquer tipo de especialista que eu escolha — médico, advogado, artista, comerciante e, sim, até mendigo e ladrão —, independentemente de seus talentos, propensões, tendências, habilidades, vocações e da raça de seus ancestrais.

J. B. Watson, *Psychologies of 1925*

Eu lutei como um anjo.

Wilfred Owen

PRÓLOGO

Imagine. Um jovem assassino, não mais que um menino na verdade, está cuidadosamente escondido entre os longos juncos verdes e negros que crescem abundantemente pelos rios de Vallombrosa. Ele está esperando há muito tempo, mas é uma criatura paciente à sua maneira, e a coisa que aguarda talvez seja mais preciosa do que a vida para ele. Ao seu lado estão um arco de teixo e flechas com pontas de aço capazes de penetrar até a armadura mais cara, se a pessoa estiver perto o suficiente. Não que hoje haja alguma necessidade disso, porque o jovem não está esperando algum canalha que mereça a morte, só uma ave aquática. A luz aumenta, e uma fêmea de cisne voa pelo bosque enevoado, os corvos gralham com amargura, reclamando da injustiça diante da beleza da ave que pousa na água como a pincelada de um pintor sobre uma tela, direta e bela. Ela nada com toda a famosa elegância da espécie, embora jamais se tenha visto um movimento tão gracioso em um ar tão parado e enevoado sobre uma água tão cinzenta.

Então a flecha, aguçada como o ódio, corta o mesmo ar que a fêmea de cisne abençoa e erra a ave por vários passos. E ela voa, sua força e elegância conduzem a brancura de volta ao ar, para a segurança. O jovem fica de pé agora, observando a ave escapar.

— Eu pego você da próxima vez, sua vagabunda traidora! — Ele berra e joga longe o arco, que é o único de seus intrumentos de morte (faca, espada, cotovelo, dentes) que nunca conseguiu dominar e, no entanto, é o único capaz de lhe dar esperança de reabilitar o coração partido. Mas nem ao menos isso. Porque, embora seja um sonho, nem mesmo em sonho ele consegue acertar a porta de um celeiro a 20 metros. Ele desperta e fica remoendo por meia hora. A vida real toma cuidado com a sensibilidade dos desesperados, mas mesmo o maior dos carniceiros, e Thomas Cale com certeza é um deles, pode ser zombado impunemente em seus pesadelos. Então ele volta a dormir para sonhar novamente com as folhas de outono que se espalham sobre os riachos de Vallombrosa e as grandes asas brancas batendo no ar do amanhecer.

1

"A Balada de Thomas Cale, o Anjo da Morte" é o segundo pior poema que saiu do Gabinete de Propagação da Fé do Redentor Enforcado. Essa instituição posteriormente se tornaria tão famosa pela habilidade em espalhar mentiras grosseiras em nome dos Redentores que a expressão "história de monge" se tornou comum.

Livro 47 — O Argumento

Acorde! Pois a noite some ao amanhecer
Revela a Mão Esquerda do Deus do Poder.
Seu nome é Cale, seu braço é forte
Ele jamais erra como Anjo da Morte.
Traidores do papa, ele caça essa horda
Do Santuário, Cale escapou via corda.
Para proteger o papa ele fingiu fugir
Dos cuidados do Santuário decidiu escapulir
Ele fingiu rejeitar Bosco, seu mentor
Para proteger o papa com ardor.
Em Memphis, a cidade de sodomia e perversão
Ele resgatou uma princesa, uma dama sem compaixão
Com truques e sexo, ela procurou sua alma arruinar
E, quando ele disse "não!", assassinos se pôs a pagar.
Há muito tempo o pai dela contra o papa avança
Ele atacou os Redentores com esta esperança
Mas na colina de Silbury, na maior das batalhas
Com Princeps e Bosco, Cale encheu as mortalhas.
O Império de Memphis naquele dia eles detonaram
Então Bosco e Cale ao trabalho retornaram
Há hereges Antagonistas para matar.
Em nome do papa e dos Redentores, vamos todos rezar!

Todos sabem que os verdadeiros acontecimentos entram para a História e são transformados de acordo com os preconceitos de quem os registra. Aos poucos, a História os transforma em lenda, onde todos os fatos se tornam vagos apesar do interesse dos narradores, que a essa altura serão muitos, variados e contraditórios. Finalmente, talvez após milhares de anos, todas as intenções, boas e más, todas as mentiras e exatidões se misturam em um mito de possibilidade universal em que qualquer coisa pode ser verdadeira, qualquer coisa falsa. Isso não importa mais, de uma forma ou de outra. Mas a verdade é que muitas coisas diferem dos fatos quase que na mesma hora em que eles acontecem e viram mitos quase que antes do fim dos próprios acontecimentos. Os versos ridículos supracitados, por exemplo, foram escritos dois meses após os incidentes que eles tentam imortalizar de maneira tão tosca. Examinemos essa idiotice verso por verso.

Thomas Cale foi trazido ao sinistro Santuário do Redentor Enforcado aos 3 ou 4 anos de idade (ninguém sabia ou se importava se era um ou outro). Assim que chegou, o menininho foi selecionado por um dos padres desta mais sinistra das religiões, o Redentor Bosco, mencionado duas vezes no poema não só por ter sido o homem que provocou sua composição. Não se deve pensar que isso foi inspirado por algo tão simples quanto a vaidade ou a ambição humanas.

Os Redentores não eram só conhecidos pela visão cruel da natureza pecadora da humanidade; ainda eram mais famosos por impor essa visão através da conquista militar conduzida pelos próprios padres, cuja maioria foi educada para lutar em vez de pregar. Os mais inteligentes e os mais devotos (uma distinção mais vaga entre os Redentores do que em qualquer outro lugar) eram responsáveis por assegurar as crenças corretas e a administração da fé em todos os vários estados conquistados e convertidos. Os demais eram reservados ao braço armado da Única e Verdadeira Fé, os Militantes, e eram educados e frequentemente morriam (os sortudos, dizia a piada) em vários quartéis religiosos, dos quais o maior era o Santuário. Foi no Santuário que Cale foi escolhido por Bosco como seu ajudante pessoal — uma forma de favoritismo a que só uma criança com resistência fora do comum poderia ter esperanças de sobreviver. Ao chegar aos 14 anos (ou 15), Cale era uma criatura tão fria ou calculista quanto aquelas que ninguém gostaria de encontrar em um beco escuro ou em qualquer outro lugar — e aparentemente era movido só por duas coisas: um completo desprezo por Bosco e uma indiferença por todas as outras pessoas. Mas a costumeira má sorte de Cale estava prestes a mudar para pior quando ele abriu a porta errada na hora errada e descobriu o Lorde Disciplinador, Redentor Picarbo, dissecando uma jovem moça, ainda viva por um fio, e prestes a fazer o mesmo com outra. Escolhendo a autopreservação em vez da compaixão e do horror, Cale fechou a porta de mansinho e foi embora. Contudo, em um momento de loucura de que alega se arrepender para sempre, a expressão no olhar da jovem prestes a ser cruelmente estripada fez com que Cale retornasse e, na luta decorrente, matasse um homem que provavelmente era o décimo na linha sucessória do próprio papa. O que você já aprendeu sobre os Redentores deixa claro o destino que Cale poderia esperar: um fim que, pode ter certeza, envolveria muita gritaria.

Se fugir do Santuário fosse fácil, Cale já teria escapado há muito tempo. Apesar de a fuga ter envolvido uma corda, como sugere a tolice de "A Balada de Thomas Cale", não houve trama alguma para trair o papa — outra invenção de Bosco para acobertar a fuga de um acólito que ele tinha um motivo específico para querer de volta, um motivo que não tinha nada a ver com aquela coisa bizarra e revoltante que Picarbo estava aprontando, fosse lá o que fosse. O que o poema não menciona é que Cale foi acompanhado por outras três pessoas: a garota que tinha salvado; Henri Embromador, o único rapaz no Santuário que ele tolerava de alguma forma; e Kleist, que, como todo mundo, o encarava com suspeita e antipatia.

Apesar de a inteligência de Cale, educada por um longo treinamento, ter conseguido despistar os Redentores que tentaram recapturá-los, sua costumeira má sorte fez com que o quarteto desse de cara com uma patrulha montada dos Materazzi perto da grande cidade de Memphis, um local mais rico e variado que qualquer Paris, Babilônia *ou* Sodoma, outra das poucas referências da "Balada" que têm algum traço de verdade. Em Memphis, os quatro chamaram a atenção do grande chanceler Vipond e de seu irresponsável meio-irmão Idris-Pukke, que, por razões misteriosas para qualquer um, até para ele mesmo, se encantou com Cale e mostrou algo para o rapaz que ele jamais havia conhecido antes, um pouco de bondade.

Mas seria preciso muito mais do que um toque de decência para influenciar Cale, cujo comportamento hostil e desconfiança rapidamente conquistaram o desprezo de quase todo mundo que ele encontrava, do menino de ouro do clã Materazzi, Conn, à bela Arbell Materazzi. Normalmente conhecida como Pescoço de Cisne (não é coincidência que o sonho cruel que abre nossa história tenha um cisne como seu objeto de ódio), ela era a filha do homem que governava um império Materazzi tão vasto que o sol jamais se punha nele. Bosco, no entanto, dava grande valor ao comportamento hostil de Cale e não tinha intenção de deixá-lo empregar mal essa hostilidade onde era mais provável que acabasse morto por causa dela. Não é surpresa alguma que, apesar de todo o desprezo que ela sentia por ele, uma pessoa como Cale não deixasse de se apaixonar por uma beleza distante como Arbell Materazzi. Ela continuava a considerá-lo um brutamontes mesmo — ou especialmente — após Cale ter salvado sua vida durante um ato cruel de violência letal (mais tarde menosprezado por seus inimigos como nada mais que uma espécie de quixotada pretensiosa). A crítica de Kleist em relação a Cale — de que, aonde quer que ele fosse, logo acontecia um funeral — tornou-se mais compreendida, especialmente por IdrisPukke, que testemunhara o resgate frio e cruel de Arbell. Porém, tudo que é estranho e diferente pode ser uma mistura atraente para os jovens, daí a referência na "Balada" a uma tentativa de sedução de Cale pela adorável Arbell. Exceto que não houve sedução alguma, se sedução implica a persuasão de alguém relutante, e jamais houve um momento em que a palavra "não!", ou qualquer coisa assim, tivesse saído da boca de Cale. Ela certamente nunca pagou para que ele fosse assassinado — nem, como Kleist brincou ao finalmente ler o poema, teria precisado, visto que havia tanta gente disposta a fazer isso de graça.

Igualmente irresponsável é a afirmação de que o pai de Arbell sequer teve a intenção de atacar os Redentores. A agressão totalmente fictícia fora inventada por Bosco com o objetivo de dar uma desculpa para seus superiores entrarem em uma guerra que tinha um único propósito: fazer Cale retornar ao Santuário. Sendo como é a lei das consequências indesejadas, o exército doente e desesperado de Bosco, sob a liderança do Redentor Princeps, viu-se acuado por um exército Materazzi dez vezes maior na colina de Silbury. A batalha decorrente foi observada por um incrédulo Cale (que por razões complicadas demais para explicar aqui era o responsável pelos planos de ataque de ambos os exércitos) como uma mistura de azar, confusão, lama, insensatez e falta de controle de multidão que causou uma das mais letais viradas de jogo da história das guerras.

Para sua surpresa, Bosco viu-se como conquistador de Memphis e dono de todos os tesouros que o mundo poderia oferecer, exceto aquele que ele queria: Thomas Cale. Mas Bosco há muito tempo tinha uma mão na cumbuca mais suja de Memphis, cujo dono era o repugnante negociador, comerciante e gigolô Kitty das Lebres. Kitty sabia que o coração totalmente inexperiente de Cale estava perdido pela linda Arbell, assim como também descobriu a tempo que a intensa paixão dela por esse rapaz tão peculiar já estava se apagando — algo estranho vindo de alguém tão mimada, como Kitty brincou. Tanto melhor para Bosco, cujos homens tinham feito Arbell de prisioneira. Assim que chegou a Memphis, Bosco usou seu talento para a natureza humana — que era avançado demais para uma jovem e linda princesa, por mais inteligente que ela fosse

— a fim de convencê-la de que destruiria a cidade caso ela não entregasse o seu amor, enquanto também assegurou, sendo inteiramente sincero por sinal, que não tinha intenção de machucar Cale. Então ela o traiu, se é que foi traição, sendo difícil dizer com que consciência a decisão foi tomada. Assim sendo, Cale se rendeu, com a condição extra de que Henri Embromador e Kleist fossem soltos, só para descobrir que fora entregue ao homem que odiava acima de todas as coisas pela mulher que amava acima de todas as coisas. Isso, portanto, nos traz aos últimos versos mentirosos de "A Balada de Thomas Cale", com nosso herói rumando para o mato com dois ódios enormes fustigando seu coração: um pela mulher que um dia amara e outro, mais conhecido, pelo homem que tinha acabado de lhe contar mais uma coisa sobre si próprio que dera um nó em sua cabeça. Bosco disse para Cale parar de sentir pena de si mesmo, porque ele não era mesmo uma pessoa, não era alguém que pudesse ser amado ou traído, e sim, como a "Balada" havia afirmado desde o início, ele era ninguém menos do que o Anjo da Morte. E agora era hora de levar a sério o trabalho de seu Deus.

De agora em diante, tudo o que vem é a verdade.

Há montanhas mais altas do que a Tigre, muitas com uma escalada bem mais perigosa, cujas escarpas e fendas aterradoras fazem a alma gelar por serem hostis a qualquer ser vivo. Mas não há nenhuma mais impressionante, mais propensa a levantar ânimos e a causar deslumbramento diante de seu esplendor solitário. Sua imensa forma de cone surge da planície ao redor, que se espalha ao longe sem elevações, de forma que a 80 quilômetros de distância a majestosa simetria da montanha parece feita por mãos humanas. Mas jamais existiu um homem, nem o mais narcisista, nenhum Akenaten ou Ozimandias, que pudesse erguer um pico gigante como este. Mais perto, sua vastidão inumana é revelada, centenas de milhares de vezes mais alta que a grande pirâmide de Lincoln. Não é difícil enxergar por que a montanha é considerada por vários credos diferentes como o único lugar no planeta de onde Deus falará diretamente com a humanidade. Foi no topo da montanha Tigre que Moisés recebeu as tábuas de pedra onde foram escritos os 613 mandamentos. Foi aqui que, em troca da vitória sobre os amonitas, Jefté, o gileadita, cortou a garganta de sua única filha num altar (com considerável relutância, deve ser dito), após ter prometido sacrificar ao Senhor o primeiro ser vivo que o cumprimentasse ao voltar para casa. Ela foi de bom grado, e, até o último instante, Jefté torceu por uma clemência misericordiosa — uma voz, um mensageiro angelical, uma prova severa, mas piedosa, de que era só um teste de fé. Mas Jefté retornou da montanha Tigre sozinho. Foi aqui, na Grande Saliência abaixo do limite da neve perpétua, que o Diabo em pessoa, instigado pelo Senhor, mostrou ao Redentor Enforcado todo o mundo que havia no subterrâneo e o ofereceu para ele.

Por outro lado, os montanheses, uma tribo que não ligava muito para religião e controlava a montanha Tigre havia cerca de oitenta anos, se referiam a ela como o Grande Testículo. Cale estava intrigado com relação ao motivo enquanto subia os níveis inferiores da montanha, junto com Bosco, o Lorde da Guerra, e trinta guardas.

Descrever o humor de Cale como péssimo seria uma injustiça ao mau humor. Não existe palavra em nenhuma língua para descrever a agitação em seu coração, o asco diante da ideia de voltar ao Santuário e o ódio amargo pela traição de Arbell Materazzi, conhecida por todo mundo como Pescoço de Cisne. Por conta disso não é preciso dizer mais nada sobre sua beleza e seu encanto — nada sobre a flexibilidade das longas pernas, a cinturinha fina de tirar o fôlego, a curva dos seios (eles não eram vistosos, eram absolutamente acintosos), nada disso era necessário. Ela era um cisne em forma humana. Em sua mente, Cale não parava de se imaginar torcendo o pescoço deste cisne e então, miraculosamente, revivendo a ave para novamente matá-la — desta vez partindo o pescoço com violência, na seguinte um lento estrangulamento e depois talvez arrancando o coração para queimá-lo, dando em seguida uma bela mexida nas cinzas só para ter plena certeza.

Por duas semanas, desde que partiram de Memphis, ele não falou uma vez sequer, nem mesmo para perguntar por que mudaram de direção no meio das Terras Crestadas e começaram a se afastar do Santuário. Pensando bem, Bosco achou melhor deixar a raiva do antigo ajudante passar. Mas ele havia subestimado o talento de Cale para ficar mudo de ódio e finalmente decidiu quebrar o silêncio entre os dois.

— Nós vamos para a montanha Tigre — informou o Redentor Bosco, baixinho e até mesmo com delicadeza. — Tem uma coisa que preciso mostrar para você.

É de se imaginar que alguém cujo coração estava tomado por tanto ódio por uma pessoa não teria intensidade sentimental sobrando para desprezar outra da mesma maneira. Em parte isso era verdade, mas o coração de Cale, quando o assunto era ódio, era espaçoso e resistente: sua aversão a Bosco só fora deslocada para longe do centro do fogo, para os restos de carvão ali ao lado por assim dizer, a fim de se manter quente e retornar à brasa mais tarde. No entanto, apesar da atual preocupação com o ódio, Cale não deixou de ficar intrigado com a grande mudança na atitude de Bosco em relação a ele. Desde que era bem pequeno, Bosco o guiara como um navio na tempestade — implacável, impiedoso, cruel, jamais aliviando, jamais dando um descanso. Dia após dia, ano após ano, Bosco batia nele até Cale ficar roxo, ensinava e punia, punia e ensinava até que parecesse não haver diferença entre os dois. Agora havia só moderação, uma grande delicadeza, quase algo como carinho. O que era isso? Não havia resposta a se obter, mesmo se houvesse alguma sobra de energia depois de assassinar Arbell Materazzi na imaginação (espancada até a morte com um pau, colocada numa roda de tortura, afogada num lago no alto da montanha sob aplausos gerais). Mas, apesar da cacofonia de martelos batendo em sua alma, uma parte de Cale estava prestando atenção ao terreno por que passavam, o que resultou num instante de compreensão, ainda que não exatamente de descontração — ele estava num lugar sombrio demais para tanto. Agora Cale entendia por que a montanha era chamada de Grande Testículo. De perto, a forma lisa vista a 50 quilômetros de distância sumia e se transformava num cenário com fendas profundas, que desciam na direção da água que formava os sulcos, mas também seguiam para as laterais e cortavam a montanha, dando a volta e até mesmo recuando sobre si mesmas nos pontos em que a rocha era mais dura. Assim de perto, era como se minúsculas pulgas tentassem cruzar o saco do maior dos gigantes.

Atravessar esse labirinto complicado teria sido imensamente difícil, apesar de ele não ser tão íngreme, não fosse a ajuda da estrada estreita feita pelos montanheses que passava sobre as fendas e pelas várias ravinas e gargantas. Ela tinha sido criada não com o intuito do sacrilégio, mas sim com o objetivo de dar acesso aos depósitos de sal espalhados pela encosta da montanha. Ao longo dos oitenta anos em que controlaram o local mais sagrado dos Redentores, os montanheses criaram uma imensa rede de túneis. Sacrilégio intencional ou não, quando os Redentores recuperaram o poder após terem se enfraquecido em longas guerras civis religiosas, deram o troco por essa blasfêmia ao exterminar os montanheses até o último homem, a última mulher e a última criança.

Depois de passar pelo Grande Testículo, a encosta ficava mais íngreme, mas não tanto. Embora fosse alta, a montanha Tigre não era especialmente difícil de ser escalada. Neste cenário mais uniforme, havia muitos buracos pequenos, entradas em ruínas para os depósitos de sal que ficavam entre 10 e 30 metros de profundidade. Apesar do mau humor e do silêncio, Cale não teve como evitar prestar atenção nas características intrigantes desta paisagem sagrada. Mas, embora não tivesse grandes fendas e precipícios perigosos, a subida ficou inevitavelmente mais difícil, e logo eles foram forçados a desmontar e conduzir os cavalos por trilhas mais traiçoeiras e complicadas. Finalmente, chegaram a uma passagem estreita, com paredões de rocha íngreme de ambos os lados.

Bosco ordenou que os guardas montassem acampamento, embora a tarde ainda estivesse começando, e então se dirigiu a Cale diretamente pela segunda vez.

— Eles vão ficar aqui. Nós precisamos prosseguir. Tem uma coisa que preciso mostrar para você. Também temos que deixar algo claro. O único caminho para sair deste trecho da montanha é através desta passagem. Se tentar voltar sozinho, você sabe o que vai acontecer.

Após esse alerta feito com gentileza, ele começou a atravessar a passagem, e Cale o seguiu. Eles subiram por meia hora, Cale sempre se mantendo a cerca de 10 metros do antigo mentor até que os dois chegaram a uma plataforma com uns 5 metros de profundidade. De um lado havia um altar de pedra de construção simples, porém bonita.

— Foi ali que Jefté manteve seu juramento ao Senhor e sacrificou sua única filha. — O tom de voz era estranho, em nada reverencial.

— E imagino — respondeu Cale — que a mancha ali ao lado supostamente seja o sangue dela. Ela devia ter tido um sangue forte, porque ainda dá para ver mil anos depois de ter sido derramado meia montanha acima.

— Com Deus tudo é possível. — Eles se entreolharam por algum tempo. — Ninguém sabe onde ele a matou. O altar foi construído em nome dos fiéis, e alguns deles recebem permissão para vir aqui na Sexta-feira da Paixão. Um pintor passa no dia seguinte à visita e pinta a mancha de novo, para dar tempo de ficar desgastada para o ano seguinte.

— Então não é verdade.

— O que é a verdade? — ele falou e não esperou por uma resposta. Após duas horas, eles estavam a cerca de 500 metros do limite da neve eterna, na última subida antes que pudessem falar com Deus em pessoa. Mas foi só ali que Bosco virou para o lado e começou a dar a volta na montanha, paralelamente à neve. Ali o ar rarefeito tornou a subida mais difícil, e eles pararam de escalar. A cabeça de Cale começou a latejar. Ao seguir Bosco dando a volta em um pequeno barranco, Cale o perdeu de vista e, quando o encontrou novamente, quase derrubou o Redentor. Bosco havia parado e estava olhando intensamente para uma rocha plana que se projetava da montanha como o trecho inicial de uma ponte abandonada.

— Esta é a Grande Saliência onde Satanás tentou o Redentor Enforcado ao lhe oferecer poder sobre tudo no mundo. — Ele se virou para encarar Cale. — Quero que você vá comigo até lá — falou, apontando para o fim da saliência.

— Você primeiro.

Bosco sorriu.

— Estou colocando minha vida nas suas mãos tanto quanto você nas minhas.

— Não exatamente, já que há trinta guardas abaixo de nós com ideias rancorosas na mente.

— É justo. Mas você pensa que eu me dei a todo esse trabalho para tentar jogar você de uma montanha?

— Eu não me dou ao trabalho de pensar nada sobre você.

No passado, Bosco teria espancado Cale severamente por falar dessa maneira com ele. E Cale teria deixado. Foi então que ele percebeu uma coisa, embora não soubesse dizer o que era exatamente, sobre como os dois tinham mudado muito em só alguns meses.

— Se eu disser não?

— Eu não posso obrigá-lo e não vou tentar.

— Mas vai mandar me matar.

— Sinceramente, não. Porém, por maior que seja seu ódio por mim, algo que me faz sofrer muito, você já deve ter percebido que nós estamos unidos por amarras irrompíveis. Acredito que foi essa a expressão que você usou com Arbell Materazzi quando saímos de Memphis.

Talvez Bosco tenha percebido que esteve muito perto de ter o pescoço quebrado. Se percebeu, não demonstrou. Mas havia uma ansiedade ali — a ansiedade, incompreensível para Cale, de alguém que queria muito ser acreditado, ser compreendido, e que temia não ser.

— Além disso — acrescentou Bosco —, eu tenho uma coisa para lhe contar sobre seus pais. — Dito isto, desceu o granito bruto da Grande Saliência.

Cale o observou por um momento, chocado, como deveria ficar, com o que Bosco havia dito. Não é fácil imaginar os sentimentos de alguém como Cale, para quem a noção de pai e mãe é a mesma noção de mar para quem mora em uma terra sem oceano. O que uma pessoa como essa sentiria no momento em que soubesse que o mar fica logo depois da próxima colina? Cale andou até a Saliência, bem mais cautelosamente do que Bosco — ele não tinha medo de altura, mas também não gostava. Além disso, ao andar na Saliência em si, ela parecia bem mais frágil do que quando se olhava para ela. Ao se aproximar por trás de Bosco, seu antigo mentor abriu espaço de maneira despreocupada, como se estivesse no meio do campo de treinamento do Santuário, e gesticulou para que Cale ficasse ao seu lado a poucos centímetros da aterradora queda livre abaixo deles.

Cale olhou para fora da Saliência com a sensação de estar pendurado no meio do céu; coração disparado, olhar surpreso, ele podia enxergar por quilômetros ao redor, com o vasto céu azul acima e a terra amarela abaixo se dobrando para os dois se encontrarem em um arco reluzente de névoa púrpura. Era como se ele estivesse olhando para o mundo inteiro e não só um crescente de mais ou menos 80 quilômetros. Bosco não falou nada por vários minutos enquanto Cale ficou abalado pela vastidão. Finalmente Cale voltou-se para encará-lo.

— Então?

— Primeiro, seus pais. Eu ouvi os rumores... — Ele fez uma pausa por um momento. — ... rumores de Memphis, não muito tempo depois de você ter matado Solomon Solomon.

— Ele teve o que merecia, o que é mais do que é possível dizer sobre os homens que você me mandou matar. — De todas as várias memórias desagradáveis que os dois tinham em comum, esta era a pior. Convencido de que os dotes assassinos de Cale eram de inspiração divina, mal ocorreu a Bosco que obrigá-lo a enfrentar até a morte meia dúzia de soldados experientes, embora desonrados, teria sido muito traumatizante para um menino de 12 ou 13 anos, por mais habilidoso ou insensível que ele fosse.

— Meu coração vinha à boca todo momento em que eu pensava que você estava em perigo. — Isso não era exatamente a mentira que parecia ser. A princípio, Bosco ficara empolgado diante da prova cruel do talento para matar do menino. Era de uma excelência que só a inspiração religiosa poderia explicar. Mas após a sexta morte, Bosco percebeu que Deus poderia se ofender por seu desejo por provas e punir sua presunção, permitindo que Cale se ferisse. Foi ao perceber a própria presunção que Bosco sentiu um medo repentino por Cale e colocou um fim à carnificina.

Foi mais por surpresa do que por autocontrole que Cale não atirou Bosco Saliência abaixo ali mesmo. O homem que batia nele por qualquer motivo que a maldade podia conceber, e metade das vezes sem motivo algum, estava confessando que sempre se preocupara com Cale em um tom de voz que teria penetrado no coração mais duro. Mas o coração de Cale era bem mais duro do que isso. Se deixou Bosco viver foi só porque sua curiosidade era ainda maior que o ódio. E, além disso, havia trinta desgraçados perversos esperando por ele lá embaixo.

— Fale dos rumores.

— Depois que você matou Solomon Solomon, surgiu o rumor de que os Redentores o retiraram quando era bebê de uma família com laços de parentesco direto com o doge de Memphis. Ou seja, de que você seria um Materazzi, e não um Materazzi qualquer. — É possível atordoar o próprio silêncio? Você acreditaria que sim se estivesse parado ali na Grande Saliência.

— Isso é verdade? — A voz de Cale saiu como um sussurro, a contragosto. Bosco fez uma pausa curta.

— Absolutamente não. Seus pais eram camponeses analfabetos sem nenhuma importância.

— Você os matou?

— Não. Eles venderam você para nós, e alegremente, por seis centavos.

Até mesmo Bosco ficou surpreso com a gargalhada que se seguiu a essa declaração.

— Achei que você tivesse ficado desapontado, quanto aos Materazzi, quero dizer, mas lhe agrada ter sido comprado por seis centavos?

— Não se preocupe com o que me agrada. Por que nós estamos aqui?

Bosco olhou para a imensa planície abaixo.

— Quando Deus decidiu criar a humanidade, ele retirou uma costela de sua primeira grande criação, o anjo Satanás. E a partir da costela de Satanás ele formou o primeiro homem com pó do chão. Irritado por Deus ter retirado sua costela sem consultá-lo enquanto ele dormia, Satanás se rebelou contra o Deus Senhor e foi expulso do céu. Mas Deus ficou com pena da humanidade porque errou ao criá-la a partir da costela de um servo tão traiçoeiro. E porque o erro foi de Deus, ele mandou vários profetas para salvar a humanidade de sua própria natureza, na esperança de despertar todas aquelas coisas boas de que ela fora feita. Finalmente, em desespero, ele mandou o próprio filho para salvar a humanidade. — Bosco se virou um pouco, com uma expressão de puro espanto, os olhos cheios de lágrimas. — Mas eles o enforcaram.

Novamente ele não disse nada por dois ou três minutos.

— O Deus Senhor remoeu essa terrível ferida por mil anos, sendo o Deus do amor que é. Por todo esse tempo, ponderou tudo o que era bom sobre os homens, toda a bondade deles. Mas sempre pôde ouvir e enxergar a insuportável conexão entre o que era Divino e o erro virulento causado pela terrível falha do seu amor.

Novamente houve um curto silêncio enquanto ele olhava para o vertiginoso cenário lá embaixo. Quando Bosco voltou a falar, a voz estava mais delicada e sensata.

— O coração de um homem é pequeno, mas deseja grandes coisas. Não é suficiente para alimentar um cachorro, mas o mundo inteiro não é grande o bastante para ele. O homem não poupa nada que vive; ele mata para se alimentar, mata para se defender, mata para se instruir, mata para se divertir, mata pelo prazer de matar. Do carneiro, ele arranca as entranhas para fazer sua harpa ressoar; do lobo, o dente mais letal para polir seus belos objetos de arte; do elefante, as presas para fazer um brinquedo para seu filho.

Bosco se voltou para Cale, com os olhos brilhando com todo o amor e toda a esperança de um pai coruja, desesperado para ser compreendido pela pessoa que mais ama no mundo.

— E quem vai exterminar quem extermina todos os demais? Você. É você que está encarregado de massacrar os homens. De todo o planeta, é você que vai fazer um altar onde todos os seres vivos serão sacrificados, sem fim, sem consideração, sem pausa, até a aniquilação de todas as coisas, até que o mal seja extinto, até a morte da morte.

Bosco deu um sorriso tolerante para Cale, sinceramente compreensivo.

— Por que você faria algo tão terrível assim? Porque é da sua natureza. Você não é um homem, é a fúria de Deus em carne e osso. Existe muito da humanidade dentro de você para que queira ser outra coisa além do que é. Você quer amar, quer demonstrar bondade, quer ser piedoso. Mas no fundo sabe que não é nada dessas coisas. É por isso que as pessoas o odeiam e que, quanto mais você tenta amá-las, mais elas o temem. É por isso que a garota traiu você e que será sempre traído enquanto viver. Você é um lobo fingindo para si mesmo que é um cordeiro.

"De onde você acha que puxou o gênio para destruição e morte? Você mata com a mesma facilidade com que os outros respiram. Você apareceu na maior cidade do mundo e, apesar de todas as boas intenções, levou seis meses para deixá-la em ruínas. Você não atrai o desastre, você *é* o desastre. É o Ceifador, o Anjo da Morte, goste ou não. Mas, se não gostar, é melhor se acostumar a perambular por lugares onde será desprezado por todos, que vão tentar matá-lo por motivos que eles jamais entenderão. Venha comigo e, quando sua tarefa for concluída e tudo o que agora vive estiver morto, você virá aqui e será levado ao céu. É a sua única maneira de ter paz de espírito. Isso é uma promessa."

Dentro de três horas, os dois desceram até os Redentores que os esperavam e, naquela noite, um respeitoso Bosco falou com um silencioso Cale nas altas horas da madrugada.

— Você sabe por que foi criado por Deus? — Era uma citação imediatamente reconhecível do catecismo do Redentor Enforcado. A resposta de Cale, embora cautelosa, foi automática.

— Ele nos fez para conhecê-Lo e amá-Lo.

— Você acha que o homem foi bem criado por Deus?

— Não de acordo com a minha experiência — disse Cale —, mas eu posso só ter dado azar.

— Mas a sua experiência se tornou bem maior nos últimos oito meses. Na verdade, eu diria que se tornou assim de uma maneira singular. Obviamente Deus ordenou sua fuga e todas as coisas extraordinárias que lhe aconteceram exatamente para que pudesse responder à questão. Você andou lado a lado com os melhores e maiores deste mundo, foi amado de todas as formas possíveis pela mulher mais linda, realizou grandes feitos e sofreu uma grande traição por isso.

Tudo isso tinha a grande vantagem, do ponto de vista de Bosco, de ser mais ou menos a visão exata que o próprio rapaz tinha do caso: verdade e autopiedade criavam um todo harmonioso.

— Eu diria — continuou Bosco — que você percebeu tão bem quanto qualquer pessoa que o homem é o lobo do homem.

— Hipócritas — respondeu Cale. — Me deparei com muitos recentemente. Quero dizer com isso que agora eu sei que existem muitos.

— Isso foi dirigido a mim, imagino — disse Bosco, aparentemente não ofendido. — Se for o caso, infelizmente você terá que explicar por quê.

— Como você consegue me olhar com essa cara de pau e tagarelar sobre traição?

— Continuo sem entender. Imagine que eu tivesse deixado você nas mãos daquela boa gente preparada para vendê-lo por seis centavos. Assim que aprendesse a andar, você estaria atrás de um arado, encarando o traseiro de um cavalo 15 horas por dia. Seria um estúpido, um ignorante, estaria morto a essa altura. Uma espécie de nada.

— Deus foi misericordioso. Além disso, eu pensei que era especial.

— Existem muitas pessoas que *nascem* especiais. Como disse o Redentor Enforcado, "muitas flores nascem e florescem sem serem vistas e desperdiçam sua doçura no ar do deserto".

Cale riu.

— Uma flor? Eu sou, é verdade, mais doce e florido do que as pessoas pensam.

— Certamente é uma licença poética, mas me deixe ser mais claro: você nasceu para chegar ao trono de Deus através da carnificina. Muitos são chamados, poucos são escolhidos. Mas eu escolhi você e o tornei apto a ser o agente do fim prometido.

— Você tem noção de como parece maluco?

— Claro. Nos momentos de dúvida, eu levo em consideração a questão da minha sanidade. — Ele sorriu com uma expressão estranhamente encantadora de autoconsciência e deboche.

— E?

— E então eu levo em consideração que obra-prima é o homem. Como seu raciocínio é falho, como suas aptidões são cruéis, como é feio em forma e movimento, como é parecido com um demônio ao agir e com uma vaca ao compreender. A beleza do mundo? O ápice dos animais? A meu ver, a quintessência do pó. — Bosco pareceu se perder, mas então olhou intensamente para Cale. — Você discorda?

Cale não respondeu.

— Deixe de lado por um instante seu ódio por mim e considere a experiência que tem do mundo. Você discorda, do fundo do coração?

Houve outra longa pausa.

— Fale mais.

— Essa não é a primeira vez que o Senhor extermina a humanidade por suas falhas. Não é de conhecimento geral que houve uma espécie de Homem antes de Adão. Deus o destruiu com um grande dilúvio em que afogou o mundo inteiro e começou de novo.

— Tudo?

— Tudo, até a última folha de grama.

— Parece bem fácil. Por que não faz a mesma coisa de novo?

— Gente demais, água de menos. Grama demais.

— O papa acredita em tudo isso?

— Não exatamente — respondeu Bosco —, mas o que ele perder na terra irá perder no céu.

— Não entendi... Ah, sim. — Cale pensou sobre o que imaginou ter notado. — Você vai matar o papa e pegar o lugar dele.

— Se eu não soubesse, diria que você é mais demônio do que anjo. Acha mesmo que é possível matar um papa apontado por Deus e não se condenar imediatamente?

— Acho que não.

Eles ficaram sentados em silêncio, Bosco querendo que Cale pedisse uma explicação. Sabendo disso, apesar da curiosidade, Cale não lhe deu esse gostinho.

— O papa vai mal das pernas — disse Bosco.

— Qual o problema nas pernas dele? — perguntou Cale. Não era uma expressão que tivesse ouvido antes.

— Não, quero dizer que ele não está bem. Ele é velho e está sofrendo de uma doença da cabeça. Uma fraqueza que está paulatinamente ficando pior. Ele esquece as coisas.

— Eu esqueço.

— Ele esquece quem é.

— Se ele está tão mal assim, vai morrer em breve.

— Ele está tão mal assim, mas pessoas que sofrem dessa doença geralmente vivem muito tempo. Muitíssimo tempo. — Bosco olhou novamente para Cale, curtindo a sensação de, mais uma vez, ser mestre para o pupilo. — O que eu devo fazer? — perguntou Bosco. Não era uma pergunta, mas uma indicação para Cale demonstrar seu bom senso.

— Você tem que estar lá quando ele morrer e virar papa.

Bosco riu.

— É mais fácil dizer do que falar.

— Você pode rir — disse Cale —, mas eu estou errado?

— Não. Vamos encarar com simplicidade as questões complexas. Realmente, isso é o fim, mas o que é o início? Mesmo para os muito inteligentes, afastar-se de algo que sempre esteve bem na sua frente a vida inteira pode ser o equivalente a quebrar ossos.

— Qual é a dimensão do seu poder? — Cale perguntou depois de muito tempo.

— Excelente. — Bosco riu. — Quando você matou o Redentor Picarbo, você foi muito gentil em me promover, digamos, de décimo na linha sucessória papal para nono, talvez.

— Você não teria me punido?

— Difícil dizer. Naquele momento, seus atos foram inconvenientes. Meus planos para você, para tudo isso aqui, estavam anos à frente. Décimo na linha sucessória significa não estar na fila para o papado de maneira alguma. Seu sumiço e minha busca por você aceleraram tudo de uma forma muito inesperada e especial. Memphis caiu. Eu tenho a maior parte do crédito, e o que não é meu é seu. Agora sou o quarto na fila para o papado. Ai de mim — ele sorriu —, ser o quarto na fila não é muito melhor do que ser o décimo ou o vigésimo, na verdade.

— Quem são o segundo e o terceiro?

— Direto ao assunto! — debochou Bosco. — Gant e Parsi.

— Nunca ouvi falar.

— Por que teria ouvido? Eu errei ao pensar que essas coisas eram prematuras em se tratando de você.

— Então agora você vai me contar?

— Agora eu vou pedir que raciocine.

— Por que simplesmente não me conta?

— Porque você vai perceber mais claramente se raciocinar. E também porque será muito mais prazeroso.

Se o demônio que o atormentou a vida inteira dissesse que permitiria que adivinhasse seus segredos, que menino inteligente, por mais profundo que fosse seu ódio, não ficaria curioso?

— Havia um livro na biblioteca com uma tranca própria. O censo. Eu consegui abrir outros, mas não aquele.

— Mas você conseguiu quebrar a tranca ao tentar.

— Qual é o tamanho do império Redentor?

— Não é um império, é uma comunidade. A comunidade se uniu a 43 países e, de acordo com o último censo, tem a chance de redimir 100 milhões de pessoas.

— Qual é o tamanho do mundo?

— Não tenho ideia. Sabemos muito pouco a respeito das Índias e da China. Mas considerando os quatro cantos do mundo, sem incluir Memphis, nós somos, provavelmente, quatro vezes maiores e muitas vezes mais ricos do que todos pensam.

— Por que não incluir Memphis?

— Memphis ganhou influência pelo poder militar. Nós conquistamos Memphis e destruímos os Materazzi, mas não conquistamos seu império: ele simplesmente entrou em colapso. Cada país naquele império declarou-se livre e começou a disputar com os vizinhos as mesmas coisas que disputavam antes de os Materazzi chegarem. Tomar Memphis acabou tendo suas vantagens e desvantagens, e com o tempo pode se revelar só uma desvantagem.

— Se o império Redentor é um império tão maior do que todos pensam...

— Comunidade — interrompeu Bosco.

— ... do que todos pensam, por que vocês estão metidos na luta contra os Antagonistas?

— Ótimo. Exatamente. — Bosco ficou claramente satisfeito com a pergunta. — A comunidade dos Redentores não é só grande, mas inchada, cheia de contradições. Algumas partes da comunidade são negligentes em suas crenças e tão blasfemas que são pouco melhores que os Antagonistas. Muitas tiram mais de nós em subsídios do que pagam em impostos. Outras são fanáticas na fé, mas sempre discutem entre si sobre esta ou aquela questão de doutrina. Há numerosos cismas ameaçando se tornar heresias plenas como o Antagonismo.

— Se a situação é tão ruim, por que os Antagonistas não derrotaram vocês?

— Novamente, muito bem. Eles enfrentam os mesmos problemas. Não é a falta de religião que está destruindo a humanidade, é a humanidade que está destruindo a religião. O homem é uma criatura incompetente para aspirar à semelhança de Deus. Deus tentou e falhou. Vai tentar de novo.

— Eu pensei que Deus fosse perfeito — disse Cale.

— Deus é perfeito.

— Então por que meteu os pés pelas mãos com a humanidade?

— Porque ele é completamente generoso. Deus não é um criminoso que trapaceia no próprio jogo de cartas. Deus quer interagir conosco livremente, por escolha. Nem mesmo Deus consegue fazer um quadrado redondo. Deus está solitário, ele quer que a humanidade escolha a obediência, não que seja levada a obedecer por medo. Você entende o que estou dizendo?

— Entendo o que você está dizendo, sim.

— Nem eu nem o Deus a que ambos servimos precisamos que você concorde. Você não é um homem e não é um deus, você é fúria e frustração em carne e osso. O que você faz é o que você é. O que pensa é irrelevante.

— E quando tudo acabar?

— Eu soube nas minhas visões que você será levado ao céu e colocado na ilha de Avalon, um lugar com leite e mel abundantes. Lá permanecerá vestido de samito branco até a hora em que Deus precisar de você novamente, se for o caso.

Depois disso, Cale não falou nada por algum tempo.

— Me fale de Chartres.

— O Santuário é o coração militar da fé, mas é por isso que está situado aqui no fim do mundo, para conter seu grito. Embora eu tenha grande poder, qualquer comandante do Santuário que chegar a 65 quilômetros de Chartres será excomungado por ordem do papa. Minha presença só é permitida lá por autorização expressa, que raramente ocorre, e jamais com mais do que uma dúzia de padres. Mesmo assim, eu não encontro com o papa sozinho desde que Gant e Parsi o esconderam do mundo como uma ervilha dentro de uma vagem.

— Eu não sei o que é isso. — Uma pausa. — Por que eles não matam você?

— Direto ao ponto, como sempre. Eles me consideram um rival, mas um rival efetivamente neutralizado por meu poder estar concentrado no exército, e não em Chartres. A sua fuga, Cale, acelerou a situação de forma muito rápida.

— Ou você — falou Cale — tinha deixado ficar estagnada.

— Não é verdade. Praticamente desde o dia em que você chegou aqui, eu venho recrutando trezentos oficiais que aceitaram que a humanidade não pode ser curada e que você é a solução para ela. Eles vão chegar aqui em breve. Você treinará esses homens, que já são impressionantes, e eles treinarão trezentos mais, e por aí vai. Dentro de dois anos, você terá preparado quatro mil oficiais, e eu estarei pronto para investir contra Gant e Parsi. Se eu obtiver êxito, nós seremos chamados a Chartres para salvar o papa.

— E como você fará isso?

— Isso não é algo com que você precise se preocupar.

— Mas eu me preocupo *mesmo.*

— Então fique aí se preocupando.

— O que é samito?

— Seda. Seda pesada e branca.

Não que Cale acreditasse em Bosco a respeito de Avalon, embora a certeza do Redentor sobre a existência do lugar fosse claramente sincera, mas ele estava chateado com a imagem que estava surgindo sobre o que iria satisfazê-lo.

— A última vez que vi alguém usando seda branca e pesada foi algum arcebispo fazendo uma grande missa para louvar a Deus. Quatro horas já foram ruins o suficiente. Caso não tenha notado, eu não sou do tipo que gosta de louvar.

— Por que seria? Em Avalon você ficará sob os cuidados de 72 criaturas que não são exatamente anjos.

— E isso significa?

— Elas fazem parte de um grupo de anjos rebeldes que desafiaram Deus e foram banidas para o inferno. Mas 72 se arrependeram antes da vitória final de Deus e foram enviadas para Avalon em reconhecimento a esse arrependimento e como punição por terem fraquejado na fé. Elas estão esperando por você para servi-lo de qualquer forma que desejar.

— Como as freiras no convento.

— Isso é com você. E portanto presumo que não sejam de maneira alguma como as freiras no convento.

— E como você sabe disso?

— Tive uma revelação no deserto.

2

Segundo as Janes, o coração de uma criança aguenta 49 golpes antes de ficar estragado para sempre e o que está feito jamais pode ser desfeito. Considere então o coração de Thomas Cale, vendido por seis centavos, constantemente espancado, treinado para matar e a seguir traído pelo único ser vivo que lhe mostrou amor (especialmente cruel esse último aspecto). Autocomiseração, ainda que mereça o devido respeito, é o maior de todos os ácidos para a alma humana. Sentir pena de si mesmo é um solvente universal da salvação. Imagine o veneno que foi derramado dentro do peito de Cale naquela tarde e noite na montanha Tigre. Considere o estrago que foi feito e o poder que foi oferecido para consertá-lo. Não é contrário à razão, já dizia o filósofo inglês, preferir a destruição do mundo a um arranhão no dedo — torna mais fácil entender que uma ferida na sua alma custe o mesmo preço.

3

Quando Henri Embromador, IdrisPukke e Kleist decidiram perseguir cuidadosamente Bosco e seu tesouro, os três contaram que ele fosse diretamente para a proteção do Santuário, e portanto ficaram apreensivos e desconfiados pelo longo desvio que Bosco tomou. IdrisPukke somente percebeu para onde eles estavam indo poucas horas antes de a montanha Tigre surgir no horizonte. Ele ficou surpreso que a notícia parecesse ter espantado os dois meninos.

— Este é o lugar mais sagrado do Bom Livro — disse Henri Embromador.

— Eu não achava que vocês acreditassem mais nisso — respondeu IdrisPukke.

— Quem disse que nós acreditamos? — Nos últimos dias, Kleist andava mais irritadiço do que o normal.

— Não é isso — disse Henri Embromador —, é que ouvimos falar deste lugar a vida inteira. Deus falou com Preste João naquela montanha. Jefté sacrificou sua única filha ao Senhor aqui.

— O quê?

Os dois explicaram pacientemente a história, repetida tantas vezes para eles que não parecia mais um evento real com pessoas reais — uma faca não muito afiada e uma menina de 12 anos curvada de bom grado sobre uma pedra arredondada.

— Credo — disse IdrisPukke depois que eles terminaram.

— E foi onde Satanás tentou o Redentor Enforcado oferecendo poder sobre o mundo inteiro. Eu levei uma bela surra por ter dito que Satanás devia ser meio burro.

— E por que você acha isso?

— Qual é o sentido de tentar alguém com uma coisa que a pessoa não quer?

O desvio inesperado de Bosco fez com que eles ficassem com pouca água e nenhuma comida por dois dias. Mas Kleist flechou uma raposa, e eles esperaram com estômagos doendo enquanto o animal cozinhava.

— Você acha que já está pronto?

— Melhor esperar — disse Kleist. — Você não vai querer comer raposa malcozida.

IdrisPukke não queria comer raposa, malcozida ou de outra forma qualquer. Quando ficou pronta, Kleist cortou a comida (dividir uma raposa em três partes iguais não era uma tarefa fácil). A total igualdade das porções foi assegurada pela lei dos acólitos na qual quem dividia o que eles estavam prestes a comer tinha que pegar a porção menor, uma sacada sobre a natureza humana que, se aplicada a questões muito maiores, teria transformado a história do mundo. IdrisPukke ainda estava olhando para a terça parte de animal bem passado no prato enquanto os outros dois estavam prestes a terminar de comer, embora ainda fossem passar uma boa meia hora roendo osso e tutano.

— Como estava? — disse IdrisPukke.

— Bom — falou Henri Embromador.

— Quero dizer, estava com gosto de quê?

Henri Embromador ergueu os olhos, pensativo, tentando fazer uma comparação exata.

— Um pouco com gosto de cachorro.

Ao comer a raposa, que era comida afinal de contas, veio à cabeça de IdrisPukke a imagem de porco cozido em óleo lubrificante, isso se gosto de óleo lubrificante fosse parecido com o cheiro. A seguir, com o estômago cheio e embrulhado, ele dormiu e teve a impressão de sonhar com bules de chá pulsando no céu da noite. Quando acordou com o céu mal começando a clarear, foi desperto pelo som de Henri Embromador resmungando, de mau humor.

— Qual é o problema?

Henri Embromador pegou uma pedra e atirou no chão com grande fúria.

— É aquele merda do Kleist. Fugiu, aquele traidor desgraçado.

— Tem certeza de que ele não foi só se aliviar ou ficar sozinho?

— Eu pareço idiota? — respondeu Henri Embromador. — Kleist levou tudo que era dele. — Ele continuou xingando Kleist por uns bons cinco minutos até pegar a mesma pedra e atirar em um último acesso de raiva. Depois se sentou e ficou fumegando em silêncio.

Depois de deixá-lo quieto por alguns minutos, IdrisPukke perguntou por que ele estava tão furioso. Henri Embromador retornou o olhar, indignado e também perplexo.

— Ele nos deixou na mão.

— Como assim?

— É... — ele não conseguiu apontar o motivo — ... óbvio.

— Bem, talvez seja. Mas por que ele não deveria nos deixar na mão?

— Porque ele devia ser meu amigo. E amigos não deixam amigos na mão.

— Mas Cale não é amigo dele. Eu o ouvi dizer isso várias vezes. E também não me lembro de Cale falar bem dele.

— Cale salvou a vida de Kleist.

— Ele salvou a vida de Cale na colina de Silbury, e mais de uma vez.

Henri Embromador deu um suspiro de irritação.

— E quanto a mim? Ele devia ser meu amigo.

— Você perguntou se ele queria vir conosco?

— Ele não falou nada quando partimos.

— Bem, ele está dizendo uma coisa agora.

— Por que não disse na minha cara?

— Acho que estava com vergonha.

— Lá vem você.

— Lá vem você uma ova. Admito que, julgado pelos mais altos padrões de santidade, ele devia ter dado uma explicação completa, pessoalmente. Você alega ser amigo dele. Alguma vez Kleist demonstrou alguma aspiração à santidade?

Henri Embromador afastou o olhar, como se pudesse encontrar alguém pronto para lhe dar razão. Ele não falou nada por algum tempo e depois riu — um som em parte bem-humorado, em parte desapontado.

— Não.

Sem poder resistir a dar lição de moral, IdrisPukke prosseguiu confiante.

— É perda de tempo culpar as pessoas por serem elas mesmas e cuidarem dos próprios interesses. De que interesses as pessoas cuidariam? Dos seus? Kleist sabe o que o espera se for capturado novamente. Por que ele arriscaria uma morte tão horrível por alguém de que nem sequer gosta?

— E quanto a mim?

— Por que ele arriscaria uma morte tão horrível por alguém de quem gosta de *fato*? Você deve se achar o máximo.

Desta vez Henri Embromador riu sem o tom de decepção.

— Então por que você veio? Os Redentores não serão mais gentis com você do que comigo.

— Simples. Eu deixei a afeição vencer meu bom senso. — IdrisPukke não resistiu à oportunidade de falar mais sobre outra de suas opiniões favoritas. — É por isso que é muito melhor não ter amigos se você tem a força de caráter para se virar sem eles. Ao fim das contas, amigos sempre se tornam um estorvo de uma forma ou de outra. Mas, se precisa ter amigos, você tem que deixá-los em paz e permitir que tenham o direito de existir de acordo com suas personalidades, sejam elas quais forem.

Eles desfizeram o acampamento em silêncio e ficaram assim por um bom tempo até que Henri Embromador fez uma pergunta surpreendente ao companheiro.

— IdrisPukke, você acredita em Deus?

Não houve pausa para pensar na resposta.

— Há muito pouco amor ou bondade em mim, e no mundo de maneira geral, para desperdiçá-los em seres imaginários.

4

Sabe-se que o coração fica dentro de um tubo e que o sofrimento faz com que ele desça pelo tubo, geralmente chamado de túnel ou espiral, que termina no fundo do estômago. No fim do túnel ou da espiral, existe um alçapão — feito de cartilagem — chamado de mola. No passado, quando a amargura de uma decepção afligia um homem ou uma mulher e se tornava insuportável, a mola cedia, e o coração caía direto por ela. Isso dava àqueles que sofriam tanta dor um alívio imediato e misericordioso ao parar o coração instantaneamente. Agora, como existe tanto sofrimento no mundo que quase ninguém viveria, a natureza, sempre protetora, fez com que a mola se fundisse à espiral para que ela não abrisse mais, e assim a dor tem que ser enfrentada, por mais terrível que seja. Foi melhor assim para Cale, pois a primeira visão do Santuário surgiu da bruma matinal tão sinistra quanto um castigo. Durante a última parte da jornada, havia surgido em algum lugar de sua alma uma esperança infantil de que, quando visse o Santuário novamente, ele talvez tivesse sido totalmente destruído pelo fogo do inferno. Não fora. Permanecia plantado no horizonte, inalterável em sua vigilância de concreto, esperando pelo retorno de Cale com uma presença tão sólida que era como se tivesse crescido na montanha de topo plano onde fora construído, parecendo um enorme molar implantado no deserto. O Santuário não fora feito para encantar, para intimidar, para louvar ou se vangloriar. Ele parecia com a sua função: fora construído para manter algumas pessoas afastadas acontecesse o que acontecesse e manter outras dentro acontecesse o que acontecesse. E, no entanto, era difícil descrevê-lo: eram paredes nuas, eram prisões, eram locais para cultos macabros, era uma imensidão marrom. Era certa ideia do que significava ser humano, erguida em concreto.

Durante a subida pela estrada estreita, que dava voltas pela encosta lateral da imensa colina de topo plano, o coração de Cale bateu contra a porta da mola em busca do esquecimento — mas o esquecimento não veio. Os grandes portões se abriram, e os grandes portões se fecharam. E foi isso. Todo o amor, a audácia, a coragem, a inteligência, a sorte, a morte, a beleza e a alegria, a matança e a traição o trouxeram de volta ao ponto exato de onde ele havia partido havia menos de um ano. Era a hora canônica de Noa e, portanto, todo mundo estava nas 12 igrejas rezando — os acólitos pelo perdão de seus pecados, os Redentores pelo perdão dos pecados dos acólitos.

Se estivesse menos infeliz, Cale talvez tivesse notado que tinha sido ajudado a apear do cavalo não por um Redentor comum, mas sim pelo Prelado dos Cavalos em pessoa, e com extraordinária deferência. Bosco, que descera do cavalo com a ajuda de um cavalariço qualquer, foi à frente e gesticulou para que Cale fosse até uma porta que ele mal havia notado em tantos anos de Santuário, pois era proibido que os acólitos se aproximassem dela. A porta foi aberta para Cale pelo Prelado dos Cavalos, que seguiu em frente não como seu superior, mas, por assim dizer, como um guia. Eles andaram pela penumbra marrom, característica comum a qualquer lugar do Santuário. Mas mesmo nas profundezas do sofrimento, Cale começou a notar que era estranho ter vivido em um lugar a vida inteira e depois descobrir que havia áreas enormes que não tinha ideia de que existiam. Tudo ainda era marrom, mas diferente. Havia portas! Havia portas por todos os lugares. Eles pararam diante de uma. Ela foi aberta, e gesticularam para que Cale entrasse, mas desta vez ninguém foi à sua frente e só Bosco o seguiu. O aposento era grande e tinha muita mobília marrom. E era familiar, de uma maneira perturbadora. Tinha o mesmo desenho do aposento em que Cale matara o Redentor Picarbo. Possuía até mesmo um quarto de dormir. Este era um lugar só para os poderosos.

— Será necessário que você fique aqui dois dias, talvez três. Há preparativos, tenho certeza de que compreende. A comida será trazida até você e, qualquer coisa de que precisar, basta bater na porta, e o seu... — ele não tinha certeza da palavra correta — ... seu guardião irá dar um jeito de trazer até você. — Bosco assentiu, quase uma reverência, e saiu depois de trancar a porta. Cale ficou olhando, surpreso não só pela noção de que tinha um guardião, porém mais espantado pela ideia de que podia pedir o que quisesse. O que seria possível o Santuário ter que alguém pudesse querer? Acabou que a suposição justificável de Cale de que realmente não havia nada provou ser totalmente errada.

Enquanto isso, Bosco tinha muitos problemas urgentes com que lidar. Aos olhos de Cale, Henri Embromador e Kleist, Bosco aparentava ser uma figura de autoridade absoluta entre os Redentores. Isso estava longe de ser o caso. Podia ser verdade em relação aos acólitos e mesmo a muitos Redentores seniores. Agora seu poder podia ser influente no Santuário, porém, por mais importante que fosse, o centro do poder da fé estava nas mãos do papa Bento XVI na cidade sagrada de Chartres. Por vinte anos um formidável bastião de poder e ortodoxia, o papa passara essas duas décadas anulando as mudanças dos últimos cem anos em busca de uma pureza renovada para a Única e Verdadeira Fé. No entanto, há algum tempo ele vinha sofrendo daquela grande doença da idade, Mens Vermis. Primeiro veio uma enorme tendência a esquecer, depois a divagar, depois a divagar e não voltar, exceto por curtos períodos de algumas horas em que o velho discernimento parecia retornar por completo. A partir daí, quem sabe? Nos três anos em que a doença arruinou a mente do papa, muitos conchavos e juntas, panelinhas e círculos surgiram se preparando para o momento em que a morte o livrasse de seus deveres. Dois desses grupos mais importantes eram os Redentores Triunfantes, liderados pelo cardeal Redentor Gant — responsável pela ortodoxia religiosa — e o Gabinete da Santa Sé, comandado pelo cardeal Redentor Parsi. Quem quer que controlasse a Santa Sé e os Redentores Triunfantes controlava o acesso ao Santo Pai, e como o Santo Pai estava tão doente, os dois juntos controlavam muita coisa. Com relação a Gant e Parsi, havia a diferença entre um mosquito e uma pulga sobre qual deles odiava mais Bosco. A opinião de Bosco sobre ambos ia muito além do ódio. A antiga hostilidade fora criada pelo papa Bento, que acreditava tanto no príncipio de dividir para conquistar quanto em Deus. Quando chegasse a hora, o papa teria escolhido um sucessor, mas agora essa questão estava muito além dele, embora a escolha fosse só entre Parsi e Gant. Não teria sido Bosco. Bosco era suspeito de pensar e às vezes de pensar o novo. Ciente dessas restrições, ele tinha feito outros planos.

Um manipulador ainda mais habilidoso que o chanceler Vipond de Memphis, Bosco reagiu rapidamente à catástrofe do assassinato de Picarbo por Cale e de sua subsequente fuga. Mas é de grande ajuda saber que Deus está a seu lado, e também ter inteligência junto com a convicção de que Deus ajuda a quem se ajuda. Ele informou a quem precisava saber que foram espiões Antagonistas que mataram Picarbo e que Cale fora obrigado a acompanhá-los para revelar um plano para assassinar o papa. Quando os Antagonistas eram envolvidos, nenhuma acusação era exorbitante demais. "Uma grande mentira", ele gostava de dizer para o Redentor Gil, o mais próximo de um confidente que Bosco possuía, "é mais fácil de ser acreditada do que uma pequena, e uma mentira simples é aceita mais rapidamente do que qualquer coisa muito complicada". Ele então pediu ao Redentor Jonathon Brigade, seu chefe de propaganda, que escrevesse um livro, *Os Protocolos dos Moderadores do Antagonismo*, descrevendo os detalhes de tal plano. A seguir eles encontraram, após uma procura minuciosa, o corpo de um Redentor que tinha todas as características exageradas que eram consideradas típicas de um Antagonista: dentes manchados (sintoma oportuno da doença de que morreu), lábios grossos, nariz largo e cabelo preto e crespo. Eles jogaram o corpo do Redentor no mar perto da Ilha dos Mártires, onde sabiam que a corrente iria levá-lo, e deixaram a propensão das pessoas a acreditar em conspirações fazer o resto. Contudo, os *Protocolos* não se restringiram só aos detalhes do plano macabro em si, mas também expressaram medo de que um espião Redentor excepcionalmente corajoso e santo andasse à solta e de que, através de grande risco e astúcia divina, se infiltrara entre os conspiradores Antagonistas para tentar salvar o papa. Em artimanha ainda maior, o livro afirmava que uma quinta coluna Antagonista havia convertido um número não divulgado de Redentores à sua heresia e que muitos desses apóstatas se infiltraram em cargos importantes dos Redentores Triunfantes de Gant e da Santa Sé de Parsi, nos quais passavam segredos vitais aos seus mestres e esperavam a oportunidade oferecida por quaisquer momentos de fraqueza dos fiéis. Os *Protocolos* também admitiam relutantemente que, apesar de tantos esforços, foram feitos poucos avanços contra a pureza religiosa dos Redentores de Bosco no Santuário.

Bosco acreditava que os *Protocolos* podiam ser tão toscos quanto o desenho do Redentor Enforcado feito por uma criança de 4 anos, desde que os fiéis ficassem convencidos de sua origem. Isso provou ser uma verdade maior do que ele poderia esperar. A chance aparentemente impossível de o corpo surgir do mar era prova de que não havia conspiração. O livro parecia tão natural que a questão de ele ser falso jamais foi levantada. A Santa Sé e os Redentores Triunfantes se limitaram a argumentar que, apesar de a ameaça ser claramente real, os Antagonistas estavam equivocados quanto à existência de hereges em suas fileiras. No entanto, houve intensos expurgos. A tortura era proibida de ser usada em Redentores, mas o Gabinete dos Interrogadores não precisava de rodas de tortura ou ferro em brasa. Algumas noites sem dormir, seguidas por imersão em água, logo fizeram homens completamente inocentes — inocentes de heresia, em todo caso — confessarem conspiração, apostasia e contato com demônios, tudo isso seguido por acusações. Bosco viu com considerável satisfação muitos de seus inimigos serem queimados vivos por muitos outros inimigos seus. A autoridade que ele ganhou graças à acusação feita pelos *Protocolos* de que seu próprio comando no Santuário era um exemplo de resistência ao Antagonismo lhe deu uma influência renovada, que foi suficiente para lançar um ataque contra os Materazzi com consequências totalmente inesperadas e magníficas. Agora Bosco estava realmente superando Parsi e Gant e havia provado para os seus seguidores, sem a menor sombra de dúvida ou hesitação, que Deus abençoara seu plano ousado e perigoso, e que Cale era, de fato, o instrumento de Deus. Trabalho, e trabalho muito sério, restava para ser feito. Nem Gant nem Parsi podiam ser subestimados e, ao perceberem a ameaça de Bosco, eles haviam se juntado para se opor a ele. O expurgo Antagonista finalmente fora encerrado pelos esforços conjuntos dos dois, e eles se moveram contra Bosco a qualquer preço.

Naquela noite Bosco estava deitado na cama, pensando nos vários planos que havia colocado em andamento para destruir os rivais e ocasionar o fim do mundo. A euforia e a preocupação o mantinham desperto. O que, afinal de contas, poderia abalar a alma tão intensamente quanto a decisão de acabar com tudo — a terrível vertigem de se comprometer com a solução definitiva para o mal? Sua preocupação era mais simples, mas não menos importante. Bosco não era tolo de aprovar grandes ideias sem saber que precisava de inteligência e competência para realizá-las e, é claro, sorte. E ainda havia a preocupação e a euforia que ele sentia sobre Cale. Tudo e mais um pouco que Bosco sempre esperara em relação a esse menino tinha se tornado real e até mais do que isso. E, no entanto, Bosco estava intrigado por Deus lhe ter dado tudo que a visão havia prometido, mas no fundo Cale ainda apresentava traços de algo inadequado: fúria e mágoa inúteis que não se transformaram numa virtude apropriada. Antes de dormir, consolou-se com a ideia de que não tivera a intenção de que Cale se manifestasse para o mundo pelos próximos dez anos, pelo menos. Se não fosse por aquele louco Picarbo e suas experiências macabras, as coisas teriam sido bem diferentes. Logo após um breve resmungo, ele parou de dar corda para o mau humor e se consolou com um de seus mais velhos ditados: "Um plano é um bebê em um berço, tem pouca semelhança com um homem."

No dia seguinte, de manhãzinha, ele esperou ansioso e impaciente na Praça do Sangue dos Mártires um de seus planos mais meticulosos atingir o ápice. Os grandes portões se abriram rangendo, e trezentos Redentores marcharam para o interior do Santuário. Seria difícil descrevê-los como a nata do braço militar do sacerdócio, porque nata daria o sentido errado de algo saído da cremosidade e brancura do leite. Eles eram talvez um dos grupos mais ameaçadores jamais reunidos em um só lugar — só grande cautela e paciência por dez anos conseguiram atraí-los para a causa de Bosco, não tinha sido fácil dobrar os inflexíveis e ponderar com os fanáticos. O mais difícil de tudo fora preservar os lampejos de audácia e violência criativa que atraíram a atenção de Bosco para eles em primeiro lugar. Estes eram Redentores que mostraram um talento para inovações improváveis, juntamente com um dom mais convencional para crueldade e brutalidade e uma disposição para obedecer. Eles seriam os servos mais imediatos de Cale. Cale os treinaria e cada um deles por sua vez treinaria outros cem, e então cada um destes novamente treinaria mais cem. Agora que Bosco tinha Cale e os homens diante de si, ele possuía as origens do fim de tudo.

Bosco podia não ter ainda a base de poder que seus rivais possuíam em Chartres, mas tinha uma grande variedade de seguidores de todos os tipos, muitos desconhecidos uns dos outros. Alguns eram fanáticos em sua devoção, verdadeiros adeptos de seu plano de mudar o mundo para sempre; a maioria não tinha ideia de seus objetivos finais, mas o considerava mais aplicado nas questões da fé do que Parsi e Gant. Outros eram ainda mais indiferentes: Bosco era alguém poderoso que poderia vir a se tornar mais poderoso. Provavelmente ele ficaria em segundo plano com a morte do papa, que a paz esteja com ele, mas nunca se sabe. Através desse feio arco-íris de alianças, Bosco havia espalhado a notícia sobre Cale ao revelar o heroísmo da parte dele em salvar o papa da maldade não só dos Antagonistas, mas do expansionismo dos agora arruinados Materazzi. Panfletos não oficiais foram escritos em tom de desaprovação, mas com viés libidinoso, contando as tentações e os perigos que Cale enfrentara. O retrato de Memphis era tosco, mas de maneira alguma falso: a disponibilidade da carne, os políticos astutos e as lindas mulheres traiçoeiras. Mas, enquanto alguns Redentores podiam ter curtido os horrores descritos nos panfletos, a maioria deles não era hipócrita: ficaram sinceramente revoltados com o que leram. Pode ser surpreendente que homens como esses fossem capazes de sentir amor, mas não fique surpreso. Eles sentiam. Cale havia salvado o papa que eles amavam.

A enorme expansão do número de acólitos nos últimos anos, conforme Bosco aumentava o controle do futuro militar dos Redentores, significou que, por maior que fosse o Santuário, havia poucas acomodações para os trezentos homens de sua nova elite. Os Redentores em geral podiam não esperar muito em relação aos prazeres da vida, mas um quarto próprio quando não estivessem de serviço, por menor que fosse, significava muito para vidas geralmente cheias de privação. As muitas celas da Casa de Detenção haviam sido construídas quando espaço ainda não era um luxo, e Bosco decidiu remover quem estivesse confinado lá por qualquer período de tempo. Nas últimas semanas, uma série de execuções de prisioneiros acontecera para criar o espaço necessário para os recém-chegados. Como em qualquer instituição fechada, aqueles dentro do Santuário eram terríveis fofoqueiros e, como tal, implacavelmente enxeridos. Com certeza haveria um falatório sobre a chegada desses oficiais de aparência imponente, mas, em retrospecto, Bosco sentiu que deveria ter pensado numa explicação convincente para a presença deles. Na época, ele confiou na inteligência considerável do experiente carcereiro-chefe para executar suas ordens de tratar bem os homens e colocá-los na ala norte da prisão, agora livre de prisioneiros graças à recente leva de assassinatos. Bosco providenciou excelente alimentação para os trezentos homens e explicou que a ala seria trancada para manter os curiosos longe. Eles sabiam que eram os eleitos e que o sigilo era vital para a própria sobrevivência, então não houve objeções.

E então Bosco passou várias horas explicando suas intenções para um Cale quase mudo.

— Eles estão sob a autoridade de quem?

— Sua.

— E eu estou sob a autoridade de quem?

— Você não está sob a autoridade de ninguém. Com certeza não sob a minha, se é o que você quer dizer. Você é a mágoa de Deus em carne e osso. Você só imagina que é um homem e que a vontade de outro homem pode ter alguma importância. Desvie-se de sua natureza e irá se destruir. Foi por isso que você foi traído por Arbell Pescoço de Cisne e também pelo pai dela, mesmo após ter salvado a filha dele e recuperado a vida de seu único filho homem, o que foi o equivalente a tê-lo trazido de volta da morte. Faça o que está aqui para fazer e você retornará ao seu pai no céu. Se tentar ser uma coisa que nunca poderá ser, você vai ter mais sofrimento e tristeza do que qualquer criatura que jamais viveu.

— Me dê Memphis.

— Por quê?

— Por que você acha?

— Ah — disse Bosco, sorrindo. — Para que você destrua a cidade tijolo por tijolo e jogue sal nas fundações.

— Algo assim.

— À vontade. É para isso que você está aqui, afinal de contas. Mas eu não tenho a autoridade, e, portanto, você também não. Precisamos ter um exército. A solução para conseguirmos um exército está dormindo na Casa de Detenção. Mesmo assim eu precisarei ser pontífice antes que você apronte uma travessura dessa escala. Como já descobriu, nada que você faça por um homem ou uma mulher fará com que eles o amem. Exceto por mim, Thomas, eu amo você.

E, dito isto, ele ficou de pé e saiu.

Naquela noite, um nervoso Redentor Bergeron, carcereiro-chefe-adjunto, chegou com uma lista de nomes dos trezentos homens que Bosco tinha pedido para conferir com seus registros e se precaver contra infiltradores. A nova lista confirmou que havia, de fato, só 299 oficiais. O Redentor sumido teria que ser encontrado caso tivesse mudado de ideia ou sido preso. Foi constatado mais tarde que ele morrera de varíola a caminho de se juntar aos demais. O carcereiro estava nervoso porque era a primeira vez que lidava com o temível Bosco. Seu superior, o carcereiro-chefe, havia sido preso bem na véspera sob a acusação de Ato Ímpio, um delito sério o bastante para que fosse detido, mas não para informar Bosco. O carcereiro-chefe tinha escolhido seu adjunto, agora no comando, exatamente porque a inteligência limitada do homem diminuiria qualquer ameaça à sua própria posição. O adjunto voltou uma hora depois de Bosco ter lido a lista de nomes. Bosco não ergueu os olhos quando ele entrou, só empurrou a lista em sua direção. Nervoso, o carcereiro a pegou sem olhar e saiu da presença intimidante de Bosco o mais rápido possível.

Do lado de fora, o coração do carcereiro estava batendo como o de uma garota que acabou de ser beijada pela primeira vez. Ele tentou se acalmar e levou a lista até uma vela fraca queimando na parede para examiná-la com cuidado. Quando acabou, os olhos estavam arregalados de medo e incerteza. Pesada sempre se encontra a fronte coroada. Ele era medroso demais para pedir um esclarecimento a Bosco e orgulhoso demais para se consultar com seu antecessor. Estava certo em pensar que teria parecido idiota e incapaz aos olhos de ambos. "Seja lá o que você for", ele ouviu por acaso uma vez, "seja decisivo". Esse conselho meio ruim, mal-entendido de qualquer forma, passou anos no fundo da mente do Redentor Carcereiro Bergeron esperando a oportunidade para traí-lo. Finalmente a oportunidade surgiu. Quantos de nós somos diferentes disso? Quantos de nossos melhores ou piores momentos surgiram de uma besteira que estava incrustada em nossas almas como uma erva daninha em um rochedo e cresceu ali contra todas as chances? A erva força as raízes em uma fissura, a fissura fica mais larga, surge uma súbita tempestade, a água invade a fissura, a água congela na noite de inverno e abre a fissura. Um estranho passa, o cavalo tropeça em uma pedra solta, cavalo e cavaleiro são jogados pelo temível precipício da escarpa. Então Bergeron correu para a cela de Petar Brzca e bateu com absoluta convicção na porta.

— Sim?

— As pessoas nesta lista na ala norte devem ser executadas.

Brzca não ficou especialmente surpreso, uma vez que tantos prisioneiros da ala norte haviam sido mortos recentemente. Ele examinou a lista, calculando por alto que tipo de tarefa seria.

— Pensei — falou Brzca, mais para puxar conversa do que qualquer outra coisa — que as execuções estavam encerradas por enquanto.

— Obviamente não — veio a resposta mal-humorada. — Talvez você queira ir ver o Lorde Redentor Bosco e perguntar o que ele acha que está aprontando.

— Não é o meu trabalho — respondeu Brzca. — Não cabe a nós perguntar. Quando?

— Agora.

— Agora?

— Acabei de vir da presença do Redentor Bosco.

Isso era convincente.

— Por que a pressa?

— Não interessa. Você só deve se preocupar com a rapidez com que vai começar e terminar.

— São quantos exatamente?

— Duzentos e noventa e nove.

Brzca pensou, e os lábios se mexeram fazendo contas em silêncio.

— Posso começar em duas horas.

— Quando pode começar caso se apresse?

Brzca pensou novamente.

— Duas horas.

Bergeron suspirou.

— E quanto tempo vai levar?

— Assim que aprontarmos a rotunda, podemos executar um a cada dois minutos. Com intervalos, 11 horas.

— E sem intervalos?

— Onze horas.

— Muito bem — disse Bergeron em um tom que sugeriu que havia concluído a negociação com êxito. — Na rotunda em duas horas.

Brzca na verdade estava trabalhando na rotunda em menos de uma hora com seus quatro assistentes ou executores. Ele tinha examinado com cuidado as vítimas. Eles pareciam um bando de durões. Se desconfiassem do que estava acontecendo, haveria problemas. No momento era óbvio que eles estavam alheios à situação — embora não estivessem distraídos. Nem mesmo homens com aparência tão fria como esses seriam tão tranquilos diante da morte e do tormento eterno que os aguardava. Uma coisa o incomodava muito.

— Por que — falou Brzca para o Redentor de guarda — eles não estão trancados nas celas? E por que não há ninguém além de você para vigiá-los?

A resposta foi convincente.

— Não faço ideia.

Se o guarda foi de poucas palavras, não era só porque ele sinceramente não sabia de nada, mas também porque ninguém queria falar com Brzca. Até mesmo os mais brutos dos Redentores menosprezavam Brzca, ele era realmente detestado, da maneira que executores sempre foram. Ninguém gostava dele, mas Brzca não dava bola, ou ao menos era isso que dizia para si mesmo. Na verdade, Brzca se importava com a forma como era visto. Ele gostava de ser temido. Gostava de ser visto como letal e misterioso. Brzca ficava ressentido com o desdém. Ele não merecia isso. Era injusto. Ele demonstrou indiferença, mas ficou magoado por esta falta de respeito.

Brzca sofreu em silêncio, não por escolha mas porque ninguém queria falar com ele. Nem mesmo seus assistentes, dentre os quais dois, para sua irritação, recentemente tentaram ser transferidos para cuidar de leprosos em Mogadíscio. Eles teriam o que mereciam pela deslealdade em seu devido tempo, mas a noite de hoje exigia integração e harmonia no serviço.

Ainda havia problemas, e Brzca decidiu andar pelo ambulacro para esfriar a cabeça. Será que eles tinham que ser amarrados primeiro? Não. A vantagem dos pés e mãos atados tinha que ser contrabalançada com a nítida preocupação que isso provocaria de que algo desagradável ia ocorrer. Esses não eram homens do tipo que morreriam quietos, e, dado o fato de que eles foram deixados em celas com portas abertas por alguma razão, isso poderia resultar facilmente em uma revolta. Era melhor, Brzca decidiu ao percorrer o ambulacro, deixá-los na inocência e fazer tudo tão rápido que eles não perceberiam até estarem a meio caminho da próxima vida. Seriam necessárias mais habilidade e uma mão mais firme, mas isso ele tinha de sobra.

— Boa noite, Redentor. — Era Bosco passando, ruminando sobre Cale.

— Boa...

Mas Bosco já tinha ido embora.

A rotunda fora projetada pelo antecessor de Brzca — um janota, no seu modo de ver — e construída, em sua opinião profissional, de modo mais elaborado do que era necessário. Faça o simples, era o seu lema. Ele havia trocado o sistema de três salas para execuções em massa — uma para quem seria morto, outra para a vítima sendo preparada e a terceira para a próxima vítima esperar — por algo que dependia mais da cooperação da vítima sob a impressão de que outra coisa estava acontecendo. A vítima era informada de que seria apresentada brevemente ao prior do Santuário. Quando o sujeito entrasse pela porta grossa e à prova de som, veria as costas do prior ajoelhado diante de um ícone sagrado do Redentor Enforcado. A vítima e seus dois guardas se ajoelhariam lado a lado, com os últimos um pouco mais próximos do que alguém esperaria. A seguir, o prior ficaria de pé e daria meia-volta, a vítima ergueria o olhar, Brzca, de avental marrom, agarraria seu cabelo, os dois guardas pegariam seus braços, a seguir Brzca sacaria a faca embutida na luva e cortaria a garganta da vítima. Já morrendo e em choque, ela seria jogada sobre o chão falso à frente, que seria abaixado pelos guardas, e o morto ou moribundo desceria por um duto para ser recolhido pelos Redentores na sala abaixo, que lavariam o chão falso rápida e cuidadosamente e empurrariam a pedra de volta para o seu lugar acima. Após rápida verificação de sinais de luta, os guardas sairiam da sala por uma porta no fim do corredor. Lá fora, a próxima vítima estaria esperando pacientemente com seus dois guardas. O sujeito mal enxergaria nas sombras o que imaginaria ser o antecessor saindo pela porta dos fundos. E todo o procedimento recomeçaria.

Isso ocorreu noite adentro com só uma interrupção de uma das vítimas, um homem mais alerta do que os demais, que sentiu que havia algo de errado na sala, se soltou da mão que o pegou pelo cabelo e da que tentou segurar sua mão esquerda, e escorregou, desviou e gritou enquanto todos os quatro assassinos o agarravam e tentavam imobilizá-lo, esperneou e lutou até que foi levado para o duto, pisaram na sua mão, bateram na sua cabeça e finalmente o empurraram duto abaixo para ser liquidado pelos Redentores nas câmaras inferiores. Nem mesmo a porta mais grossa poderia impedir que o som de uma luta tão terrível chegasse aos ouvidos do homem que esperava no corredor do lado de fora. Brzca saiu em pessoa e esfaqueou o Redentor assustado ali mesmo antes que pudesse fazer um estardalhaço. Tirando isso, tudo ocorreu como deveria.

Na manhã seguinte às 11h, o Redentor Carcereiro Bergeron inspecionou a pilha de corpos lavados por alto e dispostos na rotunda Aftorium, esperando para serem removidos para Ginky's Field na calada da noite. Era uma visão assombrosa, porém impressionante. Meia hora depois ele estava diante de um Bosco levemente impaciente, que tentava compreender os entediantes, porém complicados, documentos envolvendo a discussão sobre uma grande remessa de queijo estragado.

— O que foi? — falou Bosco, sem erguer o olhar.

— As execuções foram realizadas como o senhor ordenou, Redentor.

Bosco levantou os olhos após perder, para sua irritação, o fio do raciocínio sobre os argumentos e contra-argumentos em relação à responsabilidade sobre o queijo podre.

— O quê?

Um medo terrível passou por Bergeron como se ele tivesse sido atingido por um súbito temporal de inverno.

— A execução dos prisioneiros na Casa de Detenção.

A voz de Bergeron era um sussurro. Ele pegou a lista de nomes e apontou para a última página.

— Aí está a cruzinha que o senhor coloca no pé para confirmar.

Bosco pegou o papel sem fazer estardalhaço. Foi tomado por uma calma terrível. Ele olhou a lista por um momento. Seus preciosos oficiais linhas-duras estavam mortos, todos eles.

— A cruzinha no pé da página — falou baixinho — era para mostrar que eu tinha lido a lista.

— Ah.

— Ah, realmente.

— Eu...

— Por favor, não fale nada. Você acaba de me trazer um desastre. Me leve para vê-los.

Em seu quarto, Cale estava olhando à toa pela janela, com a mente a quilômetros de distância. Atrás dele ouvia-se o barulho de um acólito servindo a segunda refeição do dia. Comer, agora que a comida vinha das freiras como acontecia com os Redentores, pelo menos era um prazer que ele ainda sentia. De certa forma. O acólito deixou cair uma das tampas no chão, e ela veio rolando e fazendo barulho até os pés de Cale. A proximidade do acólito para pegar a tampa fez com que Cale olhasse para o rosto do menino pela primeira vez. O garoto, embora tivesse pelo menos a idade de Cale, pegou a tampa e olhou para trás, porém de um jeito hesitante.

— Eu não conheço você — falou Cale.

— Eles me trouxeram aqui dez dias atrás, de Stuttgart. — Cale tinha lido sobre Stuttgart havia poucos dias, em um almanaque dado por Bosco que descrevia, nos mínimos detalhes, todas as cidadelas armadas e muradas dos Redentores com uma população acima de 5 mil pessoas. De acordo com Bosco, a comunidade dos Redentores era frágil. O que ficou claro pela leitura dos almanaques era que a comunidade era imensa, muito maior do que ele jamais imaginara.

— Por quê? — perguntou Cale.

— Não sei.

— Qual é o seu nome?

— Model.

Cale foi à mesa e se sentou. Havia ovos mexidos, torrada, coxas de galinha, salsichas, cogumelos e mingau. Ele começou a se servir.

— Você é Cale, não é?

Cale o ignorou.

— Dizem que você salvou o próprio papa dos Antagonistas cruéis.

Cale olhou novamente para ele por um instante e voltou a comer. Model ficou encarando. Ele estava faminto, porque os acólitos sempre estavam famintos, assim como passavam frio a maior parte do ano. Mas não lhe ocorreu que os pratos à mesa, alguns dos quais ele sequer reconhecia, podiam ser compartilhados. Era como uma bela mulher diante de um homem feio — ele podia apreciar a beleza, mas não seria capaz de esperar de maneira alguma participar dela. Contudo, apesar de estar distraído, Cale não era capaz de comer tão bem assim na frente de outro acólito.

— Sente-se.

— Não posso.

— Pode sim. Sente-se.

Model se sentou, e Cale colocou um prato de batatas fritas diante do acólito. Mas houve, é claro, um problema. Cale pegou o prato de batatas fritas e esvaziou em seu próprio prato até sobrar só uma. Vermelho de desejo, o rosto de Model desabou.

— Olhe — disse Cale. — Se você comer muito disso aí, vai colocar os bofes para fora em cinco minutos. Acredite. O que você comia em Stuttgart?

— Mingau e bunge.

— Bunge?

— É uma mistura de gordura, nozes e outras coisas.

— Nós chamamos de pé de defunto.

— Ah — disse Model.

Cale tirou a pele de um pequeno pedaço de galinha e retirou a deliciosa massa que ficava grudada e suculenta na parte de baixo da carne. Depois serviu um pouquinho da clara de um ovo e uma porção maior de mingau, mas só um bocadinho, sem exagerar.

— Veja se isso cai bem.

Caiu bem mesmo, maravilhosa e celestialmente bem. Nem mesmo nas profundezas de sua raiva e de sua fúria, Cale deixou de ficar contente ao ver a alegria de Model ao comer a batata frita, a clara de ovo, o mingau descendo pela garganta seca e faminta como se tivesse chegado aos jardins do paraíso, onde diziam que havia fontes de limonada e as pedras eram feitas de doces.

Quando Model terminou, ele se recostou e novamente encarou Cale.

— Obrigado.

— De nada. Agora deite-se por cinco minutos e vire o rosto para a parede para não me ver terminar de comer. Você pode se sentir meio mal.

Model obedeceu, e Cale terminou o café da manhã sem pensar mais no acólito. Ao terminar, houve uma batida na porta.

— Vá embora — falou Cale, fazendo um gesto para o assustado Model se levantar. Houve outra batida. Ele esperou. — Entre. — Era Bosco.

Dez minutos depois os dois estavam sozinhos no Aftorium, olhando em silêncio para os 299 mortos, tudo o que restara do plano de dez anos de Bosco para dar um fim ao mundo.

— Eu quis lhe mostrar isso para que não houvesse segredos entre nós. Não quero que você aprenda com meu erro, porque eu não cometi um erro.

Queria ter cometido, pois assim eu poderia aprender com ele. Mas este erro, se devemos chamá-lo assim, só é o que é. Um evento. Houve um plano considerado com cuidado e elaborado com precisão. O que você precisa aprender aqui é que não há nada a aprender. Que há idiotas, há inexperientes e há mal-entendidos. Esta é a natureza das coisas. Você entende?

— Sim.

— Eu vou pensar em uma alternativa.

Mas, apesar de toda a aceitação da terrível carnificina cometida contra seus anos de planejamento insubstituível (Bergeron foi substituído, porém, para sua grata surpresa, não foi estripado ou sequer punido), Bosco estava pálido de choque.

— Pense sobre eles por uma hora. Depois saia.

— Eu não preciso de uma hora — falou Cale.

— Eu acho...

— Eu não preciso de uma hora.

Bosco mexeu a cabeça, um leve gesto. Ele se virou para ir embora, e Cale o seguiu pela escada em espiral conhecida como Escadaria para o Céu na subida e, por razões perdidas no tempo, como Degraus Gostosos na descida. Eles passaram devagar pela rotunda, pois os joelhos de Bosco já não eram os mesmos, e entraram no saguão que dava para vários departamentos da Casa de Detenção.

Nos fundos do saguão, um homem, um Redentor sem batina, estava sendo levado para um pátio aberto. Ele choramingava, soluçava copiosamente como uma criança cansada e chateada. Cale observou três Redentores o conduzirem adiante. Cale observou como se fosse um abutre ou um dos falconídeos mais inteligentes.

— Detenha-os.

— A piedade não é nada...

— Detenha-os e diga para eles o levarem de volta à cela.

Bosco abordou o destacamento de execução quando eles empacaram, tentando empurrar o prisioneiro pela porta, rumo ao sol intenso do pátio.

— Esperem um instante.

Dez minutos depois, Cale, seguido por um desconfiado Bosco, passou em silêncio pelas celas onde os Purgadores, aqueles culpados por pecados de blasfêmia, heresia, ofensas ao Espírito Santo e mais uma longa lista, eram mantidos enquanto esperavam a decisão sobre o seu destino, geralmente um destino bem simples e uniforme. Cale andou para cima e para baixo, olhando cuidadosamente para os prisioneiros que aguardavam — os aterrorizados, os desesperados, os transtornados, os fanáticos e os obviamente loucos.

— Quantos são?

— Duzentos e cinquenta e seis — falou o carcereiro.

— O que há lá dentro? — perguntou Cale, apontando com o rosto para uma porta trancada. O carcereiro olhou para Bosco e depois novamente para Cale. Esse era o prometido Ceifador? Ele não parecia lá essas coisas.

— Atrás daquela porta, nós mantemos os que cometeram um Auto de Fé.

Cale olhou para o carcereiro.

— Destranque a porta e vá embora.

— Obedeça à ordem — falou Bosco.

O homem obedeceu, com o rosto vermelho de ressentimento. Cale empurrou e a porta se abriu devagar. Havia dez celas, cinco de cada lado do corredor. Oito eram Redentores cujos crimes exigiam execução pública para encorajar e dar apoio ao moral dos fiéis que a testemunhassem. Dos dois restantes, um era um homem, que obviamente não era padre, porque usava uma barba e roupas civis. O outro era uma mulher.

— A donzela de Blackbird Leys — disse Bosco, quando eles retornaram aos seus aposentos. — Ela anda dizendo blasfêmias sobre o Redentor Enforcado.

— Que tipo de blasfêmias?

— Como posso repeti-las? — falou Bosco. — São blasfêmias.

— Como ela foi acusada então, no julgamento?

— O caso foi ouvido a portas fechadas. Um único juiz esteve presente quando ela repetiu as alegações e se condenou.

— Mas o juiz sabe.

— Infelizmente, que a paz esteja com ele, o juiz morreu de um ataque cardíaco imediatamente após a confissão, obviamente causado pela heresia da donzela.

— Deu azar.

— Sorte ou azar não têm nada a ver com isso. Ele foi para um lugar melhor... ou pelo menos para um lugar de onde nenhum viajante retorna, nem alguma coisa que o viajante possa ter sabido antes de partir. Está tudo registrado.

— E eu posso ler a papelada?

— Você não é uma pessoa que deva ser maculada, você é a fúria de Deus em carne e osso. Não importa o que você leia, o que você ouça, você é tão incorruptível quanto o oceano é verde.

Cale pensou sobre isso por alguns momentos.

— E o barbudo?

— Guido Hooke.

— Sim?

— Ele é um filósofo natural que alega que a lua não é perfeitamente redonda.

— Mas ela é redonda — disse Cale. — Basta olhar para a lua. Se você vai matar pessoas por serem estúpidas, vai precisar de mais executores.

Bosco sorriu.

— Guido Hooke está longe de ser estúpido, embora seja excêntrico. E ele está certo a respeito da lua.

Cale fez um som de desdém.

— Qualquer um pode ver em uma noite sem nuvens que a lua é redonda.

— Isso é uma ilusão criada pela distância da lua para a Terra. Pense na montanha Tigre. De uma determinada distância as escarpas parecem lisas como manteiga, de perto são tão enrugadas quanto o saco de um velho.

— Como você sabe? Sobre a lua, quero dizer.

— Eu mostro para você hoje à noite, se quiser.

— Se Hooke está certo, por que vai morrer por dizer a verdade?

— É uma questão de autoridade. O papa decretou que a lua é completamente redonda... uma expressão da criação perfeita de Deus. Guido Hooke o contradisse.

— Mas você afirma que ele está certo.

— O que isso importa? Ele contradisse a pedra fundamental da Única e Verdadeira Fé: o direito à última palavra. Se permitirmos que ele faça isso, considere onde a situação vai parar: na morte da autoridade. Sem autoridade não há igreja, sem igreja não há salvação. — Ele sorriu. — Hooke defende uma verdade inferior; o papa, uma verdade superior.

— Mas você não acredita em salvação.

— É por isso que tenho que me tornar papa para que a verdade e aquilo que eu acredito sejam a mesma coisa. Por que você está tão interessado nos Purgadores?

5

Kleist estava cantando enlouquecidamente, desafinando feliz da vida.

"As árvores zunindo e as abelhas zumbindo
As fontes de água gasosa
Onde o sino toca
E a limonada brota
Na montanha de doce rosa
Na montanha de doce rosa
Os padres grasnam como um pato
Em cada porta tem uma vadia barata
No jantar sempre tem comida farta
E nunca se ouviu um triste fato
Na montanha de doce rosa."

Ele se abaixou para verificar, de maneira casual, a faca embainhada na sela do cavalo e continuou a berrar sem muito respeito pela harmonia.

"Há um lago de guisado e uísque também
Dá para remar em uma canoa sem ninguém
Na montanha de doce..."

E logo ele estava no chão, puxando a faca e correndo para um arbusto de amoras silvestres. Ele pulou bem no meio, sendo levado pela velocidade e por seu peso, e arranhado pelos espinhos ao correr. Mas o emaranhado de galhos era mais denso do que ele tinha imaginado, os velhos ramos do meio eram mais fortes e espinhosos, e a corrida desesperada chegou a um fim doloroso.

Mãos fortes o pegaram pelos calcanhares e o puxaram para fora do sarçal. Tiveram que puxá-lo com força, e isso deu a Kleist alguns segundos para pensar. Ele soltou a faca e a seguir foi solto e arrastado para fora.

Outras mãos pegaram seus pulsos enquanto ele se contorcia e chutava. Assim que foi seguro com firmeza, Kleist soube que não fazia sentido resistir e parou.

Um homem estava diante dele, os detalhes das feições ocultos pelo sol nos olhos de Kleist.

— Nós vamos revistar você, portanto não se mexa. Tem alguma arma?

— Não.

Duas mãos, rápidas e eficientes, o revistaram com habilidade.

— Ótimo. Se tivesse mentido para nós, esse teria sido seu último ato. Levantem-no.

Kleist foi rudemente posto sentado, e todos os cinco homens, com facas e gládios nas mãos, o soltaram de maneira disciplinada. Essa gente sabia o que estava fazendo.

— Qual é o seu nome?

— Thomas Cale.

— O que está fazendo aqui sozinho?

— Eu estava indo para Porto Moresby. — Um golpe forte acertou a cabeça de Kleist.

— Diga "Lorde Dunbar" quando falar com o Lorde Dunbar.

— Certo. Como eu iria saber?

Outro golpe o ensinou a não ser atrevido.

— O que você ia fazer lá? — perguntou Lorde Dunbar.

Kleist olhou para o sujeito — ele era desleixado, estava sujo e malvestido com uma lã xadrez feia. Não se parecia com nenhum lorde que Kleist conhecesse.

— Eu quero pegar um barco e ir para o mais longe possível daqui.

— Por quê?

— Os Redentores mataram a minha família no massacre em Mount Nugent. Quando tomaram Memphis, eu sabia que era hora de ir embora para um lugar onde jamais fosse ver um deles novamente. — Isso não deixava de ser uma meia verdade.

— Onde você conseguiu o cavalo?

— É meu.

Outro golpe na cabeça.

— Eu o encontrei. Acho que se desgarrou da batalha da colina de Silbury.

— Ouvi falar dela.

— Talvez os Redentores paguem um dinheiro por ele — falou Johnny Bonitão.

— Talvez você seja enforcado por eles quando tentar — disse Kleist, levando outro tapa na orelha.

— Lorde Dunbar!

— Lorde Dunbar, certo.

— Johnny Bonitão — falou Dunbar. — Reviste o cavalo dele.

Dunbar ficou de cócoras ao lado de Kleist.

— Do que esses Redentores estão atrás?

— Não sei. Tudo o que sei é que são um bando de assassinos desgraçados, Lorde Dunbar, e que a melhor coisa a fazer é fugir deles.

— Os Materazzi não foram capazes de nos pegar em vinte anos — disse Lorde Dunbar. — Não importa muito quem esteja tentando nos caçar.

Johnny Bonitão voltou e colocou uma braçada das posses de Kleist no chão. Era um bom apanhado. Kleist fizera questão de que os objetos retirados de Memphis fossem de alta qualidade, não importava a utilidade prática que teriam: espadas de aço português com marfim incrustado no cabo, um cobertor de caxemira e por aí vai. Depois veio o dinheiro — oitenta dólares em uma bolsa de seda. Isso animou bastante os cinco homens. Apesar de toda a bravata de Dunbar, os ganhos do grupo eram bem escassos, a se julgar pelas suas roupas e pelo seu estado desmazelado.

— Muito bem — disse Kleist. — Vocês pegaram tudo o que eu possuo. É um belo ganho. Só me deixem ir.

Outro golpe.

— Lorde Dunbar.

— A gente devia mandar esse atrevidinho para a vala.

Kleist não gostou da ideia.

— Me deixe levá-lo lá para trás — falou Johnny Bonitão. — Vou poupar trabalho.

Lorde Dunbar olhou feio para ele.

— Eu sei a bestialidade que você quer fazer antes disso, Johnny Bonitão — gritou ele. Dunbar voltou a olhar para Kleist. — Levante-se. — Kleist ficou de pé. — Dê o seu casaco. — Kleist tirou o casaco curto, que havia roubado de um cabide na sala de recepção de Vipond, de couro macio e com um corte simples, porém belíssimo.

— Você andou mentindo para mim, e eu gosto disso em um homem — falou Dunbar, admirando o casaco e triste pelo fato de ele ser tão pequeno. — Mas está certo quanto à troca justa. — Dunbar apontou para uma trilha meio irregular. — Por ali, você vai dar na saída da mata. Depois disso, você se vira. Agora caia fora!

Kleist não precisou que o homem mandasse duas vezes. Ele passou por Johnny Bonitão, que o observou ir embora com lascívia e ressentimento, e sumiu na mata com nada além de metade das roupas que estava usando cinco minutos antes.

* * *

— Você não pode substituir trezentos homens selecionados a dedo por suas grandes qualidades e presos a ela por grilhões de aço por esses degenerados da Casa de Detenção.

— De que outra forma você vai substituí-los? Nós temos dez anos?

Bosco não era bobo a ponto de não reparar que essa era a primeira vez que Cale tinha se referido a eles dois desta forma e que o menino estava sendo seduzido. Ainda assim, era animador que ele estivesse fazendo um esforço para ser falso.

— Não, não temos.

— Existe algum registro?

— Ah, cada Redentor tem um códice. Tudo sobre ele está registrado ali.

— Você tem um?

— É claro.

— Eu gostaria de ler.

— Essa ideia não vai dar certo.

— A ideia *pode* não dar certo. Eles estão à beira da morte, seguida por uma eternidade no inferno, onde serão estripados diariamente por demônios, engolidos vivos e cagados para sempre. Salve-os de um destino assim... esses são os grilhões de aço que irão prendê-los a mim.

— Eles são depravados. Foram corroídos pelas traças e pela ferrugem.

— Se eles não servirem, eu os devolvo para a execução. Estes são homens treinados e abandonados por todo mundo. Pelo menos me dê os registros deles. — Cale sorriu, a primeira vez em muito tempo. — Eu não acredito que você discorde.

— Muito bem. Ambos leremos os registros deles, depois veremos.

— Me fale sobre Guido Hooke.

Ouviu-se uma batida na porta. Ela foi aberta imediatamente por um Redentor que fez um aceno servil de cabeça e largou um grande arquivo numa caixa, marcado como “INTRODUÇÃO”. Ele acenou novamente e saiu.

— Hooke — falou Bosco — é um problema meu e não interessa a você.

— Eu quero saber mais sobre ele.

— Por quê?

— Tive um palpite. Além disso, pensei que era para eu saber de tudo.

— Tudo? Veja esse arquivo que Notil acabou de entregar. Ele é só a papelada de um dia... um dia calmo. Concentre-se no que você é bom.

— Me conte.

— Muito bem. Hooke é um sabichão que pensa que pode compreender o mundo através do livro de aritmética. Ele é um grande inventor de máquinas. É um sujeito brilhante, comparável aos melhores da laia dele, mas meteu demais o bedelho onde não devia. Eu o deixei em paz por dez anos porque admiro sua mente. Mas suas declarações sobre a lua contradisseram o papa, eu o avisei para ir embora e sugeri que a Liga Hanseática talvez estivesse disposta a contratá-lo. Enquanto estive em Memphis, ele foi a Fray Bentos para pegar um navio, mas foi capturado por homens de Gant em um hotel esperando para embarcar.

— Por que não o levaram para Stuttgart?

— Porque em Stuttgart ele não seria minha responsabilidade. Agora eu tenho que realizar um Auto de Fé com ele ou ser visto como se desafiasse as ordens do papa.

— Mas você disse que o papa está errado.

— Você está se fazendo de desentendido de propósito.

— Que tipo de máquinas?

— Máquinas blasfemas.

— Por quê?

— Uma máquina para voar... se Deus quisesse que voássemos, ele teria nos dado asas. Uma carroça protegida por ferro... se Deus quisesse que tivéssemos armadura, nós teríamos nascido com escamas. Uma máquina para extrair a luz do sol de pepinos que eu saiba, porque pouco me importo. A maioria dos desenhos que ele fez é fantasia. A ideia para um helicoide que voe é uma besteira. A coisa não parece que conseguiria andar no chão, quanto mais voar. Mas eu usei a barragem dele no canal leste.

— Se Deus quisesse que houvesse barragens ele não teria feito a água fluir para cima?

Bosco não mordeu a isca.

— Se quer saber sobre ele, leia o códice. É um homem morto, não importa que leia ou não.

Kleist foi forçado a ficar por perto até Lorde Dunbar e seus homens irem embora no dia seguinte para recuperar a faca que tinha deixado cair no sarçal. Pensou cuidadosamente no que faria a seguir. Ele não estava interessado em vingança, não que fosse do tipo tolerante — vingança era algo perigoso, e Kleist não gostava de riscos. Por outro lado, ele estava no meio do mato sem cavalo, sem posses, sem dinheiro e com poucas roupas. No fim das contas, Kleist decidiu que tinha que segui-los, mas se perguntou sem parar pelos três dias seguintes se não havia cometido um erro. Sentia frio e fome. Kleist estava acostumado com isso, mas, embora houvesse muito verde ao redor, ele não esbarrou com nenhum leito de água. Fraqueza pela falta de água podia derrubar uma pessoa rapidamente e, assim que perdesse o contato com Dunbar, seria o fim. Kleist teve um momento de sorte: encontrou um pouco de bambu. Era fino, mas bom o suficiente. Provavelmente. Ele cortou uma dúzia de caules estreitos de um metro e meio e correu para alcançar o grupo. Enquanto seguia o grupo pelo resto do dia, encontrou uma pequena poça de água verde e marrom e decidiu arriscar. Já tinha provado pior, mas não muito. Dunbar e seus homens pararam uma hora antes do anoitecer, e Kleist tinha que trabalhar rápido na luz fraca. O bambu ainda estava verde, o que facilitou cortá-lo em tiras finas e torcê-las para usar como corda de um arco. Depois dividiu o bambu no meio em três varetas, uma mais curta que a outra. Quando escureceu, Kleist tinha amarrado uma vareta na outra com as tiras, como o feixe de molas de uma carroça. Dormiu pouco e mal quando conseguiu. No dia seguinte, Kleist começou a trabalhar assim que houve luz, seguindo os homens enquanto saíam dali, e terminou o arco quando o grupo parou por algumas horas ao meio-dia. Ele gostaria de ter recurvado as pontas para ganhar mais força, mas, não houve tempo — era um processo complicado. O sol surgiu e o atormentou com a sede, mas enquanto ressecava Kleist, fazia o mesmo pelo arco, secando-o completamente e deixando tudo bem firme como um arco devia ser. Havia pedras espalhadas suficientes, e Kleist levou só dez minutos para fazer uma ponta de flecha.

Um corvo devorado por vermes forneceu as penas para a flecha, mas penas de corvo eram difíceis de serem trabalhadas e Kleist desperdiçou a maior parte das melhores até acertar a técnica. Prendê-las com precisão ao bambu e ao barbante foi uma desgraça. Ainda assim, muito embora Kleist fosse levar uma boa surra do Redentor Mestre Flecheiro Hart caso ele visse os resultados, eles não foram tão ruins, considerando a situação. O arco era bom o suficiente desde que ele conseguisse chegar perto para fazer um estrago dos grandes. Kleist estava exausto, com sede, fome e mau humor. Alguns disparos rápidos para treinar escondido diminuíram o cansaço com uma mistura de satisfação e uma dose de malícia. Mas ele tinha deixado o grupo ir longe demais e, ao pensar que tinha se perdido deles, Kleist quase entrou no acampamento que os homens haviam escondido em um denso arvoredo. Na luz que restava, ele só teve tempo de dar a volta rastejando por meio acampamento e ver como estavam as coisas. Até então Kleist tinha localizado quatro deles, mas não o quinto homem. O pôr do sol significava que o ataque que Kleist esperava fazer teria que ser adiado. Ele teria preferido esperar a noite passar onde estava, para não arriscar uma reaproximação de manhã. Mas não ter localizado o quinto homem fez com que ele achasse melhor recuar 100 metros. Seria difícil de qualquer maneira e um tremendo transtorno.

Nove horas depois e com uma dor de cabeça de rachar, Kleist voltou e ficou observando. Ainda eram só quatro homens, mas o sumido de ontem voltara e Lorde Dunbar estava ausente. Frustração, empolgação e medo pareciam que iam quebrar o crânio de Kleist de tanto martelá-lo, mas ele não ousava fazer nada até que os cinco estivessem juntos. E então, por volta das oito horas, Dunbar saiu de algo que parecia um grande arbusto no limite do acampamento. Em alguns segundos ele estava mijando naquele ponto e gritando ordens para os demais levantarem acampamento. Flecha armada, arco puxado, a imensa força do braço direito, ombro e costas retesados, Kleist respirou fundo e então soltou. Dunbar gritou quando a flecha o acertou no quadril esquerdo. Uma pausa de três segundos — os quatro ficaram olhando.

— O quê? — berrou um deles.

Outra flecha acertou Johnny Bonitão na boca, e ele caiu para trás sacudindo os braços. Um terceiro homem saiu correndo e tropeçando com medo até a cobertura das árvores. Uma flecha mal mirada acertou o sujeito no pé, e ele foi dando pulinhos pelos últimos metros, gritando de dor, e sumiu no arvoredo. Outro homem ileso saiu correndo do acampamento na outra direção. O quinto sujeito quase no centro do acampamento não se mexeu. Kleist mirou, o arco rangeu ao ser puxado e soltou uma flecha no meio do peito dele. Um terrível ofego de agonia. Ele armou outra flecha e puxou o arco, avançando rapidamente e com cuidado pelo acampamento, mirando a ponta de um lado para o outro nos locais de perigo. Johnny Bonitão não daria problema. O homem ajoelhado com a cabeça abaixada continuava gemendo, mas agora havia um estranho assobio alternando com cada inspiração. Ninguém conseguia fingir aquele barulho. Ele também não daria problema. Só queria que o som parasse. Dunbar, caído de lado, apresentava uma palidez terrível, sem cor nos lábios.

— Eu devia — falou Dunbar baixinho — ter matado você quando tive a chance.

— Você devia ter me deixado em paz quando teve a chance.

— É justo.

— Tem armas?

— Por que eu deveria dizer?

— É justo. — Nervoso, Kleist continuou vigiando as árvores. Isso era arriscado demais.

— Isso vai levar horas. Acabe comigo.

— Eu devia, mas é mais fácil falar do que fazer.

— Por quê? Você acabou com aqueles dois sem muito problema.

— É, mas eu estava furioso na hora.

— No fim das contas, eu deixei você ir embora. Acabe com isso.

— Seus homens vão voltar. Deixe que eles façam.

— Não por horas. Talvez nem voltem.

— Bem, eu não quero, entende.

— É melhor que esteja...

Houve um baque alto quando Kleist disparou a flecha quase à queima-roupa no peito de Dunbar. Seus olhos se arregalaram, e ele exalou o último suspiro por alguns segundos que pareceram minutos. Felizmente para ambos foi só isso.

Atrás dele, o homem de joelhos ainda gemia e assobiava. Kleist caiu de joelhos e sentiu uma ânsia de vômito. Mas não havia nada no estômago para sair. Não foi fácil vomitar e vigiar as árvores. Ele soltou o arco — precisava das mãos livres para procurar pelas novas posses e recuperar as antigas. Kleist ficou de pé devagar e gritou.

Parada a cinco metros estava uma garota. Ela o encarou de olhos arregalados e depois se jogou em seus braços, caindo em pranto.

— Obrigada! Obrigada! — Ela soluçou e o abraçou como se fosse um pai perdido, as mãos o agarraram com alívio desesperado e gratidão. A garota deu um beijo na boca de Kleist e então se enfiou no peito dele, as mãos apertaram as costas como se jamais fosse soltá-lo. — Você foi tão corajoso, tão corajoso. — Ela deu um passo para trás a fim de examiná-lo com um olhar repleto de admiração.

Não era preciso ser um talentoso estudante da natureza humana para ter lido não só a expressão espantada de Kleist, mas também a enorme falsidade no rosto dele enquanto a garota o olhava com idolatria. Kleist observou a expressão de compreensão de que ele não viera para resgatá-la se formar no rosto da garota como um sol que nasce rapidamente. A admiração passou, e os olhos dela começaram a ficar cheios de lágrimas. Não era sempre que Kleist se sentia mesquinho.

Ela deu um passo para trás maior do que pedia a emoção da descoberta e sacou a faca que havia roubado do cinto de Kleist enquanto o abraçava com tanta gratidão.

A expressão de surpresa e raiva no rosto de Kleist foi tão engraçada que a garota caiu na gargalhada.

O rosto dele ficou vermelho de ódio, o que só fez com que ela risse mais ainda. A seguir, Kleist deu um passo à frente, derrubou a faca da mão dela e socou a cara da garota. Ela desabou como um saco de batatas e bateu forte com a cabeça. Kleist pegou a faca sem tirar os olhos dela e depois deu uma rápida vasculhada no arvoredo. A situação estava fugindo ao controle. A expressão da garota agora era de surpresa e dor pelo nariz sangrando. Ela se sentou.

— Quero ver você rir agora.

Ela não falou nada enquanto Kleist recuava e começava a examinar as trouxas espalhadas pelo acampamento atrás dos próprios pertences e de qualquer outra coisa que pudesse levar. O homem ajoelhado permanecia gemendo, e o pulmão perfurado continuava assobiando.

A garota começou a chorar. Kleist continuou a procurar. No que devia ser a bolsa de Lorde Dunbar, ele encontrou seu dinheiro. Tirando isso, o saque foi escasso. A vida daqueles ladrões não era das melhores. E eles tinham só três cavalos, incluindo aquele que roubaram de Kleist. O choro da garota se tornou mais alto e incontrolável. Somado ao gemido e assobio do homem ajoelhado, o pranto estava dando nos nervos de Kleist. Porém, era mais do que isso.

As lágrimas de uma mulher agem como um solvente na alma do homem, o Redentor Fraser lhe dissera certa vez. *Uma vadia chorona pode dissolver todo o bom senso de um homem com sua manipulação lacrimosa.*

Na época o alerta pareceu de utilidade duvidosa, pois Kleist não se lembrava de alguma vez ter visto uma mulher. A experiência em Memphis, apesar de ter aumentado muito seu conhecimento sobre as mulheres em certo sentido, não foi útil no tocante às lágrimas, pois as prostitutas de Kitty Town não eram muito dadas à choradeira.

— Cale-se — falou ele.

Ela diminuiu o som para um choramingo e um ocasional soluço.

— O que diabos você estava fazendo com esses bandidos?

Ela não conseguiu responder de primeira, tentando se controlar com soluços de emoção.

— Eles me sequestraram — disse a garota, o que não era verdade ou não totalmente verdade — e me estupraram. — A passagem por Memphis fez Kleist conhecer o termo. Ele tinha ouvido um monte de histórias divertidas e intrigantes sobre estupro e havia provocado mais gargalhadas ainda ao pedir explicações. Kleist ficou chocado com a resposta e não aceitou. Ela era obviamente uma mentirosa, mas parecia tão abalada quanto Kleist esperaria. Porém, alguns minutos atrás a garota estava rindo dele.

— Se você está dizendo a verdade, eu sinto muito.

— Deixe que eu fique com um dos cavalos.

— Isso quer dizer que você poderia me seguir. Nem pensar.

— Você pega o melhor cavalo, os outros são só sacos de pancada.

Isso era verdade.

— Eu posso vendê-los na próxima cidade. Por que deveria dar um para você, que é uma ladra? Ou coisa pior.

— Ambos estão marcados. Você será enforcado como ladrão se tentar vendê-los.

— Bem, parece que disso você entende — falou Kleist, amarrando a trouxa recém-enchida na sela do cavalo.

— Por favor. Dois dos bandidos ainda estão por aí.

— Um dos bandidos não vai seguir alguém por um bom tempo.

— Mas o outro pode.

— Tudo bem. Só cale a boca. Mas você vai naquela direção — disse Kleist, apontando para oeste. — Se eu vir você de novo, corto a sua cabeça. — Dito isto, ele montou no cavalo e começou a ir embora, deixando a garota sentada no chão da floresta ao lado do homem ajoelhado, que ainda ofegava e assobiava. Se os atos de Kleist ao deixar a jovem na clareira foram ignóbeis, pelo menos eram compreensíveis à luz das horríveis consequências de sua única outra experiência em salvar moças em perigo.

— O senhor acha que ele está certo? — perguntou Gil.

— O que você acha? — disse Bosco.

— Acho que está errado. Acho que os Purgadores estão onde merecem estar. O destino deles é um reflexo da índole que têm. Se Deus não conseguiu mudar a sua natureza, nem mesmo alguém que é a ira de Deus em carne e osso poderá mudá-los, abençoado seja ele.

— Temos que ter esperanças, Redentor, de que você esteja errado. Cale é cheio de surpresas.

— Agora eu sei por que nunca o amei.

Ambos riram.

— Devo continuar? — disse Gil. — Com o plano de matar Bose Ikard? — Bose Ikard era o burgrave da Suíça, teoricamente só perdia em poder para o rei Zog daquele país, mas ocupava um segundo lugar muito próximo. Após o colapso do império Materazzi, Bose Ikard agora era o mais poderoso de todos os mandachuvas dos quatro cantos do mundo. Aos olhos de Bosco e Gil, ele havia cometido o erro de permitir que remanescentes dos Materazzi se refugiassem na Leeds Espanhola, algo que os dois tinham razão em considerar que ia contra os seus interesses. O que eles não perceberam é que Bose Ikard tinha a mesma opinião e só fora forçado a permitir que os Materazzi se refugiassem na Leeds Espanhola por um faniquito do rei Zog. O Serviço Diplomático Redentor não era bom em diplomacia nem em colher informações secretas, e Bosco tinha acesso limitado às descobertas do departamento, que de qualquer forma não incluíam o fato de que Bose Ikard tinha feito todo o possível para encorajar os Materazzi a irem embora. Afora a permissão para que ficassem, ele não oferecera ajuda nem dinheiro, uma falta de assistência que ele esperava que fizesse os Materazzi, famintos, partirem para qualquer lugar onde não fossem mais problema seu. Era compreensível que ele não quisesse que a presença dos Materazzi desse uma oportunidade para os Redentores criarem problemas. Só que Bosco não sabia nada da relutância de Bose Ikard e só podia deduzir suas intenções a partir do tratamento aparentemente hospitaleiro aos Materazzi. Ele achou que seria boa ideia mandar matá-lo como um aviso para Zog e para desencorajar qualquer um que pensasse em dar abrigo aos Materazzi ou a qualquer outro de que os Redentores não gostassem.

— Não. Temos que adiar a morte dele até... por vários meses, de qualquer forma. Até termos alguma noção se Cale vai conseguir converter os Purgadores.

— É arriscado adiar.

— É arriscado não adiar. Estamos no meio de um dilúvio. É perigoso avançar, é perigoso voltar. Enquanto isso, pretendo espalhar o nome e a reputação de Cale. Quero que você o leve para o barranco de Duffer.

— Por quê?

— Porque ele vai resolver o problema.

— O senhor parece bem confiante.

— Leve Cale e veja. Obviamente você tem menos fé na irritação de Deus do que deveria.

— *Mea culpa*, Redentor.

Bosco fez um som de desdém, agora chateado com a falta de fervor de Gil.

— E quanto a Hooke?

— Por mais que eu relute em ter meus atos determinados por Gant, nós temos que evitar provocações até que Cale tenha êxito ou falhe. Se Hooke tiver que morrer, nós temos que fazer disso um espetáculo e engolir a humilhação ao espalhar para todo mundo, quer gostemos, quer não. Convide pessoas importantes.

Houve uma batida na porta, e indicaram que Cale entrasse. Disseram que ele teria que ser enviado ao sul com Gil para tratar com a Tribo. Cale não discutiu ou sequer fez perguntas.

— Eu quero Hooke — disse Cale.

— Por quê?

— Porque eu li o registro dele e vi os desenhos. Alguns podem ser o que você diz, mas a máquina para atacar muradas parece correta... até mesmo a besta gigante. Há boas ideias por toda parte. Você disse que a barragem era um belo trabalho.

— Ele ofendeu o papa.

— Você tem a intenção de matar o papa.

— Não é assim. Mas, se quisesse, em primeiro lugar eu não o ofenderia.

— As máquinas de Hooke podem ajudá-lo a não se preocupar em ofendê-lo.

Bosco suspirou e andou até a janela.

— Tem muita coisa em jogo, e tudo a seu tempo. Eu tenho que equilibrar interesses conflitantes.

— Os meus vêm em primeiro.

— Você é a raiva de Deus, não Deus Todo-Poderoso em pessoa. Existe uma diferença considerável, como irá aprender se continuar a abusar da sorte. — Ele riu da expressão de Cale. — Meu caro, isso não é uma ameaça. Se você falhar, eu falho junto.

— Eu costumava pensar que você era tão poderoso que ninguém conseguiria ir contra você.

— Bem, você estava errado. Estamos na beira da asa de um mosquito, eu e você. Me deixe dizer uma coisa. Se você tiver êxito no barranco de Duffer, então eu poderei usar o poder que isso dará a nós dois para adiar a execução de Hooke. Eu não tenho poder para impedi-la e pronto. Mande que ele trabalhe enquanto você está fora. Vença no barranco de Duffer com os Purgadores e quem sabe? Está nas suas mãos.

Cale, juntamente com o Redentor Gil e outros dois padres, levou seis dias para chegar ao barranco de Duffer. Eles fizeram mais de 110 quilômetros todo dia, trocando de pôneis em estábulos colocados em intervalos de 30 em 30 quilômetros, até os últimos 130, onde batedores Antagonistas estavam causando muitos transtornos para que se construísse algo permanente. Quando chegaram, Cale estava exausto, o ombro o matava, e sentia uma dor infernal no dedo, quase tão ruim quanto no dia em que Solomon Solomon o cortou no Opera Rosso.

— Durma um pouco, senhor — falou Gil ao conduzir Cale até uma tenda feita de aniagem azul. Cale nunca pegava no sono facilmente, mas bastaram dois minutos quando se deitou sobre o catre absolutamente desconfortável que aprontaram para ele. Gil o acordou com uma caneca de um líquido de gosto horrível oito horas depois. Enquanto bebia, Cale pensou que devia ser um frouxo comparado a só alguns meses atrás. Naquela época ele teria considerado essa lama suportável.

— Isso — falou para Gil, que o observava contemplativo — está horroroso.

Gil pareceu sinceramente incomodado.

— Sinto muito. — Ele pegou a caneca e provou para ver o que havia de errado. — O gosto está bom para mim. — Eles se entreolharam; a conversa era inútil. — Dê uma volta pelo acampamento. Conheça o local. Vai ter algo para comer quando a gente voltar.

— Mal posso esperar.

A estepe de Transvaal é uma extensa pradaria a 650 quilômetros sudoeste do Santuário. O povo de lá, que se chama de Tribo, planta e caça pela grande área e é recém-convertido ao Antagonismo. Por essa razão, e por eles serem esquisitos qualquer que seja o critério, suas crenças são rígidas e intensas. Por não terem sido da fé dos Redentores antes da conversão e pela pouca conexão com eles, o ódio e o desprezo pelos agressores monásticos eram de uma intensidade que chegava às raias da loucura. Diziam, obviamente um exagero, que os tribalistas nasciam sobre uma sela com um arco e flecha na mão. A guerra de trincheiras do Front Oriental era uma estratégia inútil para lutar com um povo assim num terreno como esse. A Tribo não lutava em exércitos, mas em comandos com entre cem e quatrocentos homens — mas geralmente menos e algumas vezes mais. Se fossem atacados, eles simplesmente recuavam para as estepes intermináveis. Um sistema de trincheiras contra manobras como essa era como tentar matar uma mosca com um machado.

O conflito tinha se tornado a guerra esquecida dos Redentores. A maioria das tropas estava atolada na grande guerra de atrito do Front Oriental. Mas, mesmo que tivesse havido mais soldados Redentores, não existe uma maneira óbvia de usar a superioridade numérica contra um grupo móvel e habilidoso que luta em um terreno que conhece e ama. Além disso, os Redentores raramente usavam a cavalaria e não eram muito bons quando a empregavam. Em uma luta direta, era verdade que uma tropa de Redentores aniquilaria até mesmo um número muitíssimo superior da Tribo. Mas os tribalistas jamais deram a chance de uma luta direta.

Como a guerra na estepe era considerada de menor importância pelo papa e por seus conselheiros mais próximos, Bosco e Princeps tiveram mais liberdade em decidir novas táticas, algo sempre visto com suspeita no Front Oriental. Mesmo antes de eles terem sido levados a atacar os Materazzi pelo desespero de Bosco em recapturar Cale, os dois mudaram os rumos da guerra contra a Tribo de maneira dramática. Uma linha de trinta fortes avançados foi estabelecida. Eles não eram fortificações no sentido comum, com muralhas sólidas e barreiras defensivas definidas, mas, como era a intenção, os fortes avançados possuíam posições defensivas móveis para guardar todos os pontos estratégicos mais importantes da estepe. Atrás deles havia oito fortes convencionais bem maiores, que poderiam reforçar os postos avançados quando estes fossem inevitavelmente atacados. Era o plano mais original da história militar dos Redentores. Infelizmente, o problema de todos os grandes planos é que eles têm que ser postos em prática. Sem a presença de Princeps, agora deslocado para o ataque mais urgente aos Materazzi, a execução das novas táticas por seu substituto sem noção criara uma crise terrível. Em vez de grandes números de Redentores parados em trincheiras defendendo um território que a Tribo não tinha nenhuma intenção de atacar, eles agora se arriscaram por um terreno onde nenhuma de suas horríveis virtudes militares serviria para alguma coisa e todas as suas fraquezas seriam cruelmente exploradas. O resultado foi a mudança de uma guerra que não estava dando em nada para uma que estava próxima de acabar em derrota. Os fortes avançados foram implacavelmente atacados e tomados pela Tribo com grandes baixas para os Redentores e poucas para os agressores. Quando os Redentores tentaram retomar os fortes, eles novamente sofreram grandes baixas. Mas os tribalistas sempre souberam recuar rapidamente, então suas baixas foram poucas. Algumas semanas depois, tendo atacado os fortes mais distantes na direção de Drakensberg, a Tribo voltava, e todo o processo brutal recomeçava. Brutal, quer dizer, praticamente só para os Redentores. O barranco de Duffer ganhara esse nome lamentável porque era como se chamava o forte avançado mais importante que vivia sendo perdido para a Tribo.

Imagine um grande U formado por uma curva de rio. O terreno dentro do U é 6 metros mais baixo do que o terreno de fora, exceto na parte de trás, que é tomada por um morro baixo. Além do morro fica a importante estrada que atravessa o rio e sai do outro lado, cortando o U em duas partes iguais. Algumas centenas de metros estrada afora fica um grande morro com um topo plano. A diferença de 6 metros entre as margens norte e sul significava que, por 130 quilômetros nas duas direções, nenhuma carroça conseguiria avançar pelas encostas praticamente verticais a não ser por esta única estrada no barranco. O campo de defesa inteiro mal chegava a 2 quilômetros de largura. O problema de Cale era tão fácil de expor quanto difícil de solucionar. Existiam talvez cinquenta gargalos como esse pela estepe, e não havia tropas suficientes para controlá-los através de métodos convencionais. Para conter o deslocamento da Tribo e a sua capacidade de se reabastecer do mar, quase todos os gargalos tinham que ser controlados o tempo todo. No momento, os tribalistas estavam tomando essas posições à vontade, controlando até que os suprimentos passassem por elas e depois desaparecendo sempre que os Redentores surgiam, tomando vários outros fortes similares ao longo da linha de combate.

Cale passou praticamente oito horas andando pelo U.

— O que o senhor acha? — falou Gil, ansioso para ouvir a resposta do grande prodígio.

— Complicado — foi tudo o que ele ouviu, juntamente com um pedido para falar com os sobreviventes do último ataque. Havia só dois, uma vez que essa era uma guerra em que não se faziam prisioneiros. De qualquer forma, Cale passou a tarde inteira falando com eles.

— Quantos estão aqui agora?

— Dois mil.

— Quantos você consegue manter aqui?

— Não mais que duzentos. Não há tropas ou suprimentos para eles se houver mais gente.

— Mande embora 1.800.

Gil era inteligente demais para perguntar o motivo. Teria que haver um mínimo de defensores ou não haveria ataque.

— Então, o que o senhor vai fazer?

— Nada — disse Cale —, a não ser ir embora.

Cale estava só sendo chato, mas manteve Gil na linha, seguindo na retaguarda dos 1.800 homens conforme eles recuavam e não fazendo nada quanto à defesa do barranco de Duffer. Após acompanhar a retirada por uns 8 quilômetros, Cale virou o cavalo, e o irritado Gil foi forçado a acompanhá-lo, juntamente com os dois guardas. Em pouco tempo, Cale deu meia-volta em direção ao acampamento e a uma pequena elevação a uns 800 metros do fim do barranco. Provavelmente não era alto o bastante nem perto o suficiente para atrair batedores tribalistas, pois havia pontos de vigilância melhores e mais próximos para eles passarem primeiro. Cale apeou e gesticulou para os demais fazerem o mesmo. Depois ele avançou para o topo da elevação e terminou rastejando pelos últimos metros. Gil, com o alívio diminuindo a fúria, foi atrás dele.

— Você quer alguma coisa? — perguntou Cale, hostil.

— Só fazendo o que o Redentor Bosco mandou, senhor.

Como era verdade, não havia sentido em discutir, embora isso não o impedisse de pensar a respeito. Ele retirou o que parecia ser uma garrafa de couro sem a tampa da mochila e dois círculos de vidro, depois encaixou cada um deles nas pontas da garrafa, passou duas tiras em volta do meio e apertou para que ficassem firmes. Era o telescópio com que Bosco havia mostrado a lua imperfeita, gêmeo idêntico daquele que Cale roubara do Redentor Picarbo e que, por sua vez, fora confiscado por um dos soldados que o capturaram nas Terras Crestadas. Isso parecia ter acontecido anos atrás.

Quanto mais Cale era grosseiro e de poucas palavras com Gil, mais o mau humor inicial do Redentor ao ser tratado como se não tivesse importância parecia mudar aos poucos. Sua confusão inicial em relação à mudança de status de Cale — de acólito dispensável para a manifestação da fúria de Deus — foi um salto até mesmo para o mais obediente dos Redentores. Porém, quanto maior o desprezo ou a indiferença com que era tratado por Cale, mais Gil se via capaz de permitir que a familiaridade de uma década virasse admiração e confiança. Ele tinha um desejo natural por devoção, e, apesar de toda a sua inteligência, era como se a intensidade sombria e a aparente total indiferença que dominaram Cale nos últimos oito meses estivessem exercendo sua magia sobre um homem muito sensível a isso. Cale sentiu a mudança, o respeito, a admiração e o medo que era mais do que físico — algo que ele sabia que Gil mal percebia. O mais surpreendente para Cale era sentir a admiração crescente tomar conta de Gil como o ar que ele e Henri Embromador costumavam soprar nos odres que continham água benta na sacristia para poder quicá-los no chão em uma divertida blasfêmia. Passar por um grupo de homens e senti-los se humilharem ao vê-lo era impressionante.

No decorrer do resto do dia, Cale mal falou enquanto vasculhava a paisagem, desenhava mapas do campo de batalha na terra e depois apagava para desenhar e apagar novamente. O tempo todo ele tentou impedir que o curiosíssimo Gil visse ou entendesse o que ele conseguia enxergar nos diagramas que estava desenhando de trincheiras, elevações, linhas de visão e por aí vai. Isso não era só por necessidade de manter as coisas em segredo, mas também por uma vontade de aborrecer Gil. Porém, embora frustrado, Gil só parecia mais impressionado. Com o tempo, Cale passou a curtir tanto ser admirado de queixo caído que começou a inventar marcas e sinais só para se divertir fazendo diagramas totalmente complexos e sem sentido, de uma maneira que claramente deixava Gil fascinado.

Quase antes do anoitecer, Cale desceu do morro, e Gil o seguiu. Ele começou a organizar os turnos de guarda e quando os estava dividindo por quatro se deu conta de algo. Sem um pio de protesto, dividiu os turnos por três. Sua insolência aumentou ainda mais a admiração deles por Cale, e ele percebeu. Muito satisfeito com sua malícia, voltou ao topo e ficou o mais à vontade possível até adormecer e sonhar com Arbell Pescoço de Cisne. De uma beleza inacreditável, ela conseguira evitar Cale enquanto ele tentara segui-

-la pelos corredores do *palazzo* como se fosse um chato que Arbell devia tratar educadamente — mas não tão educadamente —, e não um amante de quem um dia gostara. Nos sonhos com ela, Cale geralmente perdia a raiva e a violência, era reduzido a um humilhado suplicante que não conseguia aceitar ser desprezado com elegância, enquanto mantinha a ridícula esperança de que, se conseguisse que ela parasse e o ouvisse, Arbell certamente seria capaz de explicar que sua aparente traição havia sido um terrível engano. E tudo ficaria bem. Ele seria feliz de novo. Mas ela sempre o evitava como se a presença de Cale fosse totalmente indesejável. Ele acordou um pouco antes da aurora, triste e ardendo de vergonha e raiva por conta da fraqueza.

Cale comeu e bebeu em silêncio e depois, com Gil ao lado, esperou para observar o barranco de Duffer surgir devagar sob a luz da aurora. As trincheiras agora cheias de arqueiros no centro do U foram abertas em ângulos de forma que as setas e flechas não pudessem ser miradas em linha reta. O problema, agora mais claro do que nunca, era que a terra vermelha retirada pela escavação contrastava nitidamente com a grama amarela da estepe, tornando as trincheiras tão óbvias como alvos pintados em círculos. A esta distância, os cerca de cinquenta arqueiros escondidos na curva do rio com seus sulcos e fendas pareciam bem escondidos, não eram fáceis de serem vistos nem com o telescópio. Uma hora depois, com o sol bem no alto, Gil puxou o braço de Cale e apontou para uma nuvem de poeira vindo do norte pela lateral da montanha de topo plano em frente ao barranco. A nuvem aos poucos revelou um grande contingente de tribalistas, soldados montados puxando quatro carroças e indo para o barranco. A princípio, parecia que cavalgariam em linha reta pelo meio do barranco, uma manobra de tamanha estupidez suicida de que só os acontecimentos na colina de Silbury o faziam suspeitar por um instante de que os comandos que se aproximavam fossem mesmo fazer isso.

Eles pararam a cerca de 400 metros de distância. Houve uma pausa de uns dez minutos, e então os comandos se dividiram em dois — uma parte para o leste do rio, a outra para o oeste. Um número menor de soldados com as carroças cobertas foi para trás da montanha de topo plano, e Cale não conseguiu acompanhá-los, apesar de estar ansioso para isso. Havia algo de estranho em relação às carroças — estavam cobertas, mas tinham um formato peculiar. Os Redentores no barranco teriam que esperar pelo ataque. Quase uma hora se passou, e então Gil novamente puxou a manga de Cale.

— Olhe, senhor, no ressalto daquela elevação. — Ele apontava para um corte meio plano abaixo do topo da montanha. Aproveitando a dica, Cale examinou as carroças que agora estavam centenas de metros acima do barranco e viu três delas sendo esvaziadas, mas de maneira indistinta, pois as lentes não eram tão boas a essa distância. O que ele conseguiu identificar eram armações e cordas, mas aquelas eram estruturas que ele só reconhecia como uma espécie de catapulta. Cale passou o telescópio para Gil, que disse que elas se pareciam com balistas, um dispositivo muito usado por determinado tempo pelos Antagonistas no Front Oriental.

— Nunca ouvi falar disso — disse Cale.

— É pouco mais do que uma besta, só que muito maior. Eles usaram por certo tempo, nove meses atrás, mas só servia contra fortificações em morros, e não havia muitas no Front Oriental. Não vejo o sentido de balistas aqui.

Eles não tiveram que esperar muito para a primeira surpresa. Depois de cinco minutos de atividade frenética, as balistas estavam armadas — mas, em vez de o arco de 3 metros mirar as trincheiras no barranco, o trio de balistas claramente apontava para o céu. Quando foram disparados, os poderosos arcos lançaram as enormes setas para o alto, porém num ângulo inclinado. Elas deram um grito desagradável e perturbador.

— Eles prendem um apito ao redor da seta para que ela gema. Isso mexe com os nervos.

As setas subiram gemendo, depois fizeram um arco no ar e se cravaram com força na grama amarela ao redor das trincheiras como se tivessem sido disparadas diretamente das nuvens acima. Pelos vinte minutos seguintes, as balistas atiraram repetidas vezes para acertar o alcance até que quase duas de cada três setas estivessem acertando as trincheiras. Alguns gritos deixaram claro que algumas das imensas setas haviam encontrado alvos — mas, embora a manobra fosse irritantemente estranha, Cale não conseguia ver como seria decisiva.

Houve outro hiato, e logo o disparo metálico das balistas recomeçou, mas com uma estranha diferença entre som e imagem — as setas gigantes já estavam quase na metade do voo quando o ruído metálico do disparo alcançava Cale e Gil na elevação distante. Mas desta vez havia algo ainda mais esquisito quanto ao som — era mais grave — e ao arco da seta quando atingia o ápice da curva e caía na terra. A seta, mesmo vista a olho nu, era claramente mais grossa, e Cale se atrapalhou com o telescópio para acompanhá-la enquanto se movia. Assim que conseguiu fixar o foco, a seta começou a se desmanchar em pleno ar, e uma dúzia de setas mais finas se separaram da principal formando aos poucos um grupo disperso antes de atingirem o solo — houve um baque e, a seguir, os gritos de meia dúzia de homens. Depois, outra seta foi disparada, e, a seguir, mais uma. De tempos em tempos, uma não conseguia se desmanchar, mas a maioria das nove setas disparadas a cada minuto aterrissava nos Redentores nas trincheiras como

108 setas a cada sessenta segundos. Os gritos horríveis dos mortos e moribundos eram contínuos agora. O rosto de Gil era de uma palidez resignada.

Pelo telescópio, Cale viu os Redentores sobreviventes cavando desesperadamente para se enterrarem ainda mais, mas essa era uma manobra tão eficiente quanto cavar para escapar da chuva. Ao perceberem isso, os sobreviventes começaram a fugir das trincheiras e correr. Eles conseguiram percorrer uns 50 metros até serem acertados por um mar de setas e flechas de ambos os lados do grande U como um menino batendo em ervas daninhas com um graveto. Cerca de vinte Redentores se renderam. De todas as partes do U, os soldados da Tribo saíam detrás de arbustos e de grandes cupinzeiros. Devia haver 160 homens à distância de 100 metros. Enquanto um punhado de tribalistas se encaminhava para aceitar a rendição e Cale se indagava se os Redentores receberiam mais clemência do que teriam dado, uma meia dúzia de flechas veio de cima de uma colina da parte detrás do U, e três tribalistas que avançavam caíram aos berros. Havia dez Redentores posicionados lá que se recusavam a se render. Mas Cale notou que havia um ponto cego à direita da colina que permitiu que um pelotão da Tribo avançasse até 50 metros dos Redentores obstinados. Eles conseguiram acuar os Redentores e facilmente receberam reforços tribalistas. Estando tão próximos e em número bem maior, sobrepujaram os Redentores na colina com a primeira carga. Qualquer chance de misericórdia que os Redentores da grande trincheira tinham antes haviam perdido agora. Em dez minutos, cada um dos defensores estava morto, e, sem mais baixas do que as que sofrera na tentativa frustrada de rendição, a Tribo novamente tinha humilhado uma das maiores forças armadas do planeta.

Três dias depois, os Redentores voltaram a defender o barranco com os 1.800 homens que Cale enviara anteriormente para o forte principal mais próximo. Nesse ínterim, a Tribo tinha supervisionado a passagem de mais de duzentas carroças com suprimentos e quase mil soldados. Diante da aproximação dos Redentores, os tribalistas simplesmente desapareceram na estepe, confiantes de que o barranco de Duffer ou alguma das outras estradas para o interior poderiam ser tomados quando fosse necessário com a mesma facilidade.

Cale reuniu 17 centuriões à sua volta e esmiuçou por uma hora as táticas dos Redentores mortos, cujos cadáveres foram enterrados em uma cova rasa a cerca de 500 metros dali. A seguir explicou por que eles foram derrotados tão facilmente. Pediu que fizessem perguntas. Houve poucas. Pediu que dessem respostas. Houve poucas também. Nenhuma delas, ficou claro para Cale, teria dado em um resultado diferente, embora umas duas certamente teriam segurado a Tribo por um pouco mais de tempo.

— Vocês têm duas horas para chegar a um acordo quanto a um plano. Então duzentos de vocês ficarão aqui para tentar resistir pelos três dias que serão necessários para se reforçarem.

— Como o senhor escolherá?

— Rezando — disse Cale. Ao voltar para a tenda, ele teve tempo para refletir sobre como a resposta foi infame. Redentores ou não, duzentos homens iriam morrer. Que foi exatamente o que aconteceu. Cale ouviu a nova tática para defesa, decidiu ordenar algumas poucas mudanças pois queria ver as manobras na prática e depois escolheu os homens para implementá-las por sorteio, em vez de brincar de maneira blasfema com a fé deles. Acrescentou um nome por conta própria, de um centurião que reconhecera na reunião inicial como o Redentor que certa vez lhe dera uma surra na bunda com uma corda tão grossa quanto o pulso de um homem por falar durante um treinamento. Possivelmente o Redentor teria vivido não fosse pelo fato de que não tinha sido Cale falando, mas Dominic Savio, que estava sussurrando para Henri Embromador que poderia, e provavelmente iria mesmo, morrer naquela noite e ser cagado por um demônio por toda a eternidade.

Pela segunda vez, Cale foi com Gil para a pequena elevação a cerca de 800 metros do barranco de Duffer. Dessa vez a espera durou dois dias, e Cale aproveitou novamente para atormentar Gil de todas as formas que conseguia imaginar, mencionando as experiências libidinosas em Kitty Town — onde, por estar começando a se apaixonar, Cale não havia ido com Kleist e o culpado, porém fascinado, Henri Embromador.

— Dava para rolar uma linguada — falou Cale para o Redentor Gil — por um dólar ou menos. E uma carcada na bunda por dois.

Ele inventou os nomes dessas perversões e por isso achava que não existiam. Estava errado. Em Kitty Town, até uma devassidão jamais imaginada podia ser encontrada se a pessoa tivesse dinheiro.

Cale passou a maior parte do resto do tempo dormindo, comeu a maior parte da comida destinada a Gil e aos dois guardas, fez anotações e imaginou sem parar o ataque que acontecera no barranco de Duffer e aqueles que poderiam ocorrer. E também pensou em Arbell Pescoço de Cisne e no próximo encontro, onde ela se jogaria em seus braços, chorando de sofrimento enquanto o moribundo Bosco admitiria, em seu último suspiro, que a traição de Arbell tinha sido um truque maligno. Então Cale sentiria vergonha pelo erro absurdo e se imaginaria pegando aquele lindo pescoço sem pena ou remorso enquanto ela sufocava e se engasgava em suas mãos implacáveis. Depois desses geralmente longos devaneios, ele ficava envergonhado e um pouco irritado. Contudo, isso não o impedia de voltar a devanear em várias ocasiões para cometer, como o Santo Redentor Clementine chamava, o pecado de ter maus pensamentos. "Ainda bem para o mundo", IdrisPukke disse certa vez para Cale, "que os muito maus são geralmente tão covardes para tornar reais seus pensamentos quanto qualquer outra pessoa".

Quando Cale olhou para baixo na Grande Saliência da montanha Tigre, sentiu uma alegria perturbadora e um incômodo agradável, e agora, na elevação sobre o barranco de Duffer, ele sentia o mesmo incômodo, a mesma ansiedade e a mesma alegria. Afinal de contas, não há nada melhor do que uma coceira que a pessoa finalmente possa coçar.

Os centuriões, sob o comando de um milenário, concordaram que, apesar de ser inútil aprofundar as trincheiras, a rigidez do solo permitiria que cavassem um vão no fundo delas para que cada homem pudesse escapar da chuva de projéteis das balistas. Para cobrir a trincheira principal no centro do U foram abertas mais trincheiras dos dois lados. O plano de cortar e queimar todos os arbustos fora do U por 400 metros foi impedido por Cale porque ele só deixaria duzentos homens fazerem o serviço, e não os 1.800 que estavam disponíveis.

— Vocês não terão mais do que duzentos homens no futuro, então qual é o sentido de ter agora?

Além disso, havia esconderijos suficientes nas grandes rochas e cupinzeiros duros como cimento espalhados pela paisagem como colmeias pontudas, porém malfeitas. Na colina dentro do U, a trincheira foi movida para cobrir o ponto cego que haviam deixado passar no ataque anterior.

6

— Você é o meu herói.

Kleist e a garota estavam sentados diante de um carvalho oco e parcialmente morto que abrigava o fogo aceso de tal maneira que parecia uma lareira.

— Eu não sou o seu herói.

— É sim — provocou ela. — Você me salvou.

— Eu não salvei. Por acaso você estava nos arbustos quando fui pegar minhas coisas. Eu nem sabia que você estava ali.

— Seu coração sabia — implicou a garota.

— Pense o que quiser. Amanhã você vai para onde for, e eu, para outro lugar qualquer, o mais longe possível de você.

— Meu povo acredita — disse a menina, palrando alegremente como um estorninho — que, quando uma pessoa salva a vida de outra, fica responsável por ela para sempre. — Essa declaração era uma das mentiras mais escabrosas que ela já havia contado e era o oposto de tudo em que os cleptos acreditavam quanto à questão da obrigação.

— Qual o sentido disso? — falou um exaltado Kleist. — Devia ser o contrário.

— Tudo bem. Agora eu sou responsável por você.

— Primeiro, eu estou me lixando para o que o seu povo acredita e, segundo, não quero que você seja responsável por mim. Quero que vá embora.

A garota riu.

— Você está falando da boca para fora. Diga o seu nome.

— Eu não tenho nome. Sou anônimo.

— Todo mundo tem um nome.

— Eu não.

— Devo dizer o meu?

— Não.

— Eu sabia que você ia dizer isso.

— Então por que perguntou?

— Porque eu *aaaaamo* — falou a garota, aumentando o som da palavra — ouvir o som da sua voz. — E riu de novo. Talvez tenha levado duas horas para Kleist estar completamente fisgado.

* * *

Dois dias depois, Cale e Gil observaram os tribalistas aceitando, obviamente depois de alguma discussão e com muito mais cuidado, a rendição de seis Redentores sobreviventes. Eles foram amarrados e colocados numa carroça. Dez minutos depois, tinham desaparecido atrás da montanha de topo plano.

— Quantas vezes mais? — falou um mal-humorado Gil.

Cale não respondeu, mas desceu da elevação, montou no cavalo e começou a retornar ao Forte Bastião, não tão confiável assim apesar do nome. Cinco dias depois da chegada lá, o quarteto estava de volta ao Santuário encarando um Bosco de mau humor.

— Eu disse para você ficar na estepe até resolver o problema.

— Eu *resolvi* o problema.

Cale teve o prazer de deixar Bosco mudo de surpresa, o que era algo que não tinha conseguido fazer antes em todo o longo relacionamento dos dois.

— Explique.

Cale explicou. Quando terminou, Bosco parecia desconfiado, não porque Cale não tivesse sido convincente, mas porque o que alegou parecia bom demais para ser verdade. Cale lhe ofereceu uma saída para o que estava virando uma terrível armadilha, que tinha origem nos eventos absurdos que causaram a execução de seus 299 soldados escolhidos a dedo. Pela experiência de Bosco, quando alguém oferece uma saída para o seu maior problema não é hora de se preocupar com o preço ou mesmo se era um devaneio tornado plausível pelo desejo. As pessoas acreditam no que querem acreditar. Talvez fosse, pensou Bosco, o mais belamente verdadeiro de todos os grandes truísmos. Ele não tinha muita escolha a não ser aceitar, mesmo que coincidisse exatamente com aquilo de que ele mais precisava.

— Enquanto você esteve ausente, eu perfilei os Purgadores e mandei executar um deles diante dos outros. Foi uma morte difícil. E digo difícil de ver. Quando você disser o que quer, os Purgadores terão uma lembrança bem recente do que irá acontecer se não cumprirem à risca.

— Nem todos os Purgadores servem. Há uns trinta que são loucos ou burros demais. Mas eu não sou um executor. Quero que eles sejam enviados para a bastilha em Marshalsea.

— O que o faz pensar que esse seria um destino melhor?

— Pode ser que seja. Eu disse que não sou um executor.

— Muito bem. Mas você não tem o direito de falar mal do mistério de Petar Brzca.

Cale devia ter pensado melhor, mas, como estava abusado por ter conseguido vencer Bosco no que se referia à estepe, não conseguiu se controlar.

— Mistério? Aquele carniceiro.

— Quantas vezes vou ter que falar para você não dizer o que está pensando para os outros? — falou Bosco, cansado. — Porém, *escute*. Deus falou. E temos que considerar que o que ele falou é a verdade. A Única e Verdadeira Fé não é intolerante por ser alguma espécie de professor pomposo que teme a contradição, é intolerante porque a Verdade é intolerante pelo fato de *ser* verdadeira. Não é intolerância impedir que um professor diga que dois mais dois são cinco ou três. Alguém assim seria impedido em todas as sociedades, em todas as ocasiões. Não devemos tolerar uma mentira que impeça que um homem seja salvo por toda a eternidade. Logo, é tão óbvio quanto dois mais dois são quatro que não pode haver tolerância, pelo bem de todos nós, a qualquer coisa que se desvie da verdade de Deus. O papa é a fonte de toda a fé da Terra e ele tem que fazer uma grande parceria com o enforcador para impor o único amor que de fato existe: o mais estreito, rígido e inflexível dogma.

— Brzca não está a serviço de nada a não ser de um desejo por sangue.

— Não é isso. Não é justo. Como qualquer outro Redentor, ele podia ter escolhido preparar acólitos para defender a fé. Podia ter aprendido a fazer sermões sobre o amor que Deus sente por toda a humanidade, por mais pobre que ela seja, por mais pobre que sejam as suas realizações: sua visão corrompida, os gostos revoltantes, o corpo vil traidor, tudo monótono e trivial que há quanto à humanidade. Em vez disso, Brzca escolheu a vocação mais difícil de todas: a tortura e o assassinato da própria espécie. Ninguém come com ele, ninguém passa tempo com ele ou reza ao seu lado. Em meio a esta solidão de medo e desprezo, Brzca deve se entregar não aos prazeres comuns da voz humana, mas só aos gritos dos moribundos. Ele chega ao pátio do Auto de Fé diante de uma assembleia de seus pares que o enxergam só com medo. Se um herege ou blasfemo é jogado na direção de Brzca, ele pega o sujeito, estica, prende a uma barra de madeira e ergue seus braços. Há um silêncio horrível, exceto pelo som de ossos se quebrando e dos berros da vítima. Ele o desamarra. Arrasta o sujeito pelo chão e passa um gancho afiado pelo corpo, do peito ao osso púbico, e arranca as entranhas perante o olhar desesperado, a boca aberta como uma fornalha.

— E você se pergunta por que ele é desprezado?

— Eu não me pergunto de forma alguma. E mesmo com tanto ódio assim, Brzca é todo grandeza, todo poder. Retire o executor do mundo, e instantaneamente a ordem cede ao caos; a bondade, o companheirismo e as boas ações ficam indefesas diante do oportunismo perverso dos maliciosos e cruéis, dos apóstatas e blasfemos que tirariam a vida eterna de bem-aventurança de qualquer homem. Me diga que ele não é um herói e um santo.

Eles se entreolharam por um momento.

— Eu quero Hooke.

— Eu expliquei que não será possível.

— Você tem que tornar possível. A Tribo tem novas armas. Elas não foram descobertas debaixo de uma pedra. Eu preciso de Hooke.

— Tudo está vulnerável. Desafiar o pontífice nessa questão seria a desculpa de que eles precisam para mandar a Congregação do Gabinete de Propagação da Fé.

— Gant é o peritônio da Congregação, não é?

— Perito — corrigiu Bosco. — Peritônio é a membrana que recobre a superfície dos órgãos digestivos.

— Ah.

— Por que você pergunta?

— Gant virá com a Congregação?

— Nada o afastaria da chance de tomar o controle do Santuário.

— Poderia ele fazer de você um Auto de Fé?

— O desejo é o pai dessa ideia, meu caro. A resposta é não. Mas eu poderia ser retirado do corpo de carmelengos e perderia todo o poder com isso.

— Se eu tiver êxito na estepe, isso seria o suficiente para detê-los?

— Não. Os fracassos lá são uma ferida no nosso orgulho e um deleite para os Antagonistas no Oriente, mas a Tribo é um transtorno até para eles. Onde há um tribalista Antagonista, há um fanático. Onde há dois, há um cisma. Mesmo que nos derrotem na estepe e nós recuemos, eles logo começarão a brigar entre si.

Cale não falou nada por um momento.

— Não há problema — disse, finalmente.

— Como assim?

— Dê o que eles querem, a morte de Hooke, e daí não haverá desculpa para eles virem aqui.

— Imagino — disse Bosco, após um instante — que você não quer dizer o que parece estar dizendo.

— Não. Eu quero Hooke, e a minha intenção é tê-lo.

Lá fora, Model, que tinha sido designado como mensageiro de Cale, esperava ansiosamente após ter ouvido a voz um pouco alterada de Bosco sem uma resposta aparente por tanto tempo. Será que Cale estava em apuros? Quando o chefe saiu, ele não falou por alguns minutos, mas sacudiu a cabeça como se quisesse espalhar a fumaça densa que estava entre as suas orelhas.

— Quer alguma coisa, chefe?

Cale olhou para ele.

— Sim. Pegue outro café da manhã para mim, vá para o meu quarto e coma por mim.

— Meu nome é Thomas Cale, e vocês estão na palma da minha mão.

Diante de cerca de duzentos abjetos Purgadores, sob uma série de camadas enevoadas de vários tipos de emoções conflitantes (pegue raiva, autopiedade, medo, desespero, ressentimento, mais raiva, ódio, perda, amor e por aí vai), Cale curtiu o curioso prazer de estar em frente a tantos Redentores que, apesar da divertida pompa das suas declarações, estavam de fato na palma da sua mão. Quem poderia culpá-lo? Quem não curtiria a ideia de moldá-los como se fossem recém-nascidos? Todo esse poder e nem sequer a menor preocupação em ser justo, generoso ou bondoso. Pela lei eclesiástica, eles já estavam mortos — só a execução em si (uma questão de importância técnica menor) não tinha sido aplicada. Cale podia fazer o que quisesse com eles. Não sentiu como se fosse uma licença para a vingança, mas sim como uma grande oportunidade para satisfazer a sua curiosidade. E se você pudesse fazer o que quisesse e tudo ficasse bem?

— Eu vou mandar que façam muitas coisas que nunca fizeram antes. Se desobedecerem, serão punidos. Se desobedecerem em silêncio, serão punidos. Se reclamarem, serão punidos. Se falharem, serão punidos. Se eu estiver com vontade, serão punidos. Mas existe uma coisa, e só uma coisa, que não terá punição. Se não conseguirem aprender a pensar por si mesmos, vocês serão devolvidos a esse pátio para imediata execução da sentença.

Ele então começou a sair do pátio. Cale notou um dos Purgadores de rabo de olho e o reconheceu como o Redentor Avery Humboldt, alguém que conhecia das antigas. A expressão no rosto do homem era de puro desdém, desrespeito e desprezo. Ao passar por Humboldt, Cale atacou a cabeça do Redentor com toda a sua grande força. O homem desabou como se as cordinhas que o seguravam tivessem sido rompidas, e, quase sem perder o passo, Cale prosseguiu e saiu do pátio. Na verdade, ele errara feio quanto à expressão no rosto de Humboldt. Não era de desdém, desrespeito ou desprezo. O aparente escárnio desdenhoso era simplesmente um dano nos nervos do lado esquerdo do rosto que fazia a face pender. Foi resultado de uma surra que Humboldt levara de dois guardas que ouviram e não gostaram de sua opinião de que a donzela de Blackbird Leys era uma mulher bem-intencionada e não deveria ser sujeitada aos horrores de um Auto de Fé. Por outro lado, o erro de Cale certamente dera um claro recado aos outros Purgadores.

Era uma peculiaridade dos Redentores ter pouca ou nenhuma imaginação, muito embora acreditassem em várias ideias fantásticas. E isso era verdade até mesmo para um homem inteligente como Bosco. Capaz de acreditar em sete coisas impossíveis antes do café da manhã, desde que envolvessem milagres, castigos divinos bizarros, pedras da vesícula e prepúcios preservados dos mártires, ele ficou intrigado pelo plano elaborado de Cale para retirar Guido Hooke da prisão.

— Eu posso simplesmente mandar alguns guardas para retirá-lo.

— Mas o que acontecerá quando houver uma investigação do Gabinete de Propagação da Fé e eles descobrirem que, antes de morrer misteriosamente, Hooke estava em perfeitas condições de saúde e foi retirado da cela sem motivo aparente, contra todos os protocolos e procedimentos?

Bosco, que na juventude foi um fiel convencional e fervoroso, passou a mentir muito tarde na vida. Agora ele inventava mentiras plausíveis, com certeza, mas as coisas que dizia não eram muito contestadas, porque, quando finalmente passou a enganar seus colegas Redentores, já era muito poderoso. Ele tinha inimigos desconfiados, mas havia um limite na pressão que eles podiam exercer, pouco espaço para fazer perguntas incômodas. Por outro lado, Cale, Henri Embromador e Kleist vinham enganando, trapaceando e mentindo para pessoas que podiam fazer o que quisessem com eles se tivessem a mínima suspeita de qualquer engodo, trapaça ou mentira. Uma cara de culpa era prova de pecado, assim como a expressão de inocência era prova do pecado revoltante do orgulho. O resultado foi que todos eles, eternos mentirosos, aprenderam a faltar com a verdade da mesma maneira que aprenderam a andar — a princípio de maneira hesitante, mas depois de forma tão espontânea que eles nem sequer pensavam a respeito. Um mentiroso sem nenhum poder tem que saber o que está fazendo para não ser descoberto. Uma mentira tinha que estar viva e se parecer tanto com a verdade a ponto de não dar espaço aos cem erros que os maus mentirosos cometem, se revelando até para os idiotas. O número um neste aspecto era jamais sair da rotina — assim que se descobre uma pequena mudança no jeito como as coisas são feitas, até mesmo o mais estúpido dos interrogadores começa a perceber a mentira.

— Só uma doença fará a retirada de Hooke da cela parecer normal. Se houver um inquérito eclesiástico, você tem que ter uma história. Pense bem nela para que pareça tão real quanto algo que aconteceu, mais real até. Mande um médico em quem confie. Existe um?

— Existe.

— Diga a ele para pegar uma saudade-branca. Vai fazer Hooke suar e ficar com o rosto vermelho. O médico pode encontrá-la atrás da Grande Estátua do Redentor Enforcado.

Bosco ficou ofendido. Ele havia permitido que Cale ficasse de cama em três ocasiões com esses sintomas.

— O que você espera — provocou Cale — da fúria do Senhor? No dia seguinte, todos os guardas vão achar que é tifo. Então você terá um bom motivo para retirar Hooke sem ter feito nada de estranho. Você costumava me dizer que isso era um pecado.

— Obviamente eu falhei. Como eu esperava fazer, lembre-se disso. Deus planta suas grandes mensagens em vários lugares. A maioria das pessoas enlouquece pela falta de um guia que diga quem elas são e o que têm de fazer.

Naquela noite, a verificação semanal de sinais de tifo foi feita com um dia de adiantamento. Guido Hooke recebeu uma solução de saudade-branca e bebeu sem objeção. Por que suspeitar de que os Redentores o envenenariam quando tinham planos notórios e desagradáveis para a sua morte? No dia seguinte, Hooke estava com o suadouro, a febre e as pústulas que Cale queria. Se não eram os sintomas do temido tifo — temido porque podia se espalhar facilmente para a ampla comunidade dos Redentores —, ainda assim eram suficientemente preocupantes para o médico ser chamado pelos carcereiros que jamais teriam a inteligência ou coragem de mentir para o Gabinete da Fé. A primeira parte da mentira tinha bases firmes na verdade. Foi feito um estardalhaço da retirada de Hooke da cela e de sua passagem diante dos Purgadores para haver o máximo possível de testemunhas de sua óbvia doença. O rosto dele era inconfundível por conta da barba ruiva, farta e sem bigode. Ela o deixava com um aspecto horrendo, mas vinte anos antes uma jovem maldosa dissera que achava que Hooke ficava bem com aquela barba, e, desde então, ele sempre dedicara muito tempo a mantê-la. Agora berrando e delirando porque o boticário triplicara a dose por engano, Hooke foi levado a um quarto isolado onde aqueles que sofriam de tifo eram abandonados para morrer sem comida e água. Para variar, esta era a solução mais gentil que os Redentores podiam oferecer. Era melhor morrer relativamente rápido de uma febre alta exacerbada pela falta de água do que se arrastar até os últimos estágios da doença, que eram horrendos. Dentro de alguns minutos, Cale, Bosco e Gil chegaram. Os dois Redentores observaram o jovem realizar o engodo com alguma dificuldade, devido ao estado agitado de Hooke. Cale cortou a barba ruiva o mais rente à pele possível, criando uma pilha de pelos vermelhos que era ao mesmo tempo impressionante e repelente.

— Com olhos e um rabo isso pareceria um rato ruivo.

A seguir, Gil e Bosco foram embora, mas voltaram dez minutos depois com um cadáver de idade e peso similares aos de Hooke. Ao pedir pelo corpo,

Cale sugeriu que viesse do necrotério. Se o cadáver viera mesmo convenientemente de lá ele não perguntou — e Gil e Bosco não falaram nada.

Cale já tinha despido Hooke e a seguir fez o mesmo com o cadáver. Depois, vestiu o corpo com as roupas de Hooke e passou uma enorme bandagem pela cabeça e debaixo do queixo, como era costume com os mortos. Daí pegou os pelos da pilha e enfiou dentro da bandagem para dar a impressão de que a barba de Hooke estava amassada debaixo da atadura. Bosco torceu o nariz. Se a ideia era engenhosa, a execução não era muito impressionante.

— É só o começo — falou Cale. — Me dê uma hora e vai ficar bem melhor. Além disso, as pessoas veem aquilo que esperam ver. Quando o queimarmos amanhã, vamos manter os Redentores bem distantes.

— É uma execução pós-morte — disse Gil. — Os padres esperam ver Brzca.

— Brzca não é problema.

Dito isso, Bosco gesticulou para Gil ajudar a colocar Hooke de pé.

— Me dê um beijo, belezura — falou o delirante Hooke.

— Para onde vai levá-lo?

— Deus criou o inferno para os curiosos — disse Bosco.

— Só unzinho — falou Hooke e, depois dessa, eles o arrastaram para fora do quarto, e Cale voltou a arrumar a barba dentro da bandagem no rosto do morto.

Em vinte minutos, Hooke havia sido colocado em outro quarto, separado do resto do Santuário por duas paredes, e passado a ser atendido por uma freira gorda de touca.

No quarto com o morto, Cale começou a arrumar a aparência da barba ruiva, que agora parecia quase laranja contra a pele branca do rosto do homem. Ele cantou baixinho ao trabalhar.

Ninguém gosta de nós, não importa
Ninguém gosta de nós, não importa
Ninguém gosta de nós, não importa
Ninguém gosta de nós, não importa.

— Diga aos carcereiros que há um alerta sobre os Purgadores e que eles precisam ser removidos. Tranque tudo com eles dentro por 24 horas. Os Purgadores e os carcereiros são as únicas pessoas que viram Hooke de perto. Traga todo mundo para a execução pós-morte, mas mantenha-os bem longe para não pegarem tifo. E queime o corpo bem rápido.

— Por que não o queima em segredo? — perguntou Gil. — É muito arriscado fazer na frente de tanta gente.

— Não, Cale está certo. As pessoas veem o que esperam ver. O Gabinete de Propagação da Fé espera que façamos um espetáculo com a execução de um herege tão notório. Vamos dar o que eles querem.

São espertos demais esses dois, pensou Gil, arrependendo-se de imediato da desobediência e do orgulho. Teria que passar horas rezando, ao menos dez minutos se flagelando. Talvez meia hora de drenagem. Por que não mordeu a própria língua? Aí lembrou que teria que fazer isso também.

— Obrigado, Redentor — disse Bosco, dispensando Gil. Quando ele saiu, Bosco olhou para Cale com uma expressão debochada e ansiosa. — Você quer me perguntar algo?

— Sim. O que Picarbo estava fazendo ao estripar aquela garota?

— Ah. Extraordinário. — Ele destrancou um pequeno armário ao lado da escrivaninha, tirou uma pasta e entregou para Cale. — Há muitos documentos importantes no aposento de Picarbo. Seriam necessários meses, diria eu, para ler tudo. Mas este era o testamento dele, em termos. Aparentemente.

— Então você não sabia nada sobre aquilo?

— Eu? Não.

— Como isso é possível?

— Acha que estou mentindo? — Ele parecia sinceramente surpreso. — Certamente no passado eu omiti a verdade, senhor. — O tratamento era genuinamente respeitoso, mas também genuinamente debochado. — Mas não me lembro de jamais ter mentido para você. Acho que teria feito isso se fosse necessário. Mas não estou mentindo agora.

— Ele mantinha *mulheres*. Mantinha mulheres em aposentos que caberiam em um pequeno palácio. Como isso é possível?

— Todos os Redentores devem parecer iguais para você. São todos poderosos. Mas só em relação aos acólitos, não uns com os outros. Há muitas divisões e hierarquias. Limites que não podem ser ultrapassados. Picarbo controlava essas áreas. Nenhum rei despótico detinha mais poder. Não devemos fazer perguntas uns sobre os outros. Controlar o conhecimento sobre alguma coisa em um mundo onde todas as pessoas sabem de tudo é o poder mais defendido que um Redentor pode ter. Como um molho de chaves, é um sinal de valor perante Deus.

— Outros deviam saber.

— De fato sabiam. Doze pessoas sabiam e leram este documento aí.

— O que aconteceu com elas?

— Agora você está provocando.

— As freiras?

— Um Redentor sempre pode ser substituído; alguém que saiba cozinhar e passar a ferro uma vestimenta de forma aceitável por Deus não. Além disso, elas não sabiam nada a respeito das intenções de Picarbo. É uma questão de muito debate, em termos de teologia, se as mulheres têm alma ou não. Eu tendo a achar que não. Nesse caso, não são totalmente responsáveis por si mesmas.

— E as garotas?

— Ah, sim. A resposta é que não há resposta. Como as irmãs sempre estiveram isoladas, é surpreendentemente fácil manter essas jovens em segredo. Picarbo obviamente pensava assim. Eu tenho coisas a fazer. Leve o tempo que quiser.

E, dito isso, ele foi embora, e Cale começou a ler o manifesto que mudou sua vida e desafiou um império.

7

Era a aurora, e os pintarroxos cantavam ruidosamente nas árvores. Os belos coros e árias que eles entoavam antes de o sol surgir eram substituídos agora por uma barulheira pavorosa que parecia o som de homens com apitos desafinados trocando socos nos galhos das árvores.

Apesar do barulho, a garota, Daisy, dormia profundamente nos braços de Kleist. Ele dormira no mesmo quarto com centenas de meninos, e todos lhe pareciam ainda mais feios adormecidos do que acordados. Ela parecia linda, o que não era o caso quando estava desperta. Kleist foi tomado por uma sensação muito agradável ao olhar para ela, como aquela no peito depois de um grande gole de aguardente ou gim.

Ele era ao mesmo tempo fascinado e desconfiado em relação às mulheres. Quem não é? Mas, até recentemente, nem a ignorância poderia ter descrito sua falta de compreensão, o que equivale a dizer que ele não compreendia nada. Agora a experiência de Kleist era mais significativa em certos aspectos, mas também parcial e estranha. Sua hostilidade para com Riba, a garota cujo resgate por Cale causara inadvertidamente todos os seus problemas, era baseada nas inúmeras vezes em que, sem querer, ela quase provocara sua morte; sua segunda experiência fora com as belas aristocratas de Memphis, que consideravam todos os homens, e ele em especial, indignos sequer de desprezo; e tinham havido as prostitutas de Kitty Town, cujas tristeza e frieza terminaram por afastá-lo de lá.

Abalado pelo choque entre a súbita ternura e a violência com que foi criado, ele decidiu tempestuosamente que perseguiria os dois integrantes remanescentes da gangue de Lorde Dunbar e os mataria de forma horrível. Para a sua surpresa e o seu desgosto — Kleist tinha mais ou menos esperado que ela desfalecesse de amor e adoração quando ele explicasse sua nobre missão —, ela suspirou de irritação e disse que não fosse tão tolo.

— Isso vai mudar alguma coisa?

— Não — falou ele, com relutância. — Mas eu me sentiria melhor.

— Eu também — disse ela, sorrindo. — Mas lutar é arriscado. Nunca se sabe o que pode acontecer. Arriscar sua vida por uma gentalha daquelas não vale a pena mesmo. Um dia talvez a gente esbarre com eles embriagados e, quando dormirem, nós os apunhalamos pelas costas. — Ela riu, e Kleist a encarou, perplexo. Se isto não tivesse acontecido com ela, ele teria concordado por completo. Kleist se sentiu ainda mais apaixonado. Verdade seja dita, ele teria preferido uma folga de alguns dias para se acostumar a esses novos sentimentos, mas Daisy não era uma garota paciente. Um raio era lento comparado com ela, e logo Daisy estava em cima de Kleist, devorando cada centímetro antes que ele realmente soubesse o que fazer. Diante da grande convulsão que sacudiu o corpo dela, Kleist achou que Daisy estivesse morrendo de alguma espécie de ataque cardíaco. Nada igual a isso tinha acontecido durante suas pobres incursões por Kitty Town. Quando Daisy se deitou exausta, ficou de certa forma espantada de ter que explicar ao muito preocupado Kleist o que tinha havido. Era muita coisa para absorver, até mesmo ou especialmente para um rapaz tão embrutecido. Ele parecia tão surpreso e pensativo que Daisy o confundiu ainda mais ao irromper em lágrimas.

Com enorme carinho, Kleist levantou a menina que dormia sobre seu braço esquerdo agora dormente e preparou café da manhã para os dois. Faminto, ele comeu imediatamente e esperou que ela acordasse. Estava tão impaciente para falar com Daisy que até tentou sacudi-la. Mas esta era obviamente uma menina que sabia dormir. Ele ficou tão frustrado, e um pouco ressentido que ela pudesse roncar em momento tão significativo, que comeu a parte dela do café da manhã também.

— Cadê o meu? — falou Daisy baixinho enquanto ele terminava, lambendo o prato.

— Vou fazer para você agora — disse Kleist, toda a irritação sumindo com o sorriso dela. A água já fervia e, em vinte minutos, Daisy devorava o feijão com arroz roubado de Lorde Dunbar.

— O que você estava fazendo sozinha aqui fora?

— Só dando uma volta.

— Aqui fora?

— Não tem muito sentido dar uma volta onde a pessoa já esteve antes.

— Você é muito jovem.

— Sou mais velha do que você.

— Eu posso cuidar de mim mesmo.

— Eu também. — Eles se entreolharam de uma maneira constrangedora. — Geralmente. Eu me descuidei e fui capturada. A culpa foi minha.

Isso o deixou indignado.

— Como pode ser culpa sua o que eles fizeram?

— Eu não disse isso. Mas você sabe o que o espera se tenta roubar um cavalo de uns rufiões desgraçados. Além disso — disse Daisy —, eles não mataram você, e fico feliz por isso.

Diante disso, ele mal soube o que dizer. Daisy sorriu.

— Portanto, talvez eu não apunhale os dois pelas costas.

— De onde você é?

— Da serra de Quantock.

— Nunca ouvi falar.

— Fica a três dias daqui. Quero ir para casa agora. Venha comigo.

— Tudo bem.

Kleist respondeu de supetão e se arrependeu de imediato, mas só porque era algo muito estranho para ele. A sensação é de que havia outra pessoa ocupando seu corpo, alguém que poderia fazer ou dizer algo realmente idiota.

— Você tem família?

— Claro — disse ela e depois se arrependeu. — Desculpe.

— Não é preciso se desculpar. Sua família não devia deixar você vagar por aí.

— Por que não?

— É perigoso.

— Foi você quem quis embarcar em uma onda assassina.

— Eu queria vingar a sua honra — falou Kleist.

Ela riu.

— Os cleptos, o meu clã, realmente não acreditam em coisas assim. Somos muito curiosos, mas não muito honrados.

— Você está me fazendo de idiota.

— Não, não estou. Não mesmo. Não acreditamos em respeito, integridade e honestidade. Todas as tribos ao redor da nossa acreditam, vivem brigando sobre a honra disso, a honra daquilo. As tribos se matam em nome da honra e matam as esposas e filhas pelo mesmo motivo também. Se eu fosse uma decani, eles me enforcariam se soubessem que fui estuprada. — Daisy fez os chifres do demônio com as mãos. — Isso é o que eu penso sobre honra. — Ela notou que o gesto chocou Kleist, embora esperasse mais que ficasse surpreso, e riu. — E os decanis são tão estúpidos e sem curiosidade quanto uma vaca. "A curiosidade matou o gato" é o ditado favorito deles. Meu tio Adam desceu de canoa o Reno por cinco dias porque ouviu dizer que havia uma prostituta em Florença com um formato diferente de genitália. Eu mesma sou famosa porque ensinei uma galinha a andar de costas.

— Por que você fez isso?

Ela riu, se divertindo.

— Porque os cleptos também têm um ditado: "Não é possível ensinar uma galinha a andar de costas."

8

O Manifesto do Redentor Picarbo

É óbvio, sem necessidade de maiores argumentos, que nossos antepassados estavam errados. Não é fácil dizer tal coisa a respeito de homens famosos que merecem elogios. Mas errar é humano, e Deus nos deu a razão para nos esforçarmos a tirar o melhor proveito de nossa natureza. A mulher foi dada a nós a princípio como amiga, mas não era a companheira de que precisávamos. Não — nem mesmo de início. Será que uma amiga e companheira tentaria o homem à própria destruição, a dar ouvidos a Satanás, a comer a única coisa — a *única* coisa, por Deus — que era proibida ao homem e à mulher? Tanta generosidade, um fardo tão pequeno a ser carregado em troca de felicidade e alegria. Tudo isso foi perdido porque as mulheres nunca estão satisfeitas, mas sempre são ouvidas pelos homens e querem qualquer coisa que não conseguem ter. Não é surpresa que até as Janes desorientadas que se recusam a representar o mundo em imagens tenham um sinal para o demônio que tem origem na imagem da língua de uma mulher, com a orelha de um homem representando a tentação. Logo de início, as mulheres corromperam a amizade que Deus havia ordenado entre homens e mulheres. A amizade que nasce da razão viu essa mesma razão ser provocada pelo desejo das mulheres. O desejo fez a amizade enlouquecer. Homens e mulheres deveriam viver como marido e esposa em harmonia e companheirismo e, no entanto, repetidas vezes vemos homens serem provocados pelas mulheres a amarem as próprias esposas exageradamente. Um amor correto usa a razão como guia e não se permite arrebatar por desejos impetuosos. E assim os sensatos e lúcidos são corrompidos por mulheres que querem, na maior de todas as depravações, ser amadas como se fossem adúlteras. Todos os homens cometem adultério com as próprias esposas e não conseguem evitar, porque as mulheres não aceitam ser amadas de forma sensata e proporcional. O amor é tudo para as mulheres, e não é da natureza delas aceitar o que é moderado ou racional. A alma dos homens, a História já provou, luta para se livrar do desejo enquanto ascende ao divino. Nenhuma mulher permitirá que os homens escapem assim. É ela e não Deus que deve ser o centro de tudo. Em minhas investigações e experiências, descobri que as mulheres inflamam a razão não só com as partes pudendas e com carinhos, mas também com um líquido secreto que flui de suas vesículas biliares.

Como fiz várias vezes com ovelhas e porcos, criando um para obter carne melhor e o outro para uma lã mais rica, eu eduquei as mulheres que confinei aqui de diversas maneiras sobre tudo o que é voluptuoso e relacionado só à sensação física, ao prazer da beleza, à delicadeza da pele e do cabelo, e sobre todas as maneiras como os órgãos das sensações imediatas podem ser aumentados e exagerados. Desde bem jovens, elas aprenderam tudo sobre como agradar os homens para que (mais do que as mulheres comuns) pensem só em dar prazer a eles a fim de que, em troca, eles só encontrem prazer e alívio na companhia delas, e não na busca por Deus. Desta forma, eu estimulei muito os úteros dessas mulheres a produzirem este leite uterino com tanta força e intensidade que, contido e engrossado pelo próprio excesso, este líquido se solidificou como âmbar ou piche (o que é apropriado por ser a essência do inferno). Através da minha arte e inspirado por Deus e pelo Redentor Enforcado, descobri e retirei essas resinas, revelei que elas têm o poder, ao serem reduzidas a pó e misturadas ao crisma sagrado, de devolver a qualquer homem a bondade da amizade das mulheres que elas retiraram tão rapidamente e de forma tão destrutiva dos homens e de si próprias. Com esse preparado, que eu chamei de Óleo do Redentor, não só os homens podem resistir às mulheres ao fazer passar a lascívia, mas até mesmo os Redentores que se entregaram à loucura e às terríveis convulsões podem ser devolvidos à felicidade, ao bom companheirismo, podendo se livrar da fúria da destruição peniana e da tristeza da perda das mulheres que aflige tantos Redentores.

A porta abriu e Bosco retornou.

— Terminou?

— Ainda não.

— Mostre.

Cale apontou para a última frase que leu, pois velhos hábitos custam a morrer. Fez isso antes que pudesse se impedir.

— Bem — falou Bosco, ele próprio constrangido por essa lembrança do passado dos dois. — Você pode ler o resto mais tarde. Sua opinião?

— Muita fúria peniana.

Bosco sorriu.

— Sim, de fato. O Redentor Picarbo era tão obcecado por mulheres à maneira dele como qualquer fornicador. Se você acha que o que leu é loucura, o resto prossegue detalhando os planos para uma fazenda especial em que as criaturas dele seriam criadas para produzir essa resina em quantidade suficiente para acalmar o mundo. Mas, se não fosse por isso, você jamais teria saído do Santuário, e o império Materazzi ainda seria o maior poder nos quatro cantos do mundo. Estranho, não é, como as coisas se acertam?

— O que você vai fazer com as garotas?

— Eu não sei. Elas podem ficar onde estão.

— Uma armadilha para alguém.

— Exatamente. Você quer conhecê-las?

Era justo dizer que Cale ficou estupefato.

— Uma armadilha para mim?

— Há várias armadilhas prontas para você, mas nenhuma feita por mim. Eu sou seu bom servo.

— Sim. Quero dizer, sim, quero vê-las.

— Vou providenciar quando você retornar da estepe. Picarbo pode ter sido um louco, mas seu trabalho é muitíssimo interessante.

Uma semana depois, Cale estava na pequena elevação no barranco de Duffer, cercado por Purgadores — desconfiados, esperançosos, cautelosos, indignados — e Guido Hooke. Cale pensara que haveria uma luta para retomar o barranco, especialmente se os tribalistas que o controlavam percebessem que só 230 Redentores tinham vindo para fazer isso. A verdade é que, no momento em que eles chegaram, a Tribo tinha simplesmente desaparecido na pradaria.

— Olhem ao redor — berrou Cale. — Se forem estúpidos, vocês vão morrer aqui. Se forem espertos, vão morrer aqui. Se usarem todas as grandes habilidades que aprenderam, vão morrer aqui. Deixem que eu lhes diga uma coisa: a não ser que vocês se comportem como criancinhas, vão morrer aqui.

— Fale mais alto! — gritou um Redentor no fundo do grupo. Cale olhou para Gil, que, acompanhado pelos dois guardas, se moveu para trás do Redentor que tinha berrado e fez um gesto para o homem ir adiante. Ele foi à frente com um andar de durão e parou diante de Cale, olhando fixo com olhos da cor do resto de cerveja em uma caneca.

— O que você disse? — perguntou Cale.

— Eu disse fale...

Cale avançou contra o homem e deu-lhe uma testada no rosto. O Redentor desabou de imediato segurando o nariz quebrado. Cale subiu novamente na pedra plana de onde esteve falando.

— Se vocês ouvem mal, vão morrer aqui.

Cale mandou que os Purgadores se virassem e descreveu as várias formas como o barranco fora defendido — apontou para um conjunto de trincheiras aqui, outro acolá, mostrou como este morro tinha sido reforçado, como aquele campo de fogo fora coberto para prevenir um ataque.

— A única coisa que esses planos tiveram em comum — falou ao terminar de descrever o campo de batalha — é que todos os autores e todo mundo que os implementou estão mortos agora. Vocês serão divididos em tropas de 15 homens. Vão eleger um líder de tropa, um vice-líder e um sargento. Terão um dia para percorrer essa área, e cada tropa vai bolar um plano para mantê-los vivos pelos três dias que serão necessários para os reforços chegarem. Nem preciso ameaçar que, se falharem, vou mandá-los de volta ao Santuário para execução imediata dos Atos de Fé, porque a Tribo vai cuidar de vocês quanto a isso. Voltem aqui uma hora antes do pôr do sol.

Cale tinha a esperança de que, ao apontar por que as antigas defesas falharam, mostrando a disposição do terreno não em mapas, mas em cada rocha e trincheira, deixando tudo claro de maneira simples, os Purgadores perceberiam que a salvação residia em um lugar. Mas ficou claro para Cale, após as tropas produzirem um plano malfadado atrás do outro, que, embora o medo fosse capaz de quase tudo, não era possível fazer as pessoas pensarem por si mesmas através do terror.

No dia seguinte, Cale reuniu os Purgadores perto da travessia do rio. Ele pegou um ovo e colocou em cima do topo plano de uma grande rocha.

— Se algum de vocês conseguir equilibrar esse ovo pela ponta, vai ficar com o serviço mais seguro do batalhão: levar mensagens para a retaguarda. Assim que a Tribo for avistada, vocês serão despachados.

Nos minutos seguintes houve umas vinte tentativas até os Purgadores terem certeza de que não era possível, apesar de também estarem certos de que Cale tinha algum truque na manga. O que, é claro, ele tinha. Quando os Purgadores desistiram, Cale foi até a pedra, pegou o ovo, bateu gentilmente para quebrá-lo de leve e o colocou de pé em uma ponta.

— O senhor não falou que podíamos quebrá-lo.

— Eu não falei nada. Vocês decidiram as regras, não eu. — Ele apontou para a parte rasa do rio. — A travessia aqui é um péssimo lugar do ponto de vista dos defensores. Quero que solucionem como movê-la.

— É impossível.

— Tem certeza?

— Como pode ser possível?

— Você está certo. Não é possível. Então por que em todos os planos para defender a travessia vocês são colocados em trincheiras tão próximas que daria para lutar com os inimigos com as próprias mãos? Se tivessem um arco que pudesse disparar a 15 quilômetros, vocês poderiam ficar a essa distância. Se pudessem andar pelo campo de batalha, mas mesmo que não pudessem... pensem como uma criança. Pensem em um modelo do mundo real, com um cavalo e depois em uma trincheira. Testem tudo o que seja real. Vocês não têm tempo de aprender com os seus erros.

Ele levou os Purgadores ao ponto onde a maioria dos Redentores morrera no último ataque.

— Cadê a linha de frente?

A essa altura, os Purgadores estavam começando a entender.

— Não há sentido em se omitir. Cometam erros agora quando vocês só têm que prestar contas a mim.

Um dos homens apontou para o barranco à frente da trincheira.

— Errado. Não há uma linha de frente ali. A direção do ataque é da lateral, da retaguarda e da frente de vocês. Tudo aqui é linha de frente. Que terreno vocês devem tomar?

— O terreno elevado.

Os Purgadores falaram com tanta naturalidade como a resposta dada a um padre na missa matinal. Diante da familiaridade houve uma empolgação, quase como a alegria provocada pela memória de algo em comum, de não serem mais párias.

— Errado de novo. O terreno que vocês têm que ocupar é o melhor terreno. Geralmente, mas não é o caso aqui, é o terreno elevado. Estou dizendo que, se fizerem o que costuma dar certo, vão acabar mortos. — Ele apontou para a curva do rio em forma de U.

De cada lado das margens, o terreno era tão irregular como se tivesse sido aberto por vários golpes de um machado gigante.

— Usem a área ao redor. Aqueles cortes na margem podem ser aprofundados e preparados, mas olhem bem... a maior parte do serviço já foi feita para vocês. Aquela é a melhor proteção em 30 quilômetros.

— Um momento — disse um dos Purgadores. — O senhor disse que não precisávamos ficar perto do leito raso porque ninguém consegue tomá-lo. Este plano nos coloca bem em cima dele.

— Se não fosse por eu ter gastado o último ovo fresco, eu daria para você. Mudei de ideia porque não queria desistir de considerar o terreno elevado. Como todos vocês. — Cale apontou para o cerrado depois do U do rio. — O leito raso pode ser defendido muito bem dali, mas, se for para comparar, as ravinas nas margens são melhores. Pelo menos é bom vocês torcerem para que sejam. Além disso, lembrem-se de que não há vanguarda ou retaguarda neste lugar. Eu vou colocar alguns de vocês no terreno elevado. Se os tribalistas tentarem passar entre nós, eles vão ser encurralados por ambos os lados. — Ele olhou ao redor do grupo. — Algum de vocês é da Congregação de Arqueiros de Elite? — A maioria dos arqueiros Redentores combatia em tropas numerosas, e não se cobrava grande precisão deles, mas, quando era necessário, uma unidade especialmente treinada era usada, a Congregação de Arqueiros de Elite. Havia seis. Cale mandou que juntassem água e comida para três dias, e, enquanto o faziam, a maioria dos Purgadores foi destacada para escavar as ravinas de ambas as margens e melhorar o que a natureza havia oferecido. Trinta dos homens restantes passaram a cavar trincheiras.

— Não deixem de abrir um espaço grande o suficiente no fundo da trincheira para vocês se esconderem das flechas que virão diretamente de cima. — Ele deu mais algumas instruções para Gil e logo saiu correndo para a montanha de topo plano em frente ao U com os seis arqueiros de elite.

Os Redentores conversavam enquanto cavavam. Amigos do padre que Cale tinha derrubado por fingir não ouvir murmuravam.

— Há alguns meses, qualquer um de nós teria arrancado as tripas daquele merdinha por sequer pensar em tocar na gente.

— É melhor que ele não tente nada comigo ou...

— Ou o quê? — falou outro. — Os dias em que a gente podia fazer qualquer coisa com qualquer pessoa acabaram. Ele foi escolhido por Deus, dá para ouvir na voz e no que diz.

— E pelo jeito que fala.

— Ele é um acólito que ficou metido. Já vi isso antes. Um deles alega ter tido uma visão da Santa Mãe, e de repente todos o enchem de atenção até ser revelado como o mentiroso que ele é.

Vários murmuraram concordando. Não era incomum haver acólitos que alegavam ter visões deste ou daquele santo, que profetizavam uma coisa ou outra e causavam grande empolgação até serem descobertos e feitos de exemplo, se não fossem especialmente habilidosos.

— Bem — disse outro Redentor —, é melhor você torcer para estar errado, porque ele é tudo que nos separa de uma faca. Eu quero acreditar em Cale e acredito. É *possível* ouvir na voz dele. Tudo o que falou fez sentido assim que explicou... o fato de ele ser só um menino torna verdade. Só Deus poderia ter colocado um conhecimento assim na cabeça de uma criança.

— Calem a matraca e andem com a escavação — falou Gil ao passar. Para Gil, eles eram Purgadores, mas a mistura de espanto e dúvida sobre Cale martelava seu cérebro da mesma forma.

Depois de duas horas, Cale voltou, desta vez sozinho e colocando em prática as ideias que teve ao olhar o local do alto da montanha. Um dos arqueiros de elite, um veterano do Front Oriental, teve uma ideia que viu em Swineburg durante a ofensiva do Advento. Ele foi promovido na hora por um alegre Cale ao cargo de delegado — um insulto mortal em Memphis, mas um termo que soava importante para os demais Redentores. Ao descer da montanha, Cale achou que aquilo que pareceu ser uma boa piada na hora era na verdade uma infantilidade e, pior, poderia prejudicá-lo mais tarde. O que estava feito estava feito, mas Cale evitaria esse tipo de brincadeira no futuro.

Quando voltou ao barranco, ele reuniu os vinte melhores cavaleiros e mandou que tirassem as batinas. Depois de ter recolhido praticamente um fardo de grama do cerrado, encheu as batinas e depois enfiou os arremedos de espantalhos em vinte estacas presas ao fundo da velha trincheira onde tantos Redentores haviam morrido no ataque anterior. A 30 metros de distância ou mais não dava para dizer a diferença. Era improvável que os tribalistas notassem que os Redentores não tinham motivos para lutar com os capuzes puxados sobre as cabeças.

— Para que o senhor precisa dos cavaleiros? — perguntou um desconfiado Redentor Gil. Cale considerou evitar dar uma resposta direta, mas não havia motivo para isso.

— Preciso de proteção enquanto observo vocês do alto daquela elevação lá atrás — falou, indicando com o rosto o morro a 800 metros de onde eles observaram os dois massacres anteriores.

— E quanto a liderar seus homens?

— Eu não estou aqui para salvar pessoas, certo? É nisso que você acredita, não é?

Gil olhou fixamente para Cale.

— Sim.

— Eu me lembro de você ter dito certa vez que um homem no comando tem que fazer duas escolhas: liderar sempre à frente ou sozinho algumas vezes. Sim?

— Sim.

— Bem, a escolha é nunca. Quem sou eu, Redentor?

Eles só se entreolharam, a princípio.

— Você é a Mão Esquerda de Deus.

— E por que eu estou aqui?

Gil não respondeu.

— Tem alguma coisa aqui — continuou Cale — que você não entenda?

— Não, senhor.

Hooke foi até eles depois de passar vários minutos examinando uma pedra com uma coloração curiosa.

— Acho que há enxofre nessas rochas.

— Monte em seu cavalo. Nós vamos embora.

Meia hora depois, Cale, só com Hooke ao lado, estava olhando para a sua obra posicionado na elevação de sempre. Ficou contente consigo mesmo. Tirando os mais ou menos 12 homens que ele havia mandado para colocar pedras e rochas a intervalos de 50 metros a fim de demarcar linhas de tiro para os arqueiros, Cale não conseguia ver ninguém, embora soubesse para onde devia olhar.

Faltavam duas horas para a primeira luz da manhã do dia seguinte quando Hooke notou uma nuvem de poeira ao longe, no norte. Cale ordenou que uma flecha rombuda fosse disparada para avisar aos Purgadores que a Tribo estava chegando. No decorrer de uma hora, Cale notou batedores vindo em duplas, às vezes trios, em uma linha irregular que se estendia por um quilômetro, mais ou menos, de ambos os lados de um pequeno grupo de dez homens a caminho do barranco. No que se aproximavam da travessia sem ver nada, o terreno fez um declive e aproximou os grupos. Cale sentiu um intenso arrepio na nuca, agradável e desagradável ao mesmo tempo. A essa altura, um grupo de 15 batedores tinha se reunido sem a menor cautela a cerca de 150 metros da linha mais próxima de uns setenta arqueiros Redentores. A seguir eles pararam, claramente assustados com alguma coisa.

— Merda! — falou Cale. Eles começaram a dar meia-volta e a se afastar quando um arco silencioso de flechas subiu no ar fazendo uma curva majestosa e, em menos de dois segundos, elas caíram sobre os batedores e derrubaram todos dos cavalos, à exceção de um. O sobrevivente correu para o sul, seguido por outra chuva de mais ou menos trinta flechas. Cale suspirou de irritação. Era um desperdício de flechas para um só homem, mesmo que conseguissem acertar um alvo móvel na velocidade que o batedor aterrorizado estava correndo. Claramente Gil teve a mesma ideia. Seu grito de cessar-fogo se propagou lentamente pela elevação. Gil teve o bom senso de perceber que não haveria mais surpresas nem mais grupos juntinhos de 15 homens como alvos fáceis.

Trinta minutos depois, uma grossa flecha-morteiro foi disparada quase que verticalmente de um ressalto mais ou menos 30 metros abaixo do topo plano da montanha. Ela caiu a cerca de 10 metros das trincheiras guarnecidas pelas batinas dos Redentores recheadas de grama do cerrado. No terceiro tiro, os morteiros acertaram a mira, e um bombardeio de flechas e suas 12 setas igualmente mortais varreu as trincheiras por uma hora. A ideia dos falsos defensores veio do arqueiro de elite na montanha de topo plano, pela qual fora recompensado com a promoção insultante. Foi um sucesso desproporcional. Não só os tribalistas desperdiçaram um número enorme de flechas-morteiros, mas também ficou claro que não tinham percebido o truque e continuavam convencidos, embora por uma boa razão, de que os Redentores estavam seguindo a mesma sequência deplorável de táticas que demonstraram no barranco de Duffer e em outros pontos da estepe. Um grande número de inimigos estava subindo devagar a parte sul do morro para tomar o terreno elevado e atirar nos homens no leito do rio que tinham matado tantos tribalistas no primeiro bombardeio. Enquanto isso acontecia, Cale notou dois grupos de uns cem homens, cada um indo embora galopando para o leste e o oeste. O palpite de Cale era que eles se encaminhavam para os dois lados do rio, a uma certa distância. Assim que percorressem a margem, os tribalistas avançariam pelo rio de ambos os lados e tentariam chegar perto para atacar os arqueiros durante a noite. Ele relutou em revelar a própria posição, mas finalmente ordenou que um dos Redentores fosse de mansinho para o lado oeste do U e disparasse uma flecha rombuda com uma mensagem de aviso, mas que só fizesse isso quando a luz diminuísse para que a flecha não fosse vista facilmente e não levantasse a suspeita da presença dos arqueiros.

Durante o resto do dia, houve várias escaramuças ligeiras provocadas pelos tribalistas, à medida que os guerrilheiros avançavam tentando provocar uma resposta para melhor mapear o posicionamento e a quantidade dos defensores. Mas os Redentores não eram inexperientes, mesmo que não estivessem familiarizados com esse tipo de guerra informal — e, pelos gritos ocasionais, mas indecifráveis de Gil, ele claramente mantinha os Redentores sob controle. Além disso, Cale mandou que fossem abertas passagens entre as pequenas irregularidades parecidas com ravinas na margem do outro lado do rio para que os defensores pudessem se movimentar com relativa facilidade pela maior parte do U. Desta maneira, os defensores deram a impressão de estar em número maior do que estavam. Com sorte, se os tribalistas pensassem que o rio estava sob controle tão firme, podiam ser desencorajados a atacar de noite ao longo do leito do rio.

A lua refletia o brilho fraco da Terra e gerava uma luminosidade ruim, por vezes obscurecida pelas nuvens. Dava nos nervos esperar na escuridão desse jeito. A noite negra, em vez de envolver completamente a pessoa, parecia preencher o interior da cabeça e apagar toda sensação de estar dentro ou fora, a não ser que uma nuvem se afastasse da lua fraca e iluminasse uma árvore distante ou a lateral da montanha de topo plano. Aí, o espaço negro que os sentidos informaram estar a centímetros agora aparecia a quilômetros de distância e nem mesmo na direção em que devia estar. Aos olhos de Cale, uma árvore branca e morta na pradaria — que acabara de refletir a luz da lua — pareceu estar flutuando em pleno ar, quando na verdade ele sabia que estava na planície a quase um quilômetro e meio de distância. Com até mesmo os sentidos mais básicos todos confusos, era uma péssima experiência esperar na noite escura como carvão pela chegada de alguém com a intenção de matar você. No breu e mesmo para aqueles com bons nervos, a estepe à noite virava um inimigo implacável que esperava caçoando a pessoa agir primeiro. Um cão selvagem ou um cervo trotando dobravam de tamanho e ganhavam uma velocidade três vezes mais rápida do que o normal. O som de um ouriço cafungando ficava tão alto quanto o de um leão rugindo antes de dar um bote. E se aquele ser rastejante fazendo barulho fora da trincheira tivesse uma mordida ou picada mortais? A noite era um alquimista desagradável das coisas comuns — transformava um arbusto no assassino que espreita para matar você se respirar alto demais. Ainda assim, era pior para quem se deslocava. Imagine tentar andar na escuridão. E, claro, sem ter como saber as horas, o tempo desaparecia. Duas horas se passavam e podiam ter sido quatro ou cinco minutos. Estranhos pensamentos atormentavam a mente. E se, na noite de hoje, o sol se pusesse e não nascesse? Algo impensável parecia possível em uma noite como essa. "O sol nunca há de ver esse amanhã", Cale não parava de pensar nessa frase que ouvira Lorde Vipond citar de algum lugar. "O sol nunca há de ver esse amanhã."

Eis então que surgiu um clarão do que parecia ser um ponto bem no alto nas nuvens. A seguir, outro clarão. Era Gil iluminando o leito do rio com flechas de fogo — uma atrás da outra, belos clarões contidos pelo formato do rio. Depois do sétimo ou oitavo disparo, Cale ouviu gritos e berros. As flechas acertaram os tribalistas presos nos dois lados do rio pelas margens íngremes. Não dava para ver o bombardeio de flechas apagadas sobre a Tribo, mas não havia proteção para os tribalistas nem chance de eles avançarem contra os Purgadores porque Cale colocara uma série de espinheiros ao longo do rio e várias fileiras de estacas afiadas.

O bombardeio não durou muito tempo, ou não pareceu durar, embora tenha havido uma pequena pausa antes do segundo ataque. Este foi bem mais breve que o primeiro. A seguir nada aconteceu até a primeira luz da linda aurora rosa-avermelhada.

O sol surgiu depois desse começo delicado como o estrondo de um trovão e, às sete horas, já estava quente demais. No leito do rio, o mais longe que Cale conseguia enxergar, ao menos, os mortos e moribundos chegavam a 33. Provavelmente mais uns 15 estavam escondidos na margem próxima. Os homens tentavam voltar se arrastando pelo leito do rio, mas sem rapidez. Um estava tão machucado que rastejava, também devagar, em direção aos Purgadores de quem queria fugir.

Um dos feridos que estava recuando começou a avançar muito, e uma flecha dos Purgadores voou veloz como uma garça e acertou o homem.

— Já estava na hora de eles mostrarem alguma clemência — falou Guido Hooke, em tom sério. — Ninguém deveria ter que morrer lentamente sob o sol dessa forma. — Cale riu. — Eu falei algo engraçado, sr. Cale?

— Se eles acabaram com o sofrimento do pobre desgraçado, foi por acidente. Vão machucá-lo de novo por tentar encorajar os amigos a fazer algo heroico.

— Gentalha. — Hooke olhou para Cale, tentando lê-lo. — O senhor me considera um fraco?

Cale pensou cuidadosamente sobre isso por um momento.

— Não, acho que a situação é surpreendente.

— É surpreendente que alguém sinta pena de um ser humano sofrendo?

— Surpreendente que você espere alguma outra coisa dos Redentores.

— É possível discordar mesmo daquilo que se espera.

— Por que perder tempo? Vai fazer alguma diferença?

— O senhor deve ter sido criado de maneira muito irresponsável.

— Fui sim.

— Por que é tão cínico?

— Eu não sei o que isso significa.

— Cinismo é...

— Eu também não me importo com o significado.

Ofendido, Hooke não retrucou. Depois de alguns minutos, foi Cale quem falou.

— Um amigo meu dizia que era perda de tempo culpar as pessoas por suas naturezas.

— Eu estava certo.

— Sobre?

— Sobre o senhor ter sido criado de maneira irresponsável.

Cale se recusou a ficar ofendido e só sorriu.

— Eu gostaria que IdrisPukke tivesse me criado. Eu seria mais do seu agrado, sr. Hooke, do que sou agora.

Dito isto, houve outro clarão de flecha, e outro homem ferido foi atingido.

— Não é estupidez querer uma vida melhor do que essa.

Mas Cale já tinha ouvido o bastante e não respondeu. A seguir, percebeu que dez tribalistas estavam se arrastando em direção ao morro atrás do U e começavam a avançar pela encosta, depois vieram mais dez e outros dez. O centurião na trincheira de arqueiros do topo estava sendo mais paciente do que era prudente ao deixá-los se aproximar de sua posição.

— Vamos — falou Cale baixinho. Seguiram-se uma chuva de flechas e o que pareceu uma meia dúzia de alvos atingidos. Mas agora mais tribalistas estavam se arrastando e, bem agachados, chegavam até mesmo a correr sobre uma saliência no morro. Ficou claro que só no momento em que passavam por cima desta saliência os agressores ficavam à mercê das flechas das trincheiras. Quando Cale se decidira pela defesa no morro, a encosta abaixo parecia não apresentar cobertura alguma por toda a subida e, portanto, tornava impossível lançar um ataque bem-sucedido. Agora ficava claro que ele deixara escapar alguma coisa. Logo que subiram dois terços do morro, os tribalistas conseguiram entrar num declive raso que os protegia das flechas e permitia que se reunissem no alto da encosta para lançar um ataque ligeiro. Era impossível que Cale tivesse deixado passar algo tão óbvio.

Cale ouvira inúmeras vezes sobre o momento da revelação divina, a visão na estrada ou no topo da montanha que faz cair o véu sobre os olhos. Não houve nada de divino no que Cale percebeu no topo da elevação sobre o barranco de Duffer, mas era uma visão da verdade mesmo assim. Ele não podia se dar ao luxo de fracassar aqui.

Seu desejo mais desesperado desde que começara a pensar em alguma coisa era o de ficar sozinho. Mas agora, ao observar a Tribo se aproximando do topo do morro, Cale enxergava o fracasso de sua maior esperança. Se tomassem o morro, os tribalistas seriam capazes de tomar o barranco. Matariam os Purgadores e também a chance de Cale de dar a Bosco o poder de mantê-lo a salvo. Mas ao preço de jamais ficar sozinho. Ele poderia fugir agora, mas havia só Redentores atrás e Antagonistas na frente. Cale estava a 800 quilômetros de onde? De nada que parecesse seguro. Ficar sozinho em qualquer parte deste mundo era ficar isolado e vulnerável. Qualquer paz e qualquer sossego dependiam da boa vontade de outra pessoa. Não havia canto nem buraco, por menores que fossem, onde ele pudesse se esconder do mundo e ser feliz. O teto devia ser conquistado, a comida, comprada. Ele tinha que lutar e continuar lutando e, se parasse de lutar, ele se afogaria. Acordar. Marchar ou morrer. Marchar ou morrer.

Em Memphis, Cale tinha feito inimigos tão facilmente quanto respirar porque fora tolo e cometera erros. As únicas pessoas que conhecia e compreendia eram os Redentores. Aqui Cale tinha alguma chance porque era um deles e tinha um lugar. Em qualquer outro lugar, ele era uma criança com talento para a agressividade. Estava tão ligado aos Purgadores prestes a ser aniquilados no barranco quanto se os amasse e acreditasse em cada um deles. Não havia e nunca houvera escolha. Tudo isso, percebido numa fração do tempo que levou para explicar, caiu sobre ele como um dilúvio, como se Cale estivesse embaixo de uma grande represa que se rompia. E mesmo que tudo gritasse de coração e alma contra a decisão, ele ficou de pé e desceu correndo a elevação até os vinte Purgadores que esperavam ao lado dos cavalos, sem saber o desastre que acontecia fora do seu campo de visão.

Desesperado para atacar, mas precisando explicar seu plano, Cale começou a desenhar o barranco na terra e dar instruções enquanto isso.

— Compreenderam?

Eles concordaram.

— Então repitam para mim — disse Cale. Os Purgadores hesitaram, mas repetiram direitinho o que Cale havia dito. Ele falou mais uma vez e mandou que montassem.

— Tenham sucesso e serão vistos como santos pelo Redentor Bosco. — Ele próprio querendo ser um pária, foi preciso a terrível visão na elevação para Cale perceber que ser aceito era mais valioso do que a própria vida para aqueles homens. Ele pensou que havia oferecido aos Purgadores a saída para uma morte horrível, mas a questão era mais do que isso. Se Cale fosse um anjo enviado para perdoá-los e soltá-los no mundo, os Purgadores teriam se perdido, vagariam sem lugar ou sentido. A liberdade deles teria sido a liberdade de um fantasma.

No que eles cavalgavam ordenadamente para o topo da elevação, observados pelo perplexo Hooke, Cale pôde sentir o poder da irmandade e da lealdade passando por eles mesmo às portas da própria morte. Logo os Purgadores passavam pela elevação e aos poucos aumentavam a velocidade no ritmo de Cale, seguindo mais rápido em direção ao morro, enquanto os tribalistas preparavam o avanço final para o topo, concentrados no que encontrariam pela frente e sem pensar na retaguarda até que os Purgadores estavam a meros 50 metros de distância e correndo na direção deles. Agora vistos, os Purgadores gritaram pelo santo isso, mártir aquilo, e então o massacre começou.

A carga a cavalo dos Purgadores entrou no declive e parou — haviam sido treinados como infantaria montada, não como cavalaria. Desmontaram rapidamente e avançaram contra a Tribo pelo flanco. Como árvores numa enxurrada, as primeiras fileiras caíram perante o avanço dos furiosos Redentores que estouravam de raiva contida pelos meses de confinamento aterrorizante. Uma dúzia deles foi à frente de Cale, arrojados e cheios de maldade, violentos entusiastas da morte. Ele se viu a princípio seguindo os homens da frente como se estivesse escondido atrás de uma parede móvel. Porém, ali mesmo, na fúria, os Purgadores começaram a sair da formação à medida que os tribalistas, a princípio surpreendidos, começaram a absorver o choque e resistir. Pela direita, eles avançaram contra a fileira agora irregular de Redentores e quebraram a parede. Uma brecha se abriu para um contra-ataque, e Cale novamente exercitou o talento para a brutalidade. Primeiro veio Ben Van Brida, um rapaz de 18 anos com barba espessa que rosnou alto ao golpear duas vezes o garoto diante dele. Foi o seu fim no momento em que a faca de Cale acertou a garganta logo abaixo do queixo e a ponta saiu pela nuca. Mas Cale golpeou com muita força — ao entrar pela medula espinhal, a faca ficou presa no osso, e a queda de Van Brida tirou a arma de sua mão. Cale desviou dos golpes dos dois próximos agressores — nenhum deles quis esperar sua vez, e ambos atacaram ao mesmo tempo. Cale avançou, agarrou o homem à esquerda pela cintura e, ao desequilibrá-lo, jogou o sujeito em cima do segundo agressor, impedindo que desse outro golpe. Cale pisou no peito do pé do inimigo, Frans Arnoldi de Nakuru era seu nome, que gritou de agonia pelo osso quebrado. Ao cair, Cale o empurrou contra o outro homem, que cambaleou de costas só para ser apunhalado por um Purgador no fígado e ter morte instantânea. Sorte dele — poucos morrem rápido numa batalha. Não houve tempo para agradecimentos enquanto Cale finalizava Arnoldi e seu pé quebrado. Ele sacudiu as mãos e gritou "não!". O que não adiantou de nada, pois o golpe de Cale partiu a medula espinhal que vai do quadril ao pescoço. A seguir, o próximo homem avançou contra Cale e para a própria morte. Juanie De Beer, que lutara até o fim em Bullbaiter's Lane e recebera o apelido de De Beer, o Persistente, levou um golpe de Cale logo acima dos genitais. Ele caiu apesar de toda a coragem, se contorcendo de agonia na areia. Cale gritou para os Purgadores atrás dele fecharem a brecha. A Tribo parou por um instante. Assustados com a pura agressividade do menino diante deles, os tribalistas ficaram pasmos como camponeses boquiabertos diante de um grande bispo qualquer que passava. Ele parecia não precisar de ninguém, tão terrível e natural a raiva com que atacava qualquer um que o desafiasse. Assustados pelos gritos de Cale, os Purgadores correram para cercá-lo quando os ataques recomeçaram. Cale recuou, atento agora, novamente ciente do perigo que corria das lanças curtas sendo atiradas em pequeno número contra o grupo de monges atrás dele, um som distinto até mesmo entre os gritos e berros, nenhuma seta ou flecha faz o baque seco como um coice de uma lança acertando carne e osso. Ele avançou para evitar as lanças, usando os Purgadores à frente como um muro de proteção. Mas agora o declive na encosta que havia protegido a Tribo não era suficiente para bloquear os arqueiros no topo do morro. Os tribalistas tinham que ficar de pé para combater o ataque pelo flanco, mas isso os deixou expostos. Estavam encurralados e espremidos pela parede de homens de Cale. A brecha de 30 metros até o topo que lhes prometera a vitória agora tornava os tribalistas alvos fáceis para os arqueiros.

Foi o pastor Viljoen, pregador de Enkeldoorn, que percebeu que a única chance era romper a parede de Redentores, misturando-se de tal forma aos inimigos que os arqueiros no morro seriam forçados a parar. O inferno era a grande paixão de Viljoen — seus sermões agitavam a congregação como os espinhos de um ouriço nervoso. Agora ele estava mandando vários para o inferno em pessoa. O pastor era maior que qualquer outro tribalista e tinha uma cara que parecia um prato grande com barba em volta. Como todos os tribalistas, ele carregava uma pequena pá, usada na estepe para tudo, de cavar buracos a matar animais. Era leve, com cabo de bambu e um quadrado de aço afiado nos três lados, deixando só a ponta esquerda da pá rombuda. Os gumes afiados da pá que ele brandia decepavam ombros, quadris e joelhos.

Foi com a pá que o pastor rompeu a parede de Purgadores, gritando para que seu rebanho o seguisse, atacando com habilidade e loucura divina de lado a lado. Ele arrancou o topo da cabeça de um Redentor como se fosse o ovo do café da manhã de uma dama de Memphis. Uma morte instantânea e misericordiosa que chocou os Redentores dos dois lados e os deixou sem coragem ao verem o companheiro cair. O homem a seguir levou um golpe violento da pá bem na cara — o maxilar e os dentes se abriram, a língua foi decepada. O golpe seguinte arrancou um braço, depois um pé. Agora a brecha de que ele precisava se abrira, e ele atacou ao redor não como um touro ou urso, mas como um pastor que recebeu ordens de Deus para limpar o sétimo círculo do inferno. Cale recuou para a esquerda. Dava para notar quando Deus e a natureza conspiravam em violência divina e estavam ao lado de um homem de tal forma que ele era como um furacão.

Rugindo de fúria e orgulho, o pastor continuou a golpear — os tribalistas seguiam forçando atrás dele agora, corações batendo mais forte, sua coragem aumentando. A pá mordia como um cachorro, mãos eram decepadas, quadris abertos. Costelas eram cortadas, e pulmões e fígado caíam na terra — nem animais morriam com tanta crueldade. E ele continuava avançando, a Tribo se espalhava atrás dele, e Cale se mantinha atrás dos assustados Purgadores. Então veio o momento em que tudo ficou em aberto. Aqui a estrada se dividia, era o ponto onde os dois destinos chamavam, onde a Vitória gesticulava e a Derrota acenava para Cale. Então veio o erro do pastor: ao chamar por Deus, ele notou Cale, e a vaidade o matou — a vaidade de Cale e a do próprio Viljoen ao se entreolharem rapidamente e o pastor desprezá-lo como um mero menino. Cale desviou de uma lança curta, que passou assoviando e acertou o calcanhar de um Purgador em fuga. Ele arrancou a arma do pé do pobre homem como se fosse um presente. Enquanto o pastor abria o estômago de um Purgador que parou para lutar com ele em vez de fugir, Cale pegou a lança, levou ao ombro, deu dois passos e atirou. Nada que você jamais tenha visto foi tão gracioso; poder e equilíbrio combinados à perfeição. Nenhuma picada de cobra foi dada com tanto instinto. A lança acertou o pastor logo acima da virilha. Rompeu a bexiga, arrebentou a pélvis e saiu pela nádega. Ele desabou gritando de agonia, sangue e urina jorrando na areia como vinho e água, soltando vapor. Cale se lembrou da cena para sempre. Agora ele estava gritando para que os Purgadores avançassem e dois tribalistas que viram o pastor morrer pelas mãos do menino que berrava vieram para cima de Cale, imediatamente motivados pela vingança. Mas só um conseguiu chegar, o outro foi detido pelos Purgadores, cuja coragem retornou. O segundo homem atacou, e o golpe teria dividido Cale ao meio se tivesse pegado. Com frieza cada vez maior, Cale observou o oponente como um homem que brincava de lutar com crianças — os golpes eram simplesmente atabalhoados, deselegantes e desajeitados. Mas as flechas chegavam mais perto agora — uma quase o pegou e tirou a atenção de Cale, a concentração fugiu por um momento. A barulheira e o tumulto, os gritos e berros o trouxeram de volta à realidade, e a graciosidade abandonou Cale. O homem viu que ele hesitou e ganhou confiança para chutá-lo. O golpe errou Cale, que chutou o pé de apoio do inimigo, pegou o homem pela cintura e o jogou na areia. Como durou o segundo em que Cale dobrou o oponente com calma e pegou a faca. Eles lutaram, rugindo e arfando baixinho, Cale mudando de posição para segurá-lo melhor. A seguir, reuniu forças, soltou o braço e golpeou. O corpo do homem tremia enquanto Cale se levantava e observava para entender o perigo. A Tribo perdeu a coragem com a morte do pastor. As flechas do morro voltaram conforme o inimigo recuava. Os Purgadores avançaram ainda mais. A vida dos tribalistas podia ser contada em minutos. Quanto aos detalhes do massacre que veio a seguir, nem o pastor Viljoen teria descrito o sofrimento no inferno de maneira tão intensa. Agora mesmo as moscas já estavam pondo ovos nas bocas dos mortos e moribundos.

Então, em um morro ordinário, em uma luta entre menos de duzentos homens em um lugar que não tinha nome até virar sinônimo de fracasso para os Redentores, um mundo inteiro mudou no tempo que se leva para cozinhar um ovo.

As coisas para a Tribo foram de mal a pior. Cale não fora o único a fazer uma trapalhada no barranco. O mestre tribalista, que observava do oeste, não conseguira ver o ataque liderado por Cale, mas fora capaz de enxergar o início da carga morro abaixo, ordenada pelo centurião para dar apoio, quando já estava quase no fim. A informação mais recente que ele recebera era de que seus homens estavam se reunindo para tomar o morro e o sucesso era garantido. Os Redentores que o mestre tribalista conseguia ver ao longe em cima do morro estavam, até onde ele sabia, empenhados numa tentativa desesperada e suicida de recuperar uma posição já perdida. Ansioso para tirar vantagem do que considerava logicamente um erro terrível, o mestre tribalista ordenou que suas tropas atravessassem o rio em frente ao morro e atacassem o barranco de dentro do U. Assim que o centurião recolheu seus homens, e Cale estabeleceu uma nova linha de defesa mais embaixo, os tribalistas descobriram que ali era o ponto forte dos Redentores. Chuvas de flechas e setas do alto do morro que eles achavam que tinham tomado agora acertavam os tribalistas pela retaguarda e bem do alto, de onde os alvos podiam ser facilmente escolhidos. Os poucos que se refugiaram nas trincheiras com os falsos Redentores não sobreviveram por muito tempo. Lutar nas trincheiras era o outro ponto forte dos Redentores. A Tribo recebeu tanta clemência quanto estava acostumada a oferecer. Nenhuma.

Com baixas tão grandes e chocados pelo jeito singular com que os Redentores lutaram, os tribalistas recuaram e tentaram usar os morteiros na elevação da montanha de topo plano para cobrir a retirada. Foi aí que os arqueiros de elite que Cale deixara no próprio topo da montanha finalmente entraram em ação. Do que era agora um ponto totalmente seguro, os arqueiros abateram metade dos artilheiros tribalistas antes que eles percebessem que não poderiam se defender, nem remover os morteiros. Os artilheiros os abandonaram para se juntarem ao que restava da Tribo em fuga.

Cale havia tomado todas as decisões corretas naquele dia, exceto por aquela que teria tornado seu brilhantismo e sua coragem completamente desnecessários. Foi uma espécie de lição, mas ele não sabia ao certo sobre o quê — jamais cometer um erro, talvez. Cale subiu ao topo do morro, onde Gil estava esperando por ele. Saudações e vários *Deus o abençoe* vieram de todas as partes, de homens que Cale desprezava, mas que fora forçado a arriscar a vida para salvar e que dependiam completamente dele, assim como Cale dependia dos Purgadores, como agora percebia.

Gil se curvou só um pouco, mas de tal forma que Cale notou alguma mudança ainda mais profunda em relação a si.

— O senhor recebeu láureas. Os homens, até mesmo os degenerados, acham difícil não amar alguém que os salvou duas vezes.

— Bem, estávamos praticamente quites. — Cale entrou na trincheira e olhou para o pé do morro. Ele havia escolhido esse ponto montado em um cavalo a uns 2 metros do solo, de onde tivera uma visão perfeita de toda a sua extensão. Mas do chão era óbvio que havia uma saliência no meio do campo de tiro, o que significava que até a pessoa chegar a uns 20 metros havia muita cobertura disponível para atacar a trincheira e se proteger de flechas e setas. Ele ficou surpreso com a própria estupidez. Como foi possível ter acertado sobre tudo o mais e ter errado nesse ponto?

— Eles merecem um pedido de desculpas — Cale falou com Gil e, apesar de todo o desprezo pelos Redentores, foi sincero.

— Mantenha a boca fechada! — disse Gil com firmeza e a seguir, preocupado, acrescentou um "senhor" em tom de desculpas.

— Eles podem ver o meu erro.

— Eles podem ver que o senhor armou o campo de batalha para mantê-los vivos e foi ao resgate quando as coisas deram errado. Faz tempo que esse grupo saiu vitorioso de alguma coisa. Eles venceram. São seus. O senhor cometeu um erro e consertou. Que mais um general pode fazer?

— Não me lembro de você sendo assim tão clemente no campo de treinamento do Mártir.

— Treinamento puxado, combate fácil.

— Então tudo aquilo foi só para o meu bem?

— O senhor está vivo e venceu, então eu diria que sim.

— Mandei batedores para ter certeza de que a Tribo não vai dar meia-volta. Você tem que falar com eles.

— Não, fale o senhor.

— Não, senhor.

E foi assim que, dez minutos depois, Cale estava em uma rocha no centro do U, tentando falar sem o ódio e a mágoa que sentia pelos Redentores. Mas eles não precisavam de muita coisa. Cale arriscara a vida pelos Redentores e eles voltaram dos mortos.

A essa altura, Hooke tinha descido da elevação e ouvido as comemorações dos Redentores e a hesitação do menino que estavam doidos para adorar, todos os seus desejos direcionados para o que era, aos olhos deles, a tábula rasa de Thomas Cale. Com o discurso terminado e de mau humor, Cale mandou Hooke inspecionar os morteiros que estavam sendo trazidos da montanha e fazer um relatório dentro de uma hora. Hooke balançou a cabeça em deboche.

— Eu não me preocuparia em ter que ser fiel a pessoas que o senhor odeia. Há muitos tipos diferentes de lealdade, sr. Cale — falou Hooke. — Existe a lealdade, por exemplo, que um criador de porcos tem para com os animais. — E, ao deixar Cale calado ao ouvir isso, ele desceu o morro para inspecionar os morteiros que o aguardavam.

Uma hora depois, Hooke trouxe o relatório. Tinha em mãos uma grande seta de um metro de comprimento. Ao redor do cano da seta, foram amarrados cuidadosamente 12 dardos menores.

— As amarras são feitas de barbante comum entrelaçado com borracha. O senhor sabe o que é borracha?

— Não.

— Não me surpreende. Condamine tentou mostrá-la para o papa em Avignon, mas o arcebispo tentou prendê-lo por bruxaria porque a borracha repele a água de maneira anormal.

— O que isso tem a ver com as amarras?

— Nada. Mas a borracha também se estica. — Hooke puxou um pedaço do barbante e ele se esticou, não muito, mas o suficiente para deixar claro que estava certo. — Quando o morteiro dispara a seta, um fio preso com cera solta o barbante emborrachado, que se desenrola em cerca de cinco segundos, pelo que pude ver. Os dez dardos simplesmente caem e seguem a seta principal ao chão. A coisa é mais complexa, mas este é o princípio básico.

— Dá para copiar?

— Não vejo problema.

— Então copie.

— A não ser por um.

— Sim?

— Não é questão de engenharia, é questão de teologia. O papa não quer saber de borracha. Não houve uma proibição pontificial infalível *Urbi et Orbi* em relação à borracha como tal, mas há grande suspeita envolvendo substâncias flexíveis de que elas não sejam naturais. A tentativa de prender Condamine indica que, pela lei eclesiástica comum, o uso de borracha pode ser uma prova cabal da prática de bruxaria.

— Você tem certeza?

— Tenho certeza de que a questão é duvidosa e certeza de que não quero correr o risco. O senhor, contudo, está em melhor posição. Talvez Bosco tome alguma espécie de decisão temporária. Embora eu creia que ele e o cardeal Parsi sejam oponentes.

Cale suspirou.

— Como você sabe de tantas coisas?

— Como o senhor sabe tão pouco?

— Se é tão bem informado, sr. Hooke, como foi que precisou de mim para sair da prisão?

— Touché, sr. Cale. No entanto, um problema apresenta mais de uma solução.

— Sim?

— Eu venho trabalhando em uma máquina muito querida.

— Pensei que você tinha ido parar na Casa de Detenção por causa das máquinas.

— Sim.

— Então, se você está disposto a correr o risco de blasfêmia, qual o problema com bruxaria?

— Porque estou disposto a morrer por esta máquina, mas não por um barbante emborrachado. Se vou me arriscar a morrer, eu quero algo em troca.

— Algo em troca? Bosco me disse que o castigo indicado para quem constrói máquinas blasfemas era ter a pele arrancada enquanto ainda estivesse vivo e depois ser mergulhado em um barril de vinagre.

— A mera inclusão de anos à vida não é viver.

— Vou tentar não me esquecer disso. Mas que *você* não se esqueça: eu sou o dono da sua pele, sr. Hooke.

— Não sou ingrato.

— Isso quer dizer que é grato?

— É da natureza humana cuidar dos próprios interesses por mais que a pessoa seja grata aos outros.

— Afinal, o que a sua máquina faz?

— Em si, não faz nada. É uma máquina que estou construindo para o estudo da filosofia natural. Eu quero descobrir a natureza das coisas. Mas, antes que me repreenda, esta especulação natural tem pelo menos uma utilidade prática gerada por pura investigação. Quer escutar?

— Você tem amigos, sr. Hooke?

— Nenhum que seja poderoso o suficiente.

— Se eu achar que está me fazendo de bobo, vou dispensá-lo.

— Justíssimo, sr. Cale.

Cale sorriu e indicou que se sentasse. Hooke obedeceu, mas se curvou para desenhar um círculo na terra.

— Imagine esse círculo com 60 metros de diâmetro e composto por um cano totalmente vedado, feito de latão reforçado. Acredito que toda matéria é composta por uma única partícula, um átomo, como eu chamo, da qual todas as coisas... terra, ar, fogo e água... são feitas, e que a matéria se difere só pelas diversas formas como a natureza combinou tais átomos. Mas o resultado, se minha ideia estiver correta, é que só um grande poder pode desfazer o serviço da natureza. Eu preciso achar uma maneira de criar a substância mais pura da Terra, formar duas bolas com essa substância e dispará-las das pontas opostas desse cano circular com tamanha energia que, quando colidirem, vão se quebrar nos átomos que formam sua essência e a de todas as coisas.

— Como você sabe que os átomos existem se precisa disto para provar?

— Ah — falou Hooke. — Você não é só um general de talento precoce. Você é um menino muito inteligente.

— Aquele amigo de que falei, ele me disse que, quando se elogia, a pessoa deve exagerar. Talvez você o conheça?

— Só porque é um elogio, não significa que não seja verdade, sr. Cale.

— Prossiga.

— Eu cheguei à existência dos átomos por especulações matemáticas. — Cale olhou para ele. — Percebo que não ficou impressionado. Ainda assim, tenho a fé *e* os números a meu favor. Porém, mesmo que eu esteja errado, isso não importa. O problema que ainda tenho que resolver é como fazer com que as duas bolas de substância pura colidam com tanta força que rompam a cola da natureza. Foi a busca por uma maneira de impulsionar um objeto pesado com uma velocidade várias vezes maior que a de uma flecha que me levou à Casa de Detenção e à proximidade de uma morte sórdida da qual, eu admito francamente, somente o senhor me salvou.

— Chega.

— Eu passei praticamente dois anos fazendo experiências com a fórmula de um pó explosivo da China. Eu tinha só um pouquinho do pó e fui obrigado a usar quase tudo para me convencer de que iria funcionar. Mas a fórmula era tosca, continha só os ingredientes e algumas dicas de como deveriam ser combinados, e dava resultados ruins. Tentei e falhei várias vezes, mas nos meses antes de ser preso obtive algum sucesso. Um pó que criava grandes clarões de luz e fumaça, mas gerava pouca força. Mas ele assustou meus assistentes, e eles deram com a língua nos dentes. Os Redentores voltaram, descobriram o pó e, bem, uma coisa ou outra que não era fácil de explicar para homens daquele tipo.

— Tais como?

— Um cadáver. Nada fora do comum... foi um executor que trouxe para mim. Eu achava que dissecar os mortos fosse uma questão indefinida, religiosamente falando.

— Eles discordavam?

— Acabou que, em termos religiosos, a noção de uma questão indefinida é uma espécie de questão indefinida.

— Então, aonde você quer chegar?

— Se eu tiver a sua proteção na questão de desenvolver o pó chinês e também dinheiro, uma mão pode lavar a outra.

— Como?

— Se eu conseguir atirar duas bolas de substância pura uma contra a outra, também posso atirar uma bola de ferro num homem. Pense no que uma máquina assim poderia fazer. Um homem carregando um dispositivo assim, ainda que só conseguisse usá-lo uma vez, feriria ou mataria um inimigo, ou mais de um. Pense no terror. Ele poderia descartá-lo e lutar como qualquer soldado, mas após ter matado ou ferido o mesmo número de oponentes nos primeiros momentos de batalha.

— Você não chegou nem perto de conseguir fazer tal coisa.

— Eu posso chegar. Me dê o espaço e os recursos.

— E como eu saberia que não está me enrolando?

— Eu sei da minha obrigação — respondeu Hooke, ofendido. — Mas entenda que, para eu realizar o trabalho da minha vida, tenho que ser capaz de disparar um objeto sólido de um tubo de metal. A procura por conhecimento e a descoberta de uma grande arma são virtualmente a mesma coisa. A guerra é a mãe de tudo. Além disso, se o senhor se tornar um grande general, minha vida está protegida. Correto?

— Desde que não me faça de bobo. Você pode se aproveitar da minha ignorância sobre essas coisas uma vez, mas vou descobrir se tentar me enganar. Aí vai acabar boiando como uma cebola em uma jarra de vinagre. Entendeu?

— Suas ameaças não são necessárias.

— Acho que são. Você me viu lutando no morro hoje?

— Sim.

— E eu não tinha muitos sentimentos por aqueles homens, de uma forma ou de outra. O que é a Tribo para mim? No entanto, eles estão mortos de qualquer maneira, como se jamais tivessem existido. Eu pensarei a respeito. Agora, estou cansado.

9

A essa altura, Kleist já tinha passado praticamente um mês vivendo com os cleptos na serra de Quantock. Foi preciso algum tempo para convencê-lo de que estaria a salvo ali. Embora nunca tivesse ouvido falar dos cleptos ou da serra de Quantock, Kleist já tinha encontrado os irritados e desconfiados muçulmanos, os integrantes da tribo que habitava os morros mais baixos da área. Ele vira os muçulmanos uma vez em Memphis, e lhe disseram para ficar longe deles, especialmente das poucas mulheres que traziam para consertar os tapetes dos muito ricos e desenhar novos modelos. "Chegue perto de uma das mulheres dos muçulmanos, e eles irão matá-lo, custe o que custar. E, selvagens que são, vão matar a elas também, só para garantir."

Para deixá-lo mais preocupado, Daisy confirmou que isso era verdade e até uma descrição mais bondosa do que deveria ser.

— Os muçulmanos são fanáticos, loucos, perversos e maus. Eles odeiam as mulheres e as tratam como cachorros, mas a religião deles os amaldiçoa porque, apesar de todo o medo de que elas sejam mentirosas e vadias, o Deus dos muçulmanos ordenou que mulheres e esposas guardem toda a honra dos homens numa tigela dentro dos fígados, e, uma vez que a honra seja violada, a única forma que o muçulmano tem de recuperá-la é matar a mulher e começar de novo. Dá para acreditar nisso? Mesmo que a mulher tenha sido estuprada, enforcam a pobre coitada. É revoltante.

— Os cleptos não são assim? — perguntou um preocupado Kleist.

— Por Deus, não.

— Por quê?

— Porque, para começar, nós não somos malucos e porque viemos à serra de Quantock e expulsamos os muçulmanos mil anos atrás.

— Então vocês são como os Materazzi, sem serem muito religiosos?

— Ah, não, nós somos muito religiosos.

Isso foi um golpe.

— Como? — perguntou Kleist, decepcionado.

A descrição da fé de Daisy, apesar das declarações enfáticas quanto à sua importância, não chegou a formar um quadro que Kleist pudesse definir. A religião parecia limitar muito pouco os cleptos, até onde ele pôde entender. Era veemente na diferença entre comer animais puros e impuros que, aos olhos de

Kleist, ninguém iria querer comer de qualquer forma. Era estritamente proibido comer morcegos, por exemplo, ou qualquer coisa que rastejasse ou andasse de lado. Comer aranhas significava que a pessoa ficava impura por uma quinzena, e, caso Kleist cedesse à tentação de voltar a exercer suas antigas habilidades de açougueiro, o que não era o caso, as consequências seriam seis meses de exílio. A noção de Deus parecia bem distante. Os cleptos falavam dele como se fosse um tio rico que era bonzinho, mas que tinha perdido o interesse cotidiano naquele lado da família. Pelo lado de Kleist, ele não conseguia afastar a culpa por ter abandonado Henri Embromador e, em menor grau, IdrisPukke. O bom senso dizia que ele tinha todo o direito de não arriscar a vida de maneira tão horrível por pessoas que nem sequer perguntaram se ele concordava em segui-las. Por outro lado, Kleist se deu conta de que, se realmente achasse tão certa a sua decisão, ele não teria abandonado os dois saindo à francesa. Sobre Cale, Kleist não sentia culpa alguma.

— E quanto a mim e você, sabe?

— Eu não sou uma vaca — disse Daisy. — Meu pai não é meu dono. Ele é uma pessoa civilizada que vai lhe agradecer por ter me ajudado.

O que provou ser verdade. Mas, apesar da boa recepção, Kleist estava incomodado porque não conseguia entender o jeito de os cleptos encararem o mundo. Não era só o fato de ele entender a mentalidade dos Redentores por ter vivido entre os padres por tanto tempo; Kleist achava que tinha compreendido bem os Materazzi, mesmo após umas poucas semanas. E Memphis era cheia de raças e tipos de todos os cantos do mundo. Mas nenhum de seus encontros com raças notáveis em Memphis deixou Kleist com a mesma sensação vaga de ter perdido algo que o acompanhava o tempo todo na serra de Quantock. Ela era um enigma de calcário, cheia de desfiladeiros, saliências e precipícios rochosos impossíveis de escalar. Por toda parte, recantos secretos cortavam as escarpas, proporcionando locais para se esconder ou se reunir para um ataque. Dali os cleptos atrapalhavam o comércio através de saques, roubos, furtos, assaltos, ladroeira, pilhagem, confiscos, privando os transeuntes de tudo menos as roupas que vestiam — e às vezes até disso. Essa postura dinâmica em relação ao roubo tornou-se tão notória que, entre os habitantes da região (a não ser pelos irritantes muçulmanos, esse era o único rótulo que os cleptos se importavam em dar às culturas ricas e antigas que assaltavam), qualquer pessoa que cometesse um roubo era conhecida como cleptomaníaca. De tempos em tempos, as outras tribos das colinas decidiam que a ladroeira e o nível de transtorno dos cleptos não podiam mais ser tolerados e se reuniam para uma expedição punitiva ao interior do labirinto inacessível do meio da serra de Quantock.

Não fazia nem três semanas desde que Daisy o trouxera para o coração da serra quando Kleist teve o primeiro contato com a forma de guerra dos cleptos, que lhe parecia tão singular. Kleist não tinha a menor intenção de oferecer seus serviços e ficou furioso com Daisy quando ela se vangloriou de sua épica brutalidade diante de Dunbar e seus homens. A regra de Kleist desde Memphis era manter a boca fechada sobre tudo o que possuía em termos de bens e serviços que pudessem ser úteis aos outros, e falou para ela fazer o mesmo no futuro.

— Por quê? — perguntou Daisy, surpresa.

— Porque eu não quero que tentem me enfiar na linha de frente para ver se eu brinco de Barnabé, o Selvagem.

— Você se preocupa demais.

— É por isso que ainda estou vivo.

— Ninguém vai lhe pedir nada. A luta não tem nada a ver com você.

— Só tenha isso em mente.

Quatro dias depois, diante do próprio convite do pai de Daisy, Kleist se viu sentado no topo de uma grande elevação de pedra calcária com (ele verificara) várias rotas de fuga pela retaguarda, Daisy ao seu lado, eufórica, mas não nervosa. Eles estavam olhando para um vale embaixo, a cerca de 250 metros de onde os cleptos tinham erguido uma muralha rudimentar. Havia cerca de quinhentos cleptos em posição, andando de cima para baixo, falando, rindo e agindo como se não estivessem nem aí. Na outra ponta do vale havia uma força de mais ou menos mil muçulmanos. Eles esperaram por meia hora e então avançaram em ordem unida, com as lanças e os escudos prateados reluzindo ao sol. Os muçulmanos pararam a 200 metros, e, neste ponto, os cleptos começaram a prestar alguma atenção aos inimigos, na forma de uma gritaria sem parar e ofensas pitorescas sobre as práticas sexuais dos muçulmanos com animais, a feiura de suas mães e a libertinagem das esposas e filhas. Foram esses dois últimos insultos que pareceram levar os muçulmanos quase a uma fúria histérica. Na verdade, alguns ficaram tão abalados pela tristeza diante dessas ofensas à honra que irromperam em lágrimas, se ajoelharam e começaram a jogar terra sobre as próprias cabeças. Virou uma rotina. De um lado da muralha de defesa no vale, uma dúzia de cleptos gritava um nome: "FÁTIMA!", e outros 12 na outra ponta do muro berravam de volta: "DÁ ATRÁS DO CHIQUEIRO!". Aí vinha "AÍDA!", seguida pelo coro de "GOSTA DE TRÊS AO MESMO TEMPO!". Mas a maior reação foi por conta da provocação que pareceu, para Kleist, a menos ofensiva de todas: "NARSULA!", respondida por uma voz solitária de uma clareza fora do comum com "TEM UMA VERRUGA NO LADO DE DENTRO DA COXA!". Isso imediatamente tocou na ferida de um dos muçulmanos, que gritou furioso diante da precisa descrição da pobre esposa e imediatamente iniciou uma corrida suicida em direção à linha de frente dos cleptos. Felizmente, em sua pressa histérica, ele tropeçou em uma pedra, e, antes que voltasse a ficar de pé, meia dúzia de seus amigos e parentes o pegou e arrastou sob ruidosos protestos de volta à própria linha de frente.

A ordem geral levou bons dez minutos para voltar. Ainda rindo, Kleist se virou para Daisy.

— Não acha que seria um erro provocá-los desta forma?

Ela deu de ombros, mas não disse mais nada. Mas agora o ataque começara, os muçulmanos avançaram em boa ordem, disciplinados de forma impressionante como se soubessem o que faziam. Aos olhos de Kleist, parecia que algo violento ia ocorrer. Os insultos continuavam chovendo como flechas na colina Silbury. E então veio a última carga furiosa, aos gritos. Diante disso, os cleptos lançaram uma chuva de flechas pouco impressionante e completamente imprecisa, deram meia-volta e fugiram. Daisy deu pulinhos e bateu palmas de alegria enquanto os cleptos corriam de volta pelas infinitas gargantas tortuosas nos fundos do vale. A muralha rudimentar de pedra atrasou os muçulmanos em um minuto, cheia de armadilhas no extremo oposto — estacas afiadas de bambus escondidas em buracos que podiam varar um pé, cobras venenosas em fendas nos muros e milhares de aranhas que desciam pelas paredes logo após a fuga dos cleptos. Nenhuma delas era venenosa, mas aranhas eram impuras para os muçulmanos sequer tocarem, quanto mais comerem. Quando eles se reagruparam e começaram a correr atrás dos cleptos, a maioria já não estava à vista, exceto pelos jovens espadachins que ficaram para trás no topo da garganta para gritar ainda mais insultos. Eles não ficaram por muito tempo, já que alguns dos furiosos muçulmanos vieram atrás, porém, recebidos por pedradas dos desfiladeiros de pedra calcária que penetravam nas gargantas como dedos, os muçulmanos logo se deram conta de que uma perseguição seria ao mesmo tempo inútil e passível de ser letal.

— Vamos embora — Daisy falou, puxou Kleist da rocha e o levou de volta ao vilarejo, por uma rota tortuosa, para o caso de terem sido vistos por algum dos batedores muçulmanos. Pelo resto da tarde, os cleptos foram chegando da grande batalha que não aconteceu, felizes consigo mesmos e se vangloriando da própria ausência de feitos de bravura, da completa falta de atos de coragem, e do sucesso total em sequer lutar até o primeiro homem, quanto mais até o último.

Vários dias de celebração se seguiram em que histórias de guerras, contadas com exagero infinito, mostraram como a astúcia do narrador arrasou um determinado inimigo sem causar risco a ele próprio ou demonstrar a menor bravura.

Cada um competia em inventar relatos exorbitantes nos quais, na completa segurança de um abismo intransponível ou no topo de uma escarpa impossível de escalar, eles enganaram os absurdamente estúpidos muçulmanos a revelarem o nome das amadas a fim de que a pureza sexual da esposa, irmã ou mãe pudesse ser difamada de formas grotescas cada vez mais criativas. Conforme Kleist ouvia fascinado, ficou claro que, para os cleptos, a maior vitória sobre um inimigo não era derrotá-lo homem a homem num embate heroico, mas fazer com que, sem riscos para si mesmo, o absurdo oponente caísse morto de um ataque cardíaco ou derrame espontâneos, causados inteiramente por sua credulidade em relação à honra de suas parentes e pela criatividade das mentiras de seu inimigo clepto. Porém, por mais que estivesse achando divertido, Kleist também ficou de certa forma chocado. O fato era que, embora a filosofia militar dos cleptos atraísse Kleist exatamente porque ia contra tudo o que os Redentores lhe ensinaram em termos de dor, sangue, abnegação e dever, ela também batia de frente pela mesma razão exatamente: ia contra tudo o que os Redentores lhe ensinaram.

O vilarejo de Daisy, Soho, era cercado por um caminho à sombra de oliveiras especialmente plantadas por onde todas as noites os cleptos passeavam em pares e falavam sobre tudo e mais um pouco. Kleist andava muito solicitado como parceiro de conversas por conta da imensa curiosidade dos cleptos sobre as coisas em geral e os Redentores em especial, cujas práticas e crenças achavam totalmente incompreensíveis e, portanto, profundamente fascinantes. Eles presumiam que cada conto de brutalidade, cada história apavorante de céu e inferno, cada detalhe da religião que Kleist contava era apenas uma mentira absurda e divertida. Não havia nada que ele pudesse fazer para persuadi-los de que havia quem realmente acreditasse e agisse como os Redentores acreditavam e agiam. "NASCIMENTO VIRGEM? RÁ! RÁ! RÁ! ANDAR SOBRE A ÁGUA? RÉ! RÉ! RÉ! VOLTAR DOS MORTOS? RÓ! RÓ! RÓ! AS QUATRO ÚLTIMAS COISAS? RI! RI! RI!" Alguns dias após a luta contra os muçulmanos, foi Kleist que fez perguntas ao pai de Daisy — um velho camponês bem-humorado que passou a ter grande, apesar de não confiável, afeição por ele.

— Olhe, Suveri, eu não tenho nada contra fugir, mas nos foi ensinado que essa é a maneira mais rápida de ser morto.

— Eu estou vivo, não estou? Quantos funerais você está vendo serem preparados?

— Você não escaparia impune com essa estratégia em vários lugares. Em qualquer local a que um cavalo conseguisse chegar você seria atropelado. E uma infantaria também, se eles fossem bons o suficiente.

— Mas não lutamos em vários lugares, nós lutamos aqui.

— Mas e se tivesse que lutar?

— Não temos.

— Vocês fazem incursões.

— E às vezes morremos, mas levamos o que roubamos para o interior dessas montanhas e, se tivermos que parar para uma luta campal, bem, só desovamos o que pegamos e damos no pé de volta até aqui.

— E o que acontece se eles encurralarem vocês antes que cheguem aqui?

— Creio que lutamos e escapamos ou não lutamos e morremos.

— Não dá para vencer uma guerra sem parar para lutar. É simplesmente um fato.

— É verdade, creio eu. Mas não lutamos guerras. Só assaltamos e roubamos. Não é da minha conta se os Redentores querem morrer em nome de Deus, ou os Materazzi, pela glória. Esse tipo de coisa não nos convém, mas o mundo é feito de um monte de gente diferente. — Ele riu e apontou para a paisagem de pedra calcária ao redor com seus infinitos penhascos, precipícios e desfiladeiros. — O deserto cria fanáticos, todo mundo sabe disso. Mas um lugar como esse cria uma nobre covardia. Nós sabemos como deixar as outras pessoas em paz.

— Vocês roubam as outras pessoas o tempo todo.

— Tirando isso. Ninguém é perfeito.

Nos três meses seguintes, Cale e Gil expandiram a campanha contra a Tribo ao dividir os Purgadores em grupos de dez, cada um no comando de duzentos Redentores comuns.

Houve mais derrotas que vitórias na parte inicial da campanha, mas o teor cruel do combate teve a vantagem de matar aqueles que não eram capazes ou não estavam dispostos a entender as novas táticas. Para a surpresa de Cale, a maioria dos Purgadores sobreviveu ou até mesmo prosperou. O motivo, supôs Cale, foi que eles já haviam rompido com uma vida de completa obediência — era por isso que eram Purgadores, para início de conversa. Algo dentro de Cale se recusava a aceitar que outro fator era igualmente importante — a adoração dos Purgadores por ele. Gil notou e considerava a fé dos Purgadores em Cale como mais uma prova de sua singular divindade. Cale não era sagrado, é claro, não deveria ser reverenciado como santo ou profeta. Ele não era, até onde Gil entendia Bosco, uma pessoa no sentido que até mesmo o mais apóstata dos Antagonistas era uma pessoa. Cale não estava, de certa forma, realmente vivo. Era a encarnação de uma emoção divina. Estava, talvez, se tornando um anjo, puro, da forma como as emoções que ganham plena manifestação são puras. Tudo o mais a respeito dele estava em processo de ser queimado. Cale teve que ser humano a fim de nascer e crescer. Mas isso não era mais necessário, e Gil via o menino Cale desaparecendo diante de si. Havia vislumbres ocasionais do que se poderia chamar de uma pessoa: ele ria de algo ridículo que ocorrera no acampamento ou colocava a língua para fora da maneira que um menininho fazia ao ficar concentrado em alguma tarefa — mas cada vez menos. Não era de surpreender que os Purgadores fossem atraídos por ele e tentassem agradá-lo mesmo à custa das próprias vidas. IdrisPukke teria dado uma explicação mais mundana. Cale tratava os Purgadores como faria com pérolas ou diamantes. Às vezes, com a guerra sendo a criatura injusta e radical que era, aqueles em quem Cale depositava esperanças levavam uma flecha no peito, enquanto os inúteis tinham a sorte de sobreviver para irritá-lo mais um dia. Mas os Purgadores notavam, mesmo que não entendessem seus motivos, que cada um deles era importante para Cale, mais do que importantes até. Ao passar de cada semana, ele aos poucos transformou a derrota implacável em impasse, depois em vitória ocasional. Dez Purgadores agora guiados pela prática e experiência tomaram controle de duzentos Redentores. Ao longo da linha de frente, Cale estabeleceu 23 fortes semipermanentes que teriam o apoio de cinco fortes principais a 80 quilômetros de cada um deles. Aos poucos, Cale levou a luta com a Tribo a um impasse, prendendo os tribalistas na estepe de maneira que nenhum suprimento chegasse até eles vindo das embarcações Antagonistas (ele não conseguia impedir o desembarque nas inúmeras pequenas enseadas da costa). A cavalo, os tribalistas podiam entrar e sair facilmente da linha de frente de Cale, mas nenhuma carroça maior que uma pequena charrete conseguia passar sem usar as estradas que os fortes semipermanentes controlavam e que agora a Tribo raramente podia usar — e ainda assim não por tempo suficiente para deixar passar mais do que um comboio ocasional. Até mesmo isso convinha a Cale. A esperança, ele percebera havia muito tempo, era o verdadeiro assassino da maioria das pessoas. A esperança tornava as pessoas fracas; só o desespero inteligente salvava. Mas nem isso daria certo para a Tribo.

— Então, o senhor criou um impasse — disse Hooke. — Não há vitórias para eles nem para nós, além de controlarmos esses fortes.

— De maneira alguma — falou Cale. — Eu pretendo partir para a ofensiva muito em breve.

— Como? O senhor não tem tropas.

— Não, mas em breve terei os serviços de dois grandes generais.

— Maiores que o senhor? — debochou Hooke. — Como pode ser? Quem são esses modelos de perfeição?

— O general Dezembro e o general Janeiro — disse Cale.

Enquanto Cale trabalhava em cortar o suprimento de sangue da Tribo, Bosco estava empenhado em atrasar a tentativa de seus inimigos no pontificado de fazer o mesmo com ele. Em vez de violência, eles usavam teologia, e seus métodos de pisar no pescoço de Bosco envolviam a instauração de uma conferência em vez de um cerco.

A questão teológica da conferência envolvia óleo e água. Só um Deus onipotente poderia salvar uma criatura como o homem, de natureza tão cruel, baixa e degradante. Porém, o cerne da fé dizia que o Redentor Enforcado era ao mesmo tempo homem e Deus. Como isso era possível? Até recentemente, a solução do problema tinha sido ignorá-lo, mas o Redentor da Restauração, o bispo de Arden, causara uma agitação ao pregar a teoria da Emulsão Divina. As duas naturezas do Redentor Enforcado eram, dizia ele, como óleo e água misturados. Durante um tempo de sua vida na Terra, a mistura se parecia com um único fluido de uma só espécie, porém, com o passar do tempo, o líquido se separaria claramente e de maneira definida em óleo e água outra vez. Podiam ser misturados, mas sempre estariam separados. "Tolice!", respondeu o bispo Redentor Cyril de Salem. "A natureza do Redentor Enforcado era como água e vinho — eles estão separados até serem misturados e se tornam inseparáveis de uma maneira que *nenhum* poder poderia reverter."

Apesar da intensidade da discussão, nem Parsi nem Gant tinham o menor interesse em dar corda para o rancor de um par de clérigos brigões até que, num breve período de lucidez, o papa Bento manifestou o desejo de resolver a questão. O motivo se perdeu na névoa que cobriu seu cérebro no dia seguinte, mas Gant e Parsi receberam a autoridade de instaurar uma conferência para decidir a questão da forma que achassem conveniente. Acharam conveniente armar a conferência no Santuário, porque, onde quer que uma comissão desse tipo fosse realizada, o local se tornava sujeito às autoridades no comando — que neste caso eram Gant e Parsi. Eles teriam direito de ir a qualquer lugar no Santuário e falar com qualquer pessoa. Entenda agora como se tornou muito importante a questão da emulsão. Infelizmente para Bosco, o golpe letal da morte dos trezentos Redentores significou que até mesmo um grande estrategista estava sujeito à Lei do Impulso de Swindoll: se a pessoa não está avançando, está retrocedendo. Ele agora só podia retroceder o mais lentamente possível. Bosco tinha influência em Chartres, mas ela era frágil, construída ao longo dos anos a partir de muitos favores e com aliados duvidosos que não eram fáceis de vigiar a partir do Santuário. Esses favores agora estavam sendo cobrados, e, apesar de os aliados duvidosos não terem deixado Bosco na mão, não se arriscariam por ele até que ficasse claro como a luta por poder com os dois cardeais se resolveria. O plano de Gant e Parsi de realizar a conferência no Santuário ainda naquele mês passou de repente pela Câmara Apostólica e prosseguiu sem nenhuma oposição séria. Isso tudo foi má notícia para Bosco. Sua reação foi gastar a maior parte do que sobrou de influência. Um comitê foi reunido em Chartres devidamente formado por aqueles que por algum motivo deviam algo a Bosco ou eram partidários em segredo de sua crença em uma reforma dos Redentores. Uma missão foi enviada à estepe e confirmou o grande sucesso de Cale. Gant e Parsi tentaram impedi-la, mas não conseguiram. Um motivo foi que os Redentores precisavam de uma vitória para restaurar o moral dos fiéis, muito colocado à prova no longo impasse no Front Oriental, moral que foi ainda mais abalado pelos rumores de que os Antagonistas descobriram uma mina de prata tão grande em Argentum que poderiam contratar um exército inteiro de mercenários lacônicos. O segundo motivo foi que, embora teologia e política fossem ótimas, não havia nada como a derrota de um inimigo para levantar os ânimos. E se o inimigo estivesse mais para uma peste do que uma ameaça, então seria bom lembrar aos fiéis que a palavra "peste" vinha de pestilência e que a falta de importância dada anteriormente aos tribalistas fora um grave desprezo ao perigo que representavam de fato. Os fiéis só precisavam de uma nova estrela no firmamento, e o nome dessa estrela era Cale. O fato de ser implausível que alguém tão jovem possuísse poderes tão grandes só aumentava a sensação entre os fiéis de que Deus em pessoa finalmente revelara Seu jogo.

Com a estepe cercada para todos os efeitos, Bosco foi capaz de trazer Cale de volta para o Santuário a fim de prepará-lo para ser exibido na conferência. Sabia que era arriscado. Ainda mal podia depender de Cale, pois os motivos dele eram muito nebulosos. Gil, é claro, vinha escrevendo para Bosco de poucos em poucos dias com notícias dos fracassos e do sucesso definitivo, e sempre, sempre, incluía reflexões sobre o estado de espírito e da mente de Thomas Cale. Suas ações foram exemplares, mas o que estava acontecendo dentro do seu coração? A questão teológica mais urgente para Bosco não era a natureza da mistura de humano e divino no Redentor Enforcado, mas a natureza dessa mistura em Thomas Cale — água e vinho ou emulsão profana?

Bosco fez o Gabinete de Propagação da Fé trabalhar como um burro de carga, espalhando as notícias das vitórias de Cale na estepe para todos os cantos da comunidade dos Redentores e enfatizando suas várias qualidades: bravura, esperteza, santidade, bondade, compaixão pelos pobres; rumores não oficiais de milagres foram espalhados, histórias de soldados Redentores que eram péssimos devotos encontrando com Cale e a seguir tendo visões do São Redentor Jerome com o sangue escorrendo das mãos decepadas e do São Redentor Finlay, que fora envolvido num lençol coberto por piche e depois queimado como se fosse um fósforo.

Sem que Cale soubesse disso, imagine a surpresa dele ao voltar para o Santuário pela estepe por um caminho mais lento e mais populoso recomendado por Bosco. Ele descobriu que, mesmo no meio do nada, havia pessoas ao longo da estrada se curvando e pedindo sua bênção, algumas delas tinham andado por dias ao ouvir o rumor de sua passagem. Nas cidades e vilas sujeitas à crueldade e à destruição das incursões punitivas da Tribo, homens e mulheres choravam de gratidão e começavam a cantar hinos de sacrifício e martírio.

"Fé de nossos pais, ainda viva. A despeito do calabouço, fogo e espada!"

Os pelos da sua nuca ficaram em pé ao ouvir de novo aquele hino em especial.

Mesmo em lugares muito afastados das incursões da Tribo, houve desfiles de estátuas de santos, forcas sagradas que não viam a luz fora da igreja havia dezenas de gerações foram erguidas ao sol do meio-dia. Gil ficou escandalizado e espantado ao ver cegos e escrofulosos serem arrastados para tocar na barra de sua batina ou até mesmo na crina do cavalo para que Gil pudesse interceder junto ao céu em nome deles.

Quando eles chegaram à tortuosa estrada que levava ao Santuário, Gil mal sabia o que pensar. Mesmo o aparentemente inabalável Cale dava a impressão de que algo estranho ocorria no seu cérebro, mais do que só desprezo por ver as muralhas do Santuário.

A meio caminho da imensa rocha que era a base do Santuário, o Oficial de Mortificação se juntou à tropa de Cale e Gil. Era dever do homem, que ele cumpria com enorme satisfação, lembrar a um Redentor vitorioso em seu retorno que todos os feitos humanos eram em vão. No decorrer da subida de meia montanha, passando pelos grandes portões até o interior do pátio da Penitência, o Oficial de Mortificação sussurrou no ouvido de Cale:

— Lembre-se, homem, de que tu és pó e ao pó voltarás. Lembre-se, homem, de que tu és pó e ao pó voltarás...

Na vigésima vez, Cale virou a cabeça para o sujeito e sussurrou de volta:

— Cale essa matraca.

O oficial ficou tão estupefato diante disso que realmente se calou pelo resto do caminho até chegarem ao pátio onde a grande falange das seis ordens dos Cavaleiros do São Redentor Barnabé esperava pelo retorno de Cale. Ali o homem se sentiu seguro o suficiente para continuar, desta vez gritando por conta dos fiéis.

— Lembre-se, homem, de que tu és pó e ao pó voltarás. — E a seguir: — PARE!

Cale parou.

— Vire-se para mim. — Novamente ele fez o que pediram. Na mão esquerda, o Oficial de Mortificação segurava uma bolsa de linho esbranquiçada. Ele retirou uma pitada do conteúdo, a mistura das cinzas dos 24 mártires do grande incêndio de Aachen, levou a mão até a testa de Cale e desenhou a forma simplificada de uma forca como um L de cabeça para baixo.

Morte, Julgamento, Céu e Inferno
As últimas quatro coisas a que me apego
Mortificação, morte e pecado
São as roupas com que estou trajado.

Cale olhou ao redor do grande pátio, para variar decorado com as cores das festividades dos Redentores, num mosaico dos blocos das confrarias a que cada Redentor pertencia. Havia os Bons Socorros em vestimentas vermelhas e douradas, os Lazaristas de branco com seus Servidores de cara emburrada, os Cavaleiros da Cúria bradando o charme e a beleza da Única e Verdadeira Fé, os Asfixiados Necróticos com cordas de cânhamo nos pescoços em carne viva. Havia os Escarlates em chapéus-coco vermelhos, os Décimos Quintos de suspensórios verdes e pretos, com os rostos cobertos por um capuz pontudo e as mãos girando sem parar as 15 contas do sofrimento, uma por uma. Do lado oposto, os Battenis com o cinturão de abstinência na cintura, amarrado com os sete nós da renúncia da carne, e feijão-guando seco dentro das meias. Havia os Fromondis de gorros louvando a Deus roucamente, os Confissores lamentando a perda de tantos e a salvação de poucos. Bosco andou entre as fileiras com um aspersório fino na mão, jogando sobre eles as águas da aflição e os óleos da tristeza. A cada dez Redentores, Bosco parava e oferecia sal para representar o gosto amargo do pecado, e eles aceitavam a repreensão com lágrimas. A seguir, colocou um escapulário de cinco dobras no pescoço dos Redentores, o jugo do Redentor, o fardo do Senhor, enquanto atrás dele um incensador sacudia o incenso, defumando os fiéis em todo o seu deslumbramento penitente.

E então a cantoria começou, os graves dos Alimenteris tão fortes que a audição parecia começar em algum lugar no estômago, sacudindo as tripas como uma espécie de draga submersa. A seguir, surgiram os tons mais suaves do cantábile, que se misturaram, se chocaram e se misturaram de volta como se fossem canções diferentes. Daí vieram as notas agudas do coral infantil, puras como gelo, eriçando os pelos ao longo da espinha de Cale, o som subindo ao céu com um timbre tão terrível que deu vontade de gritar. Então a cantoria começou a acabar devagar, primeiro o tom agudo dos meninos, depois os médios e o fim gradual do grave indo embora como uma tempestade rumando para o mar.

Era de uma beleza além da imaginação. E mesmo assim Cale odiava.

Quando chegara pela primeira vez ao Santuário, Cale ficara impressionado pelas imagens e pelos sons extraordinários de um feriado importante, sem entender nada — um enorme, porém vago, desfile de barulhos e cores para um menino tão pequeno. Ao ficar mais velho, os feriados ficaram mais claros ante o tédio horroroso das cerimônias e o poder da música. Aqueles com talento treinavam por horas todos os dias longe dos ouvidos — o próprio Cale fora testado quanto à qualidade da voz e dispensado com a observação de que ele soava como um gato tendo a garganta cortada por uma serra enferrujada. Cruel, mas verdade. Portanto, quatro vezes ao ano ele ouvia o coro e a orquestra tocarem e passou a amá-los e odiá-los em medidas iguais. Como as almas mortas dos Redentores podiam produzir algo que o emocionasse tanto?

A seguir veio a procissão para a grande basílica e a Missa para os Mortos, não em nome das legiões que foram mortas pela causa da fé, mas em nome das almas dos que não foram salvos por terem morrido antes de ouvirem a palavra do Redentor Enforcado. No sofrimento e luto, todas as estátuas dos mártires, a irmã do Redentor Enforcado e todos os milhares de forcas sagradas no Santuário, grandes e pequenas, foram cobertas por seda púrpura e permaneceriam assim por mais quarenta dias até o momento exato em que os alfinetes que mantinham os panos fechados fossem arrancados para revelar os belos sorrisos, os braços e as pernas torturados, as feridas e as chagas gotejantes do santo sofrimento.

Se a beleza do Agnus Dei no pátio havia abalado Cale, ele tinha duas horas de pura monotonia na basílica para se acalmar. Sem a grande música para lhes conferir autoridade, os vermelhos, pretos e dourados dos chapéus compridos e das vestimentas de formatos curiosos, o incenso queimando e os gestos em bênçãos complicadas eram certamente sem graça e ridículos, acalmando a raiva de Cale pela beleza enervante do som dos três grandes corais no Santuário. A estupidez e a feiura da Prece da Autodepreciação eram um bálsamo especialmente chato para o seu ressentimento:

"Menos que a poeira debaixo dos meus pés
Menos que a erva daninha que cresce ao lado da minha porta
Menos que a ferrugem que mancha a espada malcuidada

Menos que a necessidade que tu, Senhor, tens de mim

Até menos que isso eu sou."

E foi assim, com uma delicada mistura de raiva pela beleza da cantoria e de monotonia entorpecente por causa da Missa dos Mortos, que Cale finalmente voltou para seus aposentos. Após a dolorosa jornada, tudo que ele queria era se deitar e dormir, mas Bosco não tinha terminado.

— Você agiu bem, mas preciso que me diga: os Purgadores têm espírito de vitória?

— Estou cansado.

— É rápido, podemos entrar em detalhes mais tarde.

— Provavelmente. — Ele imediatamente se arrependeu de dar esse gostinho para Bosco. — Possivelmente.

— O tempo é curto, Cale. Temos que vencer ou morrer.

— Mais tarde.

— Eu não tinha a intenção de tomar Memphis. Só o fato de eu manter o velho marechal e a maioria de sua família como prisioneiros é o que previne o império Materazzi de se erguer contra nós. — Isso não era mais verdade, mas Bosco achou melhor não perturbar Cale com a notícia da fuga deles. Além disso, seu conhecimento sobre o que havia acontecido a seguir era incompleto. Bosco não sabia, por exemplo, que o velho Materazzi já tinha morrido de pneumonia. — Nós não podemos enfrentar o império Materazzi e os Antagonistas.

— Você não deveria ter pensado nisso?

— Eu não penso em outra coisa. Sua fuga tornou impossível agir de outra forma. Agora, se você não tivesse feito a trapalhada de se meter no quarto de Picarbo, tudo teria sido diferente.

— Você me mandou ir lá.

— Sim, mandei. Mas agora você está começando a perceber por si mesmo que quase tudo que acontece, para o bem ou para o mal, tem origem numa trapalhada.

Cale riu.

— Sua?

— Não.

— Eu quero dormir.

— Muito bem. Mas para evitar dúvidas: você e eu estamos unidos por correntes inquebráveis. Não há lugar a que você possa ir a não ser para o meu lado. Como você percebeu após a travessura em Memphis, é da sua natureza fazer com que a mão de todos os homens se volte contra você, a não ser por esse curso de ação agora, aqui, comigo. Me diga que entendeu.

Cale olhou para ele durante algum tempo e então concordou com a cabeça, tão relutante quanto possível. Bosco respondeu com o mesmo gesto.

— Durma bem. Deus o abençoe.

Assim que Bosco foi embora, houve uma batida na porta, e o acólito Model entrou. Cale ficou surpreso de como ficou satisfeito em vê-lo.

— Senhor.

— Você está bem. — E estava sim. Não era só a comida extra que Cale exigia que Model recebesse, mas a qualidade dela. O rosto estava mais cheio, ele não estava gordo ou algo assim, mas não tinha mais a expressão cadavérica que era comum a quem comia pouco e fazia serviço pesado durante horas. A pele até brilhava, em vez de estar opaca e manchada. Uma refeição decente algumas vezes ao dia era, como Cale passou a se dar conta, um dos maiores presentes que a vida podia oferecer. Seria inteligente fazer isso com os Purgadores.

— O senhor está bem?

— Sim.

— Nós estamos todos empolgados com seu grande sucesso.

— Nós?

— Os acólitos.

Cale notou que havia algo estranho e hesitante a respeito de Model no momento.

— O que está acontecendo?

— Senhor?

— Desembuche.

— Eu ando dividindo a comida com meus amigos, senhor.

— Você está encrencado?

— Não é isso. Mas um deles serve água na prisão número dois. — Ele parecia ainda mais hesitante. — Um dos espiões Antagonistas está lá esperando a execução, ele diz ser um amigo seu.

Cale estava tão intrigado quanto chocado. Não era de surpreender que Model estivesse tão inquieto. Dar uma informação desse tipo era o mesmo que servir veneno.

— Eu não conheço ninguém assim, mas não vou contar para ninguém. Ele deu um nome?

— Ele não disse, mas deu ao meu amigo uma mensagem para o senhor.

Ele tirou um pedaço de papel de um bolso ilegal e entregou para Cale. Estava selado de maneira tosca com sabe lá Deus o quê. Cale abriu. Havia duas palavras escritas em um papelzinho claramente arrancado de um velho hinário.

"HENRI EMBROMADOR".

10

— Ele foi torturado?

— Aparentemente, não — disse Bosco.

— Você sabia que ele estava aqui?

— Você deve estar me confundindo com um oficial do médio escalão da carceragem. Por que eu saberia que ele estava aqui?

— Quero que ele seja solto.

Cale ficou surpreso com a resposta calma de Bosco.

— Muito bem. — O Redentor sorriu. — Você esperava que eu me recusasse?

— Sim.

— Por quê? Ele claramente veio aqui para se reunir a você novamente. E nós dois sabemos que você não tem intenção de ir a lugar algum.

Percebendo que Bosco estava sendo debochado, Cale mudou de assunto.

— Por que ele não foi torturado?

— É uma boa pergunta, se me permite dizer. Um erro administrativo. Houve um surto de tifo na prisão número quatro, o que fez as demais lotarem. Com o aumento de presos e de trabalho, um homem culpado de Gomorra recebeu acidentalmente o mesmo número que seu fiel amigo.

— Parece que eles cometem muitos erros nas prisões aqui.

— Parece, não é mesmo? Talvez seja a vontade de Deus.

— Eu gostaria de vê-lo agora.

— Vou mandar o Redentor Gil. Ele o conhece. Isso o deixará satisfeito?

Não que Bosco esperasse agradecimentos, mas ele se divertia em deixar Cale constrangido. Cale não respondeu e fez menção de ir embora, porém, ao virar a maçaneta, Bosco o chamou em tom amigável.

— Você se importa de eu perguntar como soube que ele estava aqui?

Cale se virou para olhar para Bosco.

— Não.

— Então?

— Não, não me importo que pergunte.

— Como alguém se acostuma às mudanças... Antigamente, ser insolente comigo lhe renderia uma surra.

— Sim?

— Eu não quis dizer nada com isso. Seu acólito parece gostar muito de você.

— Eu não tenho um acólito.

— Ah, tem sim. E como. Eu entendo como as coisas mudaram entre mim e você, mas me pergunto se você entendeu. Temo que talvez, nem assim tão no fundo, você ainda seja só um garotinho furioso.

— Achei que isso fosse tudo o que eu deveria ser.

— Fúria divina é uma coisa muito diferente de mau humor. Só achei que deveria deixar isso claro. Henri Embromador estará com você dentro de uma hora.

— Eu quero ir ao convento.

— Muito bem.

— Você está sendo muito indulgente.

— Isso o preocupa?

— A intenção é essa, não é?

— Só porque eu sinto prazer em confundir suas expectativas em relação a mim. Você não parece ter compreendido direito, se me permite dizer, como são as coisas.

— Eu posso fazer o que quiser, é isso?

— Você sabe muito bem qual é a resposta. Mas seria bom que pensasse com mais cuidado sobre o que lhe é permitido e o que não é.

— Eu sou só um garoto esquentado.

— Para o nosso próprio bem, eu espero que não seja verdade. As chaves do convento serão trazidas para você. Pode fazer o que quiser lá. — Ao colocar a mão na maçaneta, o Redentor deu meia-volta. Sempre foi um hábito de Bosco deixar o que realmente tinha em mente para o último momento como se fosse algo que não havia pensado antes.

— O que você sabe sobre os lacônicos?

— Soldados de aluguel. Caros. — Ele pensou por um momento como se tentasse se lembrar. Só seus anos de insolência descarada o impediram de sorrir diante desta oportunidade inesperada de debochar do antigo mestre. — Crononhotontólogos — acrescentou, pensativo. Bosco olhou para Cale, percebendo a provocação.

— Não é um termo que eu conheça — disse o Redentor, se recusando a fisgar a isca.

— Quer dizer um aventureiro, um marginal.

— Sério. Mais alguma coisa?

— Não.

— Havia um rumor de que os Antagonistas descobriram uma mina de prata perto de Argentum. Isso deixou de ser um rumor. Não é garantido, mas é provável que eles usem a mina para dar um jeito de pagar um grande exército de lacônicos para lutar contra nós.

— Achei que eles nunca contratassem mais de trezentos homens por vez.

— E eu achei que você não soubesse mais nada sobre eles. — Seguiu-se um silêncio insolente. — Vou lhe mandar um relatório sobre eles. Como sua vida pode depender disso, tenho certeza de que não preciso pedir que leia com atenção. — Bosco já estava cheio de Cale e saiu sem dizer mais nada.

Com a saída de Bosco, Cale considerou o que sentia. Espanto e alegria na mesma medida. Alegria pela surpresa de ver Henri Embromador, espanto pelo tamanho dessa alegria. A raiva de Arbell Materazzi havia sobrepujado a terrível solidão que a ausência dela provocava em Cale, mas também escondido como sentia a perda do amigo. Até aquele momento, Cale acreditava que não se importava com Henri Embromador, embora tivesse ficado acostumado a tê-lo por perto. Agora ficou espantado ao perceber o quanto sentia falta dele. A empolgação pela ideia do retorno de Henri Embromador era insuportável. Cale era uma alma feita de grandes represas ligadas por grandes canais e construídas com enormes trancas. Mas não há obra que não vaze ou não sofra infiltração.

E o que aconteceu com Kleist? Morto provavelmente, pensou ele.

11

Mas Kleist estava tão distante da morte quanto era possível um ser humano estar.

— Você acha — disse uma Daisy nua e montada em Kleist, apoiada nos joelhos dele — que sexo comigo é melhor do que o paraíso?

Kleist considerou os seios dela com atenção. Por que eram tão maravilhosos?, perguntou-se. Mesmo a curta estadia em Memphis e a antiga falta de experiência com prazer deixaram claro que era possível se cansar de alguma coisa, caso se acostumasse a tê-la sempre: creme de lima, xadrez, atormentar Koolhaus, não ter o que fazer, sol ou vinho demais. Mas mulheres nuas? Isso é algo com que ele jamais se acostumaria. O deslumbre com os corpos de mulheres com certeza tinha mudado: Kleist estava mais familiarizado com eles, mas era como se alimentar e ficar satisfeito — algumas horas depois, a pessoa sente fome como da primeira vez que sentiu fome na vida. Mas por que não dava para se acostumar com isso?

Deitado de costas, Kleist fingiu fechar os olhos para que Daisy não percebesse que ele olhava para ela tão atentamente. Não que Daisy se importasse com o intenso exame, mas ele sentia um pouco de vergonha quanto à intensidade de seu fascínio. Como ela estava recostada e montada em cima de Kleist, as coxas estavam algo retesadas sobre os ossos, revelando músculos possantes. Não eram como as pernas longas e esguias das moças Materazzi que ele conseguira notar enquanto elas entravam em um grande baile, dando passos largos e insolentes, às vezes com vestidos de cortes até o alto da coxa, revelando aquela suave elegância que a ninguém era permitido possuir. Se as meretrizes de Kitty Town eram menos refinadas e mais variadas em termos de tamanho e formas — as Mukies gorduchas, as pequenas porém alegres Gascons com enormes olhos castanhos —, ainda assim nenhuma tinha a grande musculatura das coxas de Daisy, estranhamente fora de proporção com o resto do corpo, como as coxas de um jovem com uma força fora do comum. E em seguida os pelos e a pele dobrada entre as pernas, a fonte de tanta admiração e deslumbramento. Isso era inimaginável há alguns meses, exceto que Kleist presumira que as habitantes do mitológico parque do diabo teriam alguma coisa similiar a um par de bolas e um pau, só que mais pontudo e feroz como era mais condizente a algo tão infernal. A realidade de algo tão escondido e tão delicado ainda o fazia suspirar de vergonha e alegria. Que ideia? Que coisa era essa? A seguir, vinha a barriga de Daisy com uma camada quase imperceptível de gordura. Depois os seios redondos de mamilos duros, rosados e marrons, o pescoço vigoroso, os lábios carnudos pintados com aquela coisa vermelha com jeito de cera que ela quase sempre usava. Por fim, o olhar feliz e sorridente e o cabelo comprido.

— Você nota algo de diferente em mim? — perguntou ela. — Se já acabou de babar.

Ele abriu completamente os olhos.

— Não gosta que eu olhe para você?

— Adoro. Mas não precisa esconder.

— Eu não estava escondendo — falou Kleist, irritado e envergonhado.

— Não fique irritado. Você pode olhar para mim sempre que quiser. De qualquer forma, você não respondeu à minha pergunta. E então?

Obviamente havia alguma coisa que Kleist deveria ter visto, mas não viu.

— Eu não sei — falou, depois de olhá-la de cima a baixo. — Fale.

— Você não faz ideia?

Kleist notou que o tom de voz e a expressão de Daisy mudaram. Ela estava aborrecida com ele por não ter reconhecido uma trança no cabelo ou uma unha com uma pintura mais caprichada no dedo médio. Daisy estava nua, afinal de contas. O que podia estar diferente?

— Eu estou grávida.

Kleist a encarou como se não entendesse. O que de fato era verdade.

— Eu não sei o que isso significa.

Daisy retornou o olhar com o mesmo espanto; a situação seria mais difícil ou pelo menos mais estranha do que ela havia pensado.

— Eu vou ter um bebê.

Embora a expressão dele tenha mudado para uma cara de surpresa, aos olhos de Daisy isso não pareceu indicar uma maior compreensão do fato.

— Mas como assim? — perguntou Kleist, estarrecido.

— O que você quer dizer?

— Como você vai ter um bebê?

— Você não sabe como os bebês são feitos?

— Não.

— Não falaram disso naquele seu Santuário?

— Eu nem sequer tinha visto uma mulher até este ano. Não. Eu não sei nada. Do que você está falando?

— Você não pensou em perguntar?

— Sobre bebês? Por que eu perguntaria?

— Eu não acredito nisso.

— Por que eu mentiria para você?

Daisy olhou para Kleist, perplexa e aborrecida.

— Não, não quis dizer que você estava mentindo. Só não acredito que não faça ideia sobre...

— Bem, eu não faço ideia.

Entreolharam-se, Kleist branco de susto, Daisy pálida de confusão, e houve um breve silêncio.

— Então me diga por que você vai ter um bebê — disse ele.

— Por sua causa.

— Minha? Eu não sei nada sobre bebês.

— Você me deu um bebê.

— Como eu fiz isso?

Ela percebeu aos poucos quão gigantesca era a ignorância de Kleist e se sentou, perdida.

— Quando seu pênis está dentro de mim e você tem chiliques. É assim que você faz bebês.

— Meu Deus! Por que você não me contou?

— Eu não sabia que você não sabia.

— Eu não sei de nada.

Essa não era uma alegação absurda. Antes de ir a Memphis, Kleist não sabia de muita coisa a não ser sobre religião, que odiava e temia, e sobre matar, no que ele era bom, mas que também temia, porque tinha medo de morrer de volta. Em Memphis, Kleist tomou um banho de conhecimento sobre um monte de coisas e, como a grande esponja seca de ignorância que era, absorvera enormes quantidades de informações. Infelizmente, Kleist ainda tinha que colocar tudo em ordem e fazer as correlações que até mesmo um rapaz muito estúpido de 15 ou 16 anos já tinha feito havia muito tempo. Em determinados aspectos, ele não era muito mais do que um bebê mesmo.

— O que nós vamos fazer? — falou Kleist, desesperado.

— Você já fez — respondeu ela, sendo injusta e mal-humorada.

— Você sabia disso. A culpa é sua.

— Minha?

— Sim. Seu pai vai me matar.

— Não, não vai.

— Graças a Deus. Tem certeza?

— Só se você não casar comigo — disse Daisy.

— Casar com você?

— Agora você vai fingir que nunca ouviu falar em casamento.

— Isso é ridículo.

— Não é mais ridículo do que não saber como se fazem bebês.

Isso era demais para ouvir.

— As pessoas se casam na sua frente. Elas falam sobre isso. Ninguém jamais falou sobre bebês e como eles são feitos.

— Bem — falou ela, com tristeza —, agora você sabe.

O pai de Daisy não ficou nem contente como ela esperava, nem com uma fúria assassina como Kleist temia. O homem via Kleist com bons olhos porque ele teria salvado tanto a vida de sua filha, o que provavelmente era verdade, quanto a honra, o que definitivamente não era verdade. Porém, isso acontecera em outro lugar, e os cleptos tinham só a palavra de Daisy de que a descrição do resgate era confiável. Mas mesmo que eles tivessem acreditado no relato da coragem física e proeza marcial de Kleist, o problema era que os cleptos não exatamente davam valor a essas qualidades. Como resultado, além da disposição dos cleptos a aceitar um estranho que havia feito uma grande bondade para um de seus integrantes, Kleist não tinha um status significante entre eles. Daisy era a filha de um homem de riqueza considerável e importância baseada em um talento para a ladroeira que era muito admirado até mesmo por um povo cujo nome era sinônimo de roubo. A oferta de Kleist, estimulada por Daisy, de se envolver nas incursões dos cleptos após a revelação da gravidez só aumentou o problema. Foi feita de maneira tão leviana e com uma convicção tão clara de que roubar na escala praticada pelos cleptos era obviamente fácil que Kleist causou uma ofensa, especialmente entre aqueles que eram simpáticos à sua situação até ele fazer a desastrada proposta. Isso prejudicou tanto o pedido de permissão para se casar com Daisy que ela o acusou de fazer a oferta de propósito. Kleist agora havia ofendido todo mundo, mas especialmente a garota que neste momento ele se deu conta de que amava muito. Uma vez superado o espanto diante de como se tornou pai e do próprio fato em si, ele ficou novamente espantado em como essa ideia parecia ser maravilhosa. Pelo que podia ver dos bebês ao redor, eles eram adoráveis, lindos e, principalmente, felizes. Dado que os bebês eram geralmente levados embora quando se tornavam um transtorno barulhento e Kleist só os via em seus melhores momentos através de um grosso véu de completa ignorância, seu otimismo era, talvez, perdoável, por mais injustificado que fosse. Mas havia também muitos sentimentos enterrados crescendo nas profundezas dessa jovem alma endurecida. A paternidade, uma impossibilidade impensada, agora parecia uma maravilhosa aventura. Porém, a falta de jeito de Kleist ao se oferecer para acompanhar os cleptos em uma de suas incursões parecia ter atado os pés de sua própria felicidade. Era necessária uma medida drástica. Primeiro, ofereceu tudo o que possuía ao pai de Daisy, nominalmente tudo que pilhara de Memphis e roubara de volta da gangue de Lorde Dunbar. Isso serviu para deixá-lo contente e acalmar Daisy.

Depois ele propôs uma demonstração de como seriam úteis sua brutalidade e sua habilidade como arqueiro, de tal forma que não representasse nenhum desrespeito ao talento dos cleptos como ladrões. Ao ouvi-los se gabarem das quase invariavelmente bem-sucedidas incursões, assim diziam eles, ficou claro que a relutância de parar para lutar levava os cleptos a praticar um plano de ação simples e perigoso assim que despojavam os vizinhos de cavalos, gado, carnes, frutas conservadas, caixas de vinho, cadeiras, dinheiro, ovelhas, cabras, porcos, enfeites e qualquer coisa que pudesse ser guiada ou carregada. O princípio que sempre seguiam era simplesmente dar no pé o mais rápido possível de onde quer que estivessem para a segurança das montanhas. A recusa absoluta de qualquer clepto em correr um risco maior que qualquer outro clepto e a falta geral de entusiasmo por combate significavam que não eram tomadas providências para defender a retaguarda ou criar posições móveis de defesa que pudessem ser usadas para atrasar perseguidores, não importa o grau de determinação que tivessem.

Nos meses desde que chegara como uma visita razoavelmente ilustre, Kleist vinha fazendo um número de arcos de qualidade consideravelmente maior do que aquele que usara para trucidar Dunbar e sua gangue. E estava, verdade seja dita, um tanto quanto irritado pela atitude dos cleptos em relação aos seus próprios talentos. Agora ele achava que poderia impressioná-los sem irritá-los e ganhar reputação sem correr um risco maior que aquele que lhe era familiar e que considerava fácil de calcular. Roubar parecia perigoso para ele — havia muitas incertezas.

Como Kleist já tinha visto, a habilidade dos cleptos como arqueiros era tão rudimentar quanto seus arcos — eles conseguiam ser suficientemente eficazes atirando em massa contra um grande número de oponentes, mas, até aí, qualquer um também era. Tirando isso, não havia nada a ser dito que não fosse ofensivo, na opinião de especialista de Kleist. Ele armou, portanto, uma demonstração no local de um famoso desastre dos cleptos em uma cadeia de morros baixos em seu território, onde cinquenta homens de um grupamento de incursão foram atacados no limite da segurança e massacrados até o último integrante. Cinquenta homens para os cleptos eram uma perda terrível para uma tribo que, Kleist calculou, tinha menos de 1.500 pessoas, sendo dois terços de mulheres, crianças e idosos. Fazia três anos do massacre, e eles ainda estavam se recuperando. Esse era um dos principais motivos para os cleptos serem tão liberais com suas mulheres. Simplesmente não havia homens suficientes para os cleptos se manterem como as outras tribos ao redor faziam. Com mais gentileza desta vez e sob as orientações de Daisy, Kleist se ofereceu para mostrar como poderia ajudar a evitar uma repetição do desastre. Não foi fácil armar a demonstração, porque, embora os cleptos estivessem dispostos a assistir, eles nitidamente não ficaram entusiasmados em participar. Kleist mostrara as flechas rombudas que tinha a intenção de usar na demonstração, mas os cleptos estavam certos em considerá-las extremamente perigosas ainda assim. Foram precisos tempo considerável e muito deboche das mulheres que Daisy tinha conquistado para que pemitissem que Kleist usasse os cavalos de que precisava. No fim das contas, tudo foi aprovado, e o local, preparado. Compreensivelmente, aqueles reunidos para assistir estavam ressentidos, e alguns, muito abalados por serem lembrados de tamanha calamidade. Kleist montou vinte bonecos de forma razoavelmente humana, e Daisy e suas amigas amarraram os bonecos aos cavalos que foram providenciados com tanta relutância. Kleist ficou atrás de uma mureta da altura do peito que ele montou e disfarçou com galhos bem no local onde o massacre acontecera. A 500 metros, os cavalos entediados olhavam, comendo a grama espinhosa sem entusiasmo. A seguir, mais ou menos vinte garotas fizeram uma fileira improvisada com os animais relutantes voltados para Kleist, ao longe. Cada uma sacou um chicote de couro e, após o grito de Daisy, bateu com força nos flancos dos cavalos. Isso mudou a atitude dos animais, que guincharam, empinaram e dispararam assustados com as garotas berrando atrás deles e os homens de palha montados em cima quicando e balançando. Só para provar seu ponto de vista, Kleist ficou nu da cintura para cima a fim de melhor exibir seu estranho porém impressionante tronco, com músculos parecidos com nós em uma corda grossa como os de alguém vinte anos mais velho. Disparou um tiro. Todos observaram a flecha subir num arco maior e mais veloz do que qualquer coisa que já tinham visto. Ela acertou o homem de palha que Kleist mirara bem no peito e saiu pelo outro lado. Foi impressionante, mas ainda assim longe demais para atordoar totalmente os nativos com sua excelência. Ele esperou até os cavalos se aproximarem, abusando da sorte só para se exibir. Então, nos noventa segundos que os assustados cavalos levaram para chegar ao esconderijo de Kleist, ele mandou uma impressionante e veloz sequência de flechas, errando só duas no momento em que os animais passaram por perto em debandada.

Os cleptos ficaram impressionados, mas foram cautelosos.

— Havia cem deles naquele dia.

— Eu poderia ter acertado trinta antes que eles chegassem aqui. Ninguém aguenta tomar esse número de baixas. Além disso, eu não faria desta forma. Ficaria alvejando os inimigos por horas ou até mesmo dias antes que chegassem aqui. A 600 metros, eu consigo acertar cinco de cada dez flechadas... oito se vocês contarem os cavalos.

Houve algumas poucas objeções a mais, porém ele provou sua teoria. Além disso, o que mais os cleptos teriam a perder a não ser um estranho simpático que, no fim das contas, não significava nada para eles?

12

Quando Henri Embromador chegou, teve que ser ajudado por dois Redentores.

— Coloquem-no na cama e saiam.

Cale andou até ele e se ajoelhou ao lado da cama. O nariz e o lábio inferior de Henri Embromador, inchados por uma boa surra, estavam sangrando.

— Olhe o seu estado. O quê, em nome de Deus, você está fazendo aqui, seu idiota?

— Estou feliz de ver que você está bem.

— Vamos começar com o que você está fazendo aqui.

— Eu estava de bobeira no oásis Voynich, esperando por uma caravana que trouxesse terra preta para os jardins. Eu os segui até aqui e tentei pegar uma carona no fim da caravana, mas alguém me reconheceu. Além disso, hoje em dia eles contam todo mundo que entra e sai.

— Você deveria ter pensado nisso.

— Deveria, mas não pensei.

— Deveria ter pensado nisso e ficado longe.

— Bem, estou aqui agora.

— Pura sorte. Você escapou por um tantinho assim — Cale apertou o indicador e o polegar — de ser morto por Brzca e desovado no Ginky's Field. E eu jamais teria sabido de nada.

— Tudo está bem quando acaba bem.

Mas a aparência de Henri Embromador ficava cada vez mais verde. A irritação de Cale diminuiu um pouco.

— Estou contente em ver você.

— Que tal um beijo?

— Não estou tão contente assim.

Ambos sorriram.

— Que tal algo para comer? — falou Henri Embromador.

— Já foi pedido.

Como se estivesse ouvindo do lado de fora, Model bateu na porta e entrou com uma bandeja de comida para dois.

— Peça o mesmo de novo — disse Cale.

— Há um limite, senhor, eles não vão aceitar a minha palavra para tanta comida.

Cale escreveu um bilhete ameaçando a cozinha com a ira de Bosco e, enquanto Henri Embromador se sentava para comer, ele exigiu que Cale contasse a sua história primeiro.

Cale terminou mais de duas horas depois, com Henri Embromador já na segunda bandeja.

— Então Bosco realmente é doido de pedra — disse Henri Embromador após um silêncio considerável.

— Para a minha sorte e a sua.

— Então o que você vai fazer?

— Ficar aqui — disse Cale. — Ir até o fim.

— Isso quer dizer o quê?

— Eu sou o mais observado de todos os observadores, para onde eu iria? Não existe mais Memphis. Não existem mais Materazzi. Tirando os Antagonistas, que me matariam à primeira vista. Quem mais, mesmo que eu pudesse ir até lá, o que não posso fazer, seria estúpido bastante de não me entregar? Sem Bosco, eu estou perdido. E agora, São Henri Embromador do Pau Oco, você também. Bosco tem a gente na palma da mão mais do que antes.

Henri Embromador ficou sentado por algum tempo em silêncio, incomodado.

— Você está certo — ele finalmente falou.

— Isso não é novidade.

Beberam cerveja e fumaram em triste silêncio por um tempo.

— Agora você — disse Cale.

Henri Embromador começou pela decisão de seguir Cale após sua partida de Memphis.

— Kleist não estava a fim.

— Posso imaginar. Fico surpreso que ele sequer tenha ido.

— Não fique, depois de uma semana ele fugiu.

— O que é exatamente o que eu teria feito se Bosco tivesse levado você em vez de mim.

— Não, você não faria isso.

— Faria sim.

— Seja como for, eu e IdrisPukke perdemos você perto da montanha Tigre... os caminhos são um pouco rochosos para seguir trilhas. Não é o meu forte, de qualquer maneira. IdrisPukke tentou me convencer a ir com ele pegar a barca de Whitstable. Sinto falta dele. Cheguei a Voynich, e é basicamente isso.

— Você ficou muito tempo em Voynich.

— Aquele é um belo lugar. Gostaria de estar de volta lá.

E as explicações ficaram por aí. Cale foi sucinto apesar de ter falado por duas horas, em parte porque não gostava de histórias de guerra, mas em parte também porque tinha visto o olhar de Henri Embromador quando falou sobre a convicção de Bosco de que ele era o agente da morte da humanidade. Cale não tinha certeza do significado daquele olhar, não era convicção, medo ou algo que conseguisse identificar — ou que quisesse identificar. Portanto, ele não deu muita ênfase à questão da fúria de Deus depois, quando não conseguiu esconder a perturbação diante da reação de Henri Embromador. Cale não ficou abalado pela hipótese de Henri Embromador achar que aquilo fosse verdade, mas, pelo contrário, que o amigo considerasse a questão risível. Algo dentro de Cale era atraído pela noção da própria grandiosidade e não queria ser debochado.

Da parte de Henri Embromador, ele não só deu pouca ênfase à verdade, como também mentiu abertamente, embora não tivesse sido a intenção quando começou a contar a história. Em seis meses, ambos mudaram. E a questão na mente dos dois era o quanto mudaram.

No dia seguinte, quando Henri Embromador foi levado ao seu quarto, as coisas entre os dois ficaram ao mesmo tempo tranquilas e estranhas. Mas Cale queria mostrar que, apesar de ter chegado a um acordo com o homem e a religião que ambos odiavam, ele fizera isso de uma maneira bem diferente do passado. Cale levou Henri Embromador ao convento, embora não tivesse dito aonde iam. Então Henri teve sua primeira surpresa — Cale arrumou uma chave! E deixou que Henri visse que era uma chave em meio a várias outras. Foi tão chocante como se Cale tivesse ficado de joelhos e celebrado uma missa ou retirado a mitra de um bispo e colocado na cabeça. Mas enquanto Cale achou que isso demonstrava que ele agora estava no comando do Santuário, para Henri Embromador foi um sinal preocupante. Talvez Cale tivesse aceitado um suborno, da mesma forma que Perkin Warbeck aceitara um galão de xerez e 12 ovelhas para trair o Redentor Enforcado. Não era possível, porém o ano passado ensinara a Henri Embromador que tudo era possível.

Cale abriu a porta, e eles entraram na primeira camada de muralhas que protegia o convento. Andaram por 10 metros até uma segunda porta com nada menos que três fechaduras, que exigiam três chaves diferentes. Dentro do convento em si, o tom forte de verde do piso deu lugar à pedra calcária, amaciada com carpetes, e havia velas de poucos em poucos metros espalhando uma luz suave e quente de cera de abelha, e não de gordura de vacas e porcos. A seguir, os dois chegaram perto de outra porta, que Cale escancarou sem chaves (uma porta destrancada?) e gesticulou para Henri Embromador entrar.

Houve um grande suspiro e uma onda de empolgação, há muito tempo reprimidos como se a chegada de Henri Embromador fosse o próprio ápice da expectativa. A cada canto das paredes havia freiras, afáveis e sorridentes. Sentadas pela sala, irrequietas e impacientes como crianças esperando a chegada de um bolo de aniversário, estavam 12 garotas entre 13 e 18 anos talvez — rosadas, marrons, negras, algumas com bronzeado perfeito, outras tão brancas como fantasmas. Elas quase gemeram de prazer quando os dois entraram na sala, houve até um gritinho abafado, seguido por uma freira lá atrás estalando a língua em reprovação e uma mão de reprimenda no ombro.

— Bom dia, moças — disse um sorridente Cale.

— Bom dia, sr. Cale — elas responderam em coro.

— Me deixem apresentar meu maior e mais antigo amigo. Este é o grande Henri Embromador de que falei... a lenda de Memphis, o herói da batalha da colina Silbury. — Henri Embromador deu o sorriso de um homem fisgado. As meninas irromperam em aplausos que só diminuíram aos poucos pelas palmas erguidas de Cale.

— Agora, todas vocês me escutem — disse ele. — Quem gostaria de dar um tratamento especial a Henri Embromador?

Uma dúzia de mãos disparou para cima.

— EU! EU! EU! EU! EU! EU! EU! EU!

Henri Embromador pareceu ficar pálido e vermelho de alegria ao mesmíssimo tempo.

— Calma! Calma! Meninas! Comportem-se! — disse a Madre Inferiora. — O que Henri Embromador irá pensar de nós?

— Isso eu posso responder — sussurrou Cale no ouvido do amigo, que olhou para ele. Cale notou que Henri Embromador já tinha sido provocado o suficiente.

— Madre Inferiora, poderia escolher duas e mandar para nós quando o quarto estiver pronto? — A Madre Inferiora se curvou de maneira cortês, e Cale puxou Henri Embromador pelo braço em direção a uma porta, que ele abriu novamente sem chave, e os dois entraram em uma sala de estar. Cale indicou um grande sofá para Henri Embromador que mais parecia uma cama do que um lugar para sentar.

— Você quer beber?

— Não.

— Tem cerveja ou vinho.

— Cerveja.

Cale tirou o pano de linho de cima de um jarro, serviu um copo e passou para ele.

— O que você espera que eu faça com elas? — disse Henri Embromador após tomar um longo gole.

— O que você quiser fazer com elas.

— Elas são escravas, a escravidão é errada.

— Pode não ser muita coisa, e aliás não é, mas todas foram libertadas pela lei. São tão livres quanto eu ou você costumávamos ser.

— Você ainda não disse o que espera que eu faça.

— Por que eu esperaria que fizesse alguma coisa? Se você está com a consciência pesada é porque está tendo maus pensamentos.

— Eu não estou no clima para piadas.

— Tudo bem.

Isso foi um pedido de desculpas.

— Olhe, você está num estado pior do que a China. Essas garotas foram educadas somente para cuidar dos homens.

— Por quê?

— Deixe para lá.

— Não, eu quero saber. Riba me contou tudo o que ela sabia. Mas quero saber por quê.

— Elas podem fazer você se recuperar aqui, ter um tratamento como nunca imaginou antes, melhor do que a mais mimada das mademoiselles Materazzi que você possa imaginar.

— Por quê?

— Faça como quiser então. Eu conto para você no almoço. Só se recoste na cama, e vamos comer. — Em poucos minutos, freiras com bandejas bateram na porta e entraram para servir comida no enorme sofá perto de Henri. Havia bife com creme de ovos da Alemanha, um manjar branco com torrões de açúcar, galinha frita e um prato com uma pilha de fatias de bacon torradinhas, pingando de gordura, e cachorros-quentes com ketchup e mostarda amarela. Tinha caviar da Nigéria e champanhe da Ucrânia. E gelatina de óleo de rosas com coalhada para terminar.

Enquanto comiam, Cale narrou detalhes do manifesto de Picarbo para Henri Embromador.

Quando terminou de fazer perguntas, Henri Embromador ficou calado por um minuto e depois sacudiu a cabeça como se tentasse tirar algo dela.

— E eu que pensei que Bosco fosse completamente biruta. Como a pessoa pode ser tão louca assim e viver?

Ambos riram se lembrando do passado novamente.

— E as garotas não sabem nada sobre isso? — perguntou Henri Embromador.

— Elas acham que fomos mandados aqui para escolhê-las como esposas e que realmente temos cavalos brancos e armaduras prateadas. Não, sério. Elas são bem espertas, mas não sabem de nada. Só foram ensinadas que homens são como anjos... bravos, corajosos, gentis, nobres e fortes. Só de vez em quando, alguns homens podem se irritar, atiçados por um demônio, mas, mesmo que elas apanhem, as garotas têm que ser gentis, pedir perdão e bancar as simpáticas até que o demônio abandone os homens e tudo fique bem outra vez.

— Você não tentou contar a verdade?

— Eu não sei como. Pensei que você pudesse ter algumas ideias, mas primeiro tem que só ouvi-las e deixar que o curem. Você jamais ouviu absurdos iguais aos que essas garotas falam. Mas elas acreditam em cada palavra.

— Não vou fazer nada com elas.

— As garotas não se importam.

— Como você sabe?

— Faça o que quiser ou não faça nada. Se elas estão dispostas, por que não? Você pode estar morto em algumas semanas, assim como as garotas, se Bosco decidir o que fazer com elas. Viva, coma e seja feliz, porque amanhã nós estaremos mortos, não era isso que IdrisPukke dizia?

— Só porque IdrisPukke disse não significa que seja verdade.

— Como queira.

E assim sendo Henri Embromador foi levado à sala de banho.

13

Sem janelas e iluminada por velas de cera de abelha para que não cheirasse ou se parecesse com o interior de um forno, a sala de banho no convento do Santuário era revestida por cedro-vermelho do Líbano e no chão por uma madeira aglomerada vinda ninguém sabia de onde, mas que era apreciada por sua resistência a água e sabão. No meio do aposento havia dois bancos de madeira que pareciam mesas de corte de carne envernizadas. Um curioso Henri Embromador, cheio de expectativa e preocupação, foi levado à sala de banho pelas duas garotas selecionadas. Uma se apresentou como Annunziata, e a outra, como Judith.

— Quais são os seus sobrenomes?

— Só temos um nome — disse Judith.

— Você está se sentindo irritado? — perguntou uma esperançosa Annunziata

— Não.

— De maneira alguma?

— Não estou entendendo.

— Seria mais fácil para nós se você gritasse conosco — falou Judith.

— E batesse aquelas portas dos armários.

— Por quê?

— Nós gostaríamos de treinar acalmá-lo.

— Por quê?

— Homens gritam muito, não gritam?

Perplexo com o que elas queriam, Henri Embromador teve que dar o braço a torcer que era realmente verdade que os homens gritavam muito, de acordo com a sua experiência. E faziam coisas muito piores que só gritar.

— Nós pedimos ao sr. Cale para gritar conosco, mas ele disse que não era uma boa ideia.

— Provavelmente porque é verdade.

— O senhor vai gritar? Ah, por favor!

Elas imploravam com tanta doçura que, por mais sem jeito que ele se sentisse, Henri Embromador achou que seria rude dizer não. Cinco minutos depois, ele estava sentado no canto da sala, chorando como se o coração estivesse se partindo, enquanto as garotas, por sua vez agora pálidas e perplexas, o encaravam abaladas pela tempestade de fúria que irrompera de um jovem tão doce, que chorava incontrolavelmente diante delas.

Após dez minutos, a agonia começou a passar, e as meninas ajudaram Henri Embromador a ficar de pé.

— Desculpe — ele não parava de falar. — Desculpe.

— Pronto, pronto — respondeu Judith.

— Sim — acrescentou Annunziata —, pronto, pronto.

Elas o conduziram para uma das grandes mesas de madeira depois de tirar sua camisa, calças e meias. Henri Embromador resistiu vagamente quando começaram a retirar a tanga, porém elas disseram "temos que lavar o senhor" como se fosse uma das imutáveis leis de Deus. Ele estava cansado demais para resistir. As garotas suspiraram ao ver as antigas cicatrizes e os novos cortes e hematomas causados pelas surras na prisão número dois e perguntaram com tanta delicadeza como ele arrumara aquilo que Henri Embromador quase começou a chorar novamente.

— Eu escorreguei num sabonete — ele disse, riu e assim conseguiu se controlar. Percebendo que Henri Embromador não estava disposto a contar, as garotas saíram para pegar água quente e sabonete. As duas sabiam que ele não tinha tropeçado num sabonete porque estava claro que ele não via um há algum tempo. Judith despejou cuidadosamente um balde de água quente sobre ele da cabeça aos pés, e Annunziata começou a passar uma toalha bem ensaboada, com muita atenção para não pressionar com força sobre os cortes e hematomas. Pela hora seguinte, apertaram, massagearam e relaxaram seu corpo dolorido com tanta delicadeza e habilidade que Henri Embromador pegou no sono. Quando as duas terminaram, ele não acordou nem quando foi secado com cuidado, em cada dobrinha como um bebê, nem quando elas passaram talco de qualidade de Meribá e perfume de óleo de damasco. As meninas o cobriram com toalhas e o deixaram dormindo. Ele não acordou até quase o fim da tarde, quando as duas retornaram e o levaram para a sala de jantar, onde foi novamente alimentado e perguntado sobre sua vida lá fora. Henri Embromador achou que não havia nenhum motivo para contar algo desagradável, nem queria fazer isso. Então falou da vida em Memphis enquanto elas suspiravam de surpresa e alegria a cada palavra sobre as torres surreais, os mercados animados e a juventude dourada — os grandes homens, as mulheres geladas ("*Como?*", perguntaram horrorizadas, "*por quê?*"). Sentado ali, bebendo, comendo e relaxando muito bem ao lado de duas belas garotas que ouviam atentamente cada palavra, Henri Embromador se deu conta mesmo enquanto falava de que isso era uma coisa que jamais poderia acontecer com ele novamente. Mas o prazer não tinha acabado. Com a curiosidade satisfeita, ao menos temporariamente, as duas tinham mais coisas reservadas para ele. Mas sobre isso não é necessário dizer nada.

14

— Só Deus e aquelas garotas seriam capazes de amar você do jeito que é — disse Cale para Henri Embromador, duas semanas depois de ele ser passado de par em par de meninas como se fosse um maravilhoso troféu.

— As coitadinhas não têm noção do que fazem.

— Mais razão ainda para aproveitar enquanto dura. — E não havia como discutir isso. Certa noite, uma das garotas bebera mais vinho do que podia aguentar e comentara que Henri Embromador era disparado o favorito das meninas entre os dois. Obviamente contente, Henri Embromador exigira saber mais, e, apesar da bronca da colega, a menina tagarela entregara todo o ouro, feliz da vida. — Seu amigo está sempre triste ou furioso — reclamara ela. — Nada do que fazemos realmente o satisfaz, não como você. Ele é uma dureza. Sabe do que algumas de nós o chamamos?

— Não dá para você fechar sua boca grande para variar? — ralhara a amiga.

— Cala a boca, você aí! Nós o chamamos... nós o chamamos de Tom Azedo.

— Vocês não devem pegar pesado com ele — dissera Henri Embromador, um pouco embriagado porque também tinha bebido muito vinho. — Ele tem um coração partido.

— Sério? — a garota perguntara e adormecera. Mas a outra, Vincenza, era esperta e, como era um hábito inteligente de sua parte mal tocar em uma gota de bebida, questionou o língua-solta Henri Embromador e tirara dele toda a história.

— Uma garota má — dissera Vincenza. — Que coisa cruel de se fazer.

— Eu gostava dela — falara um agora triste Henri Embromador. — Kleist nunca gostou.

— Acho que seu amigo Kleist estava certo em não gostar dela.

— Não acho que Kleist gostasse de alguém.

Obviamente Henri Embromador não tinha como saber que isso, se sequer tinha sido verdade um dia, certamente não era mais o caso. Kleist era agora um homem casado e feliz, para não dizer entusiasmado, não que entre os cleptos isso fosse especialmente complicado. Foi um casamento simples, até mesmo apressado, sem as semanas de festa sem sentido e de gastança arrasadora típicas até mesmo do mais simplório dos casamentos muçulmanos, como o pai de Daisy ressaltara com otimismo.

— Que desempenho! Para que tudo isso, diabos?

Na verdade, os cleptos estavam sempre ansiosos para saber quando haveria casamentos muçulmanos na esperança de que, se não desse para roubar os convidados na ida para a cerimônia, pudessem roubá-los na volta. E foi durante um casamento especialmente épico, até mesmo mais fabuloso do que o normal para essas cerimônias, que Kleist trabalhou pela primeira vez em prol dos novos parentes.

Percebendo que um grande número de homens estaria ausente durante a cerimônia, os cleptos armaram uma incursão em território muçulmano e, dada a grande oportunidade, colocaram mais homens no grupamento do que habitualmente arriscavam. Embora cuidadosamente calculado, o risco provou ser imprudente. Os muçulmanos espalharam o rumor do grande casamento só como isca para os cleptos e acionaram a armadilha no vale Bakah, onde eles foram cercados com grande habilidade e inteligência. Suveri liderou uma fuga do vale à noite e tentou levar a maior parte dos sobreviventes do primeiro dia de volta às montanhas. Era um caminho longo e difícil. Com certeza Suveri teria morrido juntamente com seus setenta homens se não tivesse sido por Kleist. Pelos três dias seguintes, os 250 muçulmanos que tentaram seguir os cleptos com a intenção de massacrá-los foram alvejados por um rapaz de 16 — ou possivelmente 15 — anos que eles jamais viram. Ao fim do terceiro dia, Kleist havia matado tantos inimigos que ficou enjoado do massacre e, para a irritação do novo sogro, só atirou nos cavalos dos muçulmanos. Mas, quando os berros dos animais também se tornaram insuportáveis, só disparou flechadas de alerta. Com baixas tão terríveis e diante do fracasso de todas as tentativas de encontrar seu algoz, os muçulmanos recuaram relutantemente, levando os mortos e deixando a vitória com Kleist, que voltou às montanhas ao mesmo tempo contente com o trabalho e também algo deprimido com a facilidade de matar outros seres humanos em tamanha quantidade. Mesmo que a tristeza tenha durado pouco tempo, ela foi marcante, e Kleist nunca mais foi o mesmo. Ele sabia que matar um homem era uma coisa terrível porque sentia uma vontade muito intensa de não querer ser morto. Suara a camisa para se manter vivo até mesmo no Santuário, um lugar em que agora ele compreendia que a vida não valia a pena ser vivida. Portanto, Kleist sabia que deveria se sentir pior do que se sentia — embora tivesse ficado mal por alguns dias após matar tanta gente. Mas algo o atazanava, talvez a consciência sobre a qual os Redentores viviam falando besteiras, mas nunca demonstravam sinais de terem. Mas não era forte o bastante para ser remorso ou culpa, só forte o bastante para lhe dizer que os Redentores deixaram sua marca nele, não aquela que os padres tinham a intenção, mas uma que jamais iria embora. De tempos em tempos, ele se perguntava como teria sido se jamais tivesse ido ao Santuário. Totalmente diferente, isso era garantido. Mas o que fora feito não podia ser desfeito, então não havia muito sentido em se preocupar com aquilo. E, de modo geral, ele não se preocupava.

15

Há uma rima infantil sobre os lacônicos que os meninos de rua de Memphis costumavam cantar para pular amarelinha.

Os éforos da Lacônia
Esqueletos com cheiro de amônia
Sua sopa é negra e o humor também
A vida de seus bebês não vale um vintém
UM! DOIS! TRÊS! QUATRO!
Eles matam os escravos por diversão
Matam mais um e aproveitam a ocasião
Nas cabeças, caixões eles levam
E neles dormem, a cama desprezam
CINCO! SEIS! SETE! OITO!
Eles batem em suas crianças com pau
Deixam hematomas e o escambau
E se houver uma reclamação
Tomam outra surra de montão
NOVE! DEZ! ONZE! DOZE!

Existe um verso final proibido que não deve ser cantado na presença de adultos ou dedos-duros.

As crianças não servem só para lutar
Eles usam também para copular
Coisa pior não há
Eles metem na B! U! N! D! A!

Embora a maior parte desse verso seja sussurrada, as últimas cinco letras devem ser berradas o mais alto possível.

Cale se deitou para ler o relatório que Bosco enviara, tomado pelo desdém presunçoso típico daqueles que são excelentes e que se deparam com outros cujos rumores dizem que são melhores. Isso logo virou um simples fascínio pelos detalhes singulares do que estava lendo.

Os admiradores do estilo de vida e do espírito lacônico (ou lacedemônios, na antiga língua da Ática) considerariam os ridículos versos anteriores como nada mais do que calúnias de crianças de rua. Mas, tirando a parte sobre os caixões — que parece ser uma invenção completamente infantil —, as acusações na canção são corroboradas por aqueles menos impressionados que os lacedemônios com essa sociedade mais estranha que todas as demais. Os lacônicos, cujo país lembrava mais um quartel do que uma nação, se consideravam "o mais livre de todos os povos da Terra" porque eles não foram dominados por ninguém e não produziam nada de espécie alguma. Eles eram um Estado que só se preocupava com uma atividade: guerra. Meninos sadios nascidos entre os povos lacônicos pertenciam ao Estado. Aos 5 anos de idade, eles eram retirados de suas famílias — se é que algo assim realmente se podia dizer que existisse — e treinados para fazer uma coisa, "matar ou morrer", até chegarem à idade de 60 e poucos; o que raramente acontecia, vale dizer. Se não nascessem sadios, não valiam um vintém, como bem dizia a canção, e os bebês eram atirados em um abismo conhecido como os Depósitos. Se os lacônicos tivessem escrito poesia, o que não fizeram, poucos versos teriam sido sobre os prazeres e as agruras da idade avançada. Eles pagavam por essa busca obstinada pela violência de duas maneiras. Em qualquer ocasião, até um terço de sua população, que nunca passava dos 13 mil, estava envolvida em atividades mercenárias pelas quais eles eram famosos por serem bem pagos. A maior parte do Estado lacônico era financiado pela existência dos hilotas. O termo "escravo" é insuficiente para descrever a submissão e a servidão destes povos miseráveis, que era o que eles eram. Diferente dos escravos no império Materazzi e em outros lugares, os hilotas não eram uma mistura de raças capturadas aqui e ali, e vendidas de dono para dono. Eles eram nações conquistadas, subordinadas completamente e que agora cultivavam aquela que um dia fora a própria terra e fabricavam bens para comércio que pertenciam totalmente ao Estado lacônico. Os lacônicos criavam os filhos em quartéis para que não temessem nada, a não ser uma coisa: seus hilotas. Em extrema inferioridade numérica diante dos servos do Estado que os cercavam em grande quantidade, a contínua submissão imposta pelos lacônicos aos poucos se tornou igual à obsessão com a guerra. Os hilotas tornavam possível o único objetivo de vida dos lacônicos, mas também eram a maior ameaça àquela vida. Oprimir os hilotas, que um dia foram o recurso para se fazer guerra sem fim, agora se tornou o motivo por que era indispensável fazer guerra. O cão feroz com dentes afiados ficou obcecado em morder o próprio rabo.

Os lacônicos eram liderados por cinco éforos, eleitos dentro de um pequeno grupo que sobrevivia além do sexagésimo aniversário. A referência da canção ao cheiro de amônia não era baseada em nenhum fato histórico conhecido. Aqueles que detestavam os lacônicos — eram muitos — dizem que o famoso humor lacônico era humor às custas dos outros, especialmente os deficientes físicos, desprezados por eles. Isso nem sempre era verdade, se a famosa história sobre o éforo Aristides era verdade. Uma vez a cada cinco anos, todos os homens lacônicos podiam votar pela execução de qualquer éforo que os desagradasse pela estupidez ou pelo orgulho, ou por qualquer motivo na verdade, e a sentença só era cumprida se os votos passassem de mil. Sabendo que o número de votos pela sua morte se aproximava rapidamente daquele número, o éforo Aristides encontrou um cidadão analfabeto da roça, que jamais tinha batido os olhos nele, e pediu o favor de escrever o nome "daquele desgraçado Aristides" em uma tábua de argila usada para a votação, se pudesse fazer a gentileza. Foi considerado um gesto louvável de esperteza que ele tenha feito o favor alegremente. Dizem que o éforo Aristides sobreviveu por dois votos. Ser uma criança nascida no Estado lacônico também era pouco motivo para rir. A piada em Memphis era que as crianças jogadas nos Depósitos eram as que tinham sorte. Uma vez mandados para um quartel, a comida servida aos meninos era tão ruim quanto aquela dada aos acólitos dos Redentores, porém em menos quantidade. Essa maldade tinha a intenção de torná-los engenhosos a ponto de terem que roubar para se manterem vivos. Se fossem pegos, eram castigados severamente, não pela imoralidade, mas por demonstrarem falta de habilidade na execução do roubo. Há a história de um menino de 10 anos que roubou a raposa de estimação do éforo Chalon com a intenção de comê-la e foi chamado para participar de uma parada militar antes de conseguir torcer o pescoço do bicho e escondê-lo. Dizem que, em vez de revelar sua presença e mostrar que fracassara diante dos colegas, ele deixou a raposa devorar suas entranhas e caiu morto sem dar um pio. Os que achavam essa história completamente implausível antes de encontrarem os lacônicos não tinham mais tanta certeza assim depois de os conhecerem.

A famosa sopa negra mencionada na canção era feita de sangue de porco e vinagre. Um diplomata da Duína, um negociador contratado da mesma forma que mercenários eram soldados contratados, certa vez provou esse preparado e disse para os lacônicos que lhe ofereceram a sopa que ela era tão repugnante que isso explicava por que eles estavam tão dispostos a morrer. Como era costume de espertinhos desse gênero, ele repetiu a mesma piada sobre os Materazzi e suas esposas difíceis de ser agradadas. A diferença entre os Materazzi e os lacônicos era que estes acharam a piada extremamente engraçada. Outro dado curioso — e revelador — sobre a sopa negra era que os lacônicos notoriamente a consideravam um maná divino e que até mesmo os exilados sentiam falta dela como de nenhuma outra coisa, apesar de o gosto não ser praticamente melhor do que a mistura rançosa de gordura e cotocos de pé de defunto — Cale, Kleist e Henri Embromador jamais encararam essa gororoba repugnante com uma reação que não fosse um calafrio.

Se o senso de humor dos lacônicos abranda sua opinião sobre eles e você os acha preferíveis ao fanatismo e à crueldade dos Redentores, ou à arrogância e ao esnobismo dos Materazzi, agora chegamos à mais sombria e revoltante de todas as práticas concebidas pelo povo provavelmente mais estranho da História do mundo. Enquanto qualquer pessoa em sã consciência considera sexo entre homens adultos e jovens meninos como um crime que exige a vingança divina e pune aqueles que cometem tais ações com a morte (quanto mais horrível, melhor), na Lacônia essa perversão não só era tolerada, como imposta por lei. O homem mais velho que não escolhia um menino de 12 anos para usar desta forma receberia uma multa pesada por falhar em dar exemplo de virtude viril.

Como uma prática tão repugnante e peculiar surgiu eu não sei dizer. Também dizem que os lacônicos valorizam demais as mães, permitindo que elas insultem os homens de todas as camadas sociais e que até mesmo herdem propriedades — um costume que ofende muito os vizinhos e pelo qual são geralmente mais criticados do que pela prática revoltante de pederastia compulsória.

Toda essa informação foi passada para Cale por Bosco em um documento embargado sob ordens de ser mantido em segredo. Mas uma parte do documento, claramente incluída bem antes da maioria das informações, foi a que chamou especialmente a atenção de Cale. Era ela que Cale queria discutir com Henri Embromador. Era a declaração de um soldado lacônico exilado, que foi interrogado de maneira confiável no próprio documento, sobre a existência da Criptia — um pequeno serviço secreto formado por aquilo que ele chamou de "antissoldados". Selecionados entre os mais implacáveis e cruéis jovens lacônicos, eram encorajados a desenvolver qualidades, pensamento independente e original, e ações normalmente desestimuladas para os destinados a lutar em fileiras sem se preocuparem com a própria sobrevivência.

— Eu me pergunto — disse Cale para Henri Embromador — se foi daí que Bosco tirou a ideia sobre mim.

— E eu me pergunto — falou Henri Embromador para Cale — se você vai conseguir passar ou não pela porta caso seu ego fique ainda maior... Além disso, se estiver certo, só agradeça que essa tenha sido a única ideia que Bosco tirou dos lacônicos.

O rosto de Cale fez uma careta de nojo.

— Bom Deus — falou.

16

— Eu quero falar com a donzela de Blackbird Leys. — Esta era uma exigência de Cale que teria tudo para ser recusada e também uma lembrança para Bosco de que a alma destruidora do seu Deus em carne e osso também era a de um adolescente. Havia uma satisfação em se recusar a responder às expectativas de Cale.

— Claro.

Houve um silêncio satisfatório em resposta.

— Agora.

— Como quiser. — Bosco pegou uma pilha de pergaminhos já com o seu selo impresso e começou a escrever.

— Eu quero vê-la sozinho.

— Não tenho o menor desejo de ver a donzela de Blackbird Leys novamente, eu lhe garanto. — Mais satisfação.

Bosco deixou claro que levaria pelo menos uma hora e meia para a prisioneira passar pelos quatro níveis de segurança que protegiam os dez ocupantes das celas centrais da Casa de Detenção. Cale precisou esperar cinquenta minutos no último nível porque um mensageiro teve que ser mandado de volta a Bosco para voltar com uma carta de confirmação que confirmasse a carta que Cale trouxera com ele. Quarenta desses cinquenta minutos foram gastos pelo terceiro prazer de Bosco naquela tarde, ao deixar o mensageiro mofando do lado de fora do escritório.

O mensageiro retornou, afinal, e o carcereiro deixou Cale passar primeiro por uma grande porta e seguir para a cela da donzela.

Ela estava deitada, mas se sentou logo que a porta se abriu, com medo de um acontecimento tão fora do comum, como era de todo o seu direito.

— Saia — disse Cale. O carcereiro tentou argumentar. — Não vou dizer pela segunda vez.

— Eu vou ter que trancar a porta com o senhor dentro.

— Quando eu chamá-lo de novo. — Cale fez uma pausa para deixar bem claro. — Não.

O carcereiro sabia exatamente o que o aviso aparentemente misterioso queria dizer porque manter Cale esperando quando chamasse para ser solto era justo o que o homem pretendia fazer.

Contendo uma irritação terrível, o carcereiro trancou a porta, e Cale pôs a vela que segurava na mesa sem cadeiras, que era a única outra peça de mobília da cela. A garota, esquelética pela comida horrorosa e em pequena quantidade, o encarou com enormes olhos castanhos. Pareceram maiores do que provavelmente eram porque o cabelo tinha sido raspado — em parte por causa de piolhos, em parte por maldade.

— Vim só para conversar com você. Não há nada para temer. Não de mim.

— De mais alguém?

— Você está na Casa de Detenção do Santuário... claro que há o que temer de outra pessoa.

— Quem é você?

— Meu nome é Thomas Cale.

— Eu nunca ouvi falar de você.

— Noto que já ouviu.

— A não ser que seja o Thomas Cale que Deus mandou para matar todos os seus inimigos. — Cale não disse nada. — Deus — disse ela, em reprimenda — é uma mãe para seus filhos.

— Eu nunca tive uma mãe — respondeu Cale. — Isso é uma boa coisa?

— *Homo hominis lupus.* É isso que você é, Thomas, o lobo do homem?

— Seria justo dizer — respondeu ele, ponderadamente — que já agi como lobo algumas vezes. Mas, só porque rumores sobre mim chegaram a você até mesmo aqui, isso não significa que sejam verdade. Devia ouvir o que dizem a seu respeito.

— O que você quer?

Essa era uma boa pergunta, porque ele não tinha certeza. Não havia dúvida de que estava curioso a respeito de como uma mulher havia conseguido irritar os Redentores de tantas formas diferentes. Mas a verdade é que ele havia pedido essa visita para Bosco mais para perturbá-lo do que para satisfazer sua curiosidade. Cale esperava que ele dissesse não.

Dos bolsos — ele agora podia ter quantos bolsos quisesse —, Cale começou a tirar comida: uma torta, meio pão de forma dividido em dois para facilitar, uma enorme fatia de queijo, uma maçã e um pouco de bolo de pão. Os olhos dela, que já pareciam preencher todo o rosto miúdo, cresceram ainda mais.

— Espero que não seja pesado.

— Pesado?

— Para o seu estômago.

— Eu não sou uma daquelas irlandesas que nunca comeram torta antes ou que viviam à base de nabos a vida inteira. Sou a filha de um alcaide. Eu sei ler. Sei latim.

— Foi isso então? Isso não é o pecado do orgulho?

— Saber ler?

— Eu quis dizer desprezar os pobres. Não é culpa deles que jamais comeram torta ou bolo de pão. Eu mesmo nunca tinha comido isso até tempos recentes. Foi por isso que me ofendi.

Neste momento Cale sorriu, e ela aceitou bem a reprimenda.

— Posso? — disse a donzela, olhando com muita cobiça para a comida.

— Por favor. — Ela começou a comer, mas a intenção de não se empanturrar se perdeu no puro deslumbre pela torta.

— A comida já é repugnante fora daqui, deve ser inacreditável nessa pocilga.

— Mnug buar gnuf — ela concordou e continuou comendo. Cale olhou assustado no momento em que o queijo, pesando pelo menos meio quilo, começou a seguir a torta. Com alguma dificuldade ele pegou o que sobrou do queijo dos dedos dela e colocou sobre a mesa. — Você vai vomitar. Dê uma chance para a comida descer. — Cale pegou a donzela pelos ombros e fez com que sentasse na cama, dando um minuto ou dois para ela recuperar a compostura da filha de um alcaide, seja lá o que fosse um alcaide. Era como se a própria alma da comida, do leite, do queijo, da expectativa em provar o mel da torta, estivesse dando um novo sopro de vida para ela. Cale esperou por quase um minuto, e parecia que a donzela era uma moribunda voltando à vida... deu a impressão de ter crescido, de que os olhos não faziam pressão contra o crânio. Eles começaram a se encher de lágrimas.

— Você não é o anjo da morte, você é o anjo da vida.

Como ele não sabia o que dizer ao ouvir isso, ficou calado.

— Como posso ajudá-lo? — ela perguntou, parecendo-se em todos os aspectos com a filha do alcaide na sala de estar do pai, trazida para impressionar visitas com sua religiosidade e sua educação.

— Eu sei tudo sobre os cartazes que você escreveu e colocou na porta da igreja. Que convenceu outras pessoas a fazerem o mesmo. Eu quero saber por quê.

Ela podia se parecer com uma moribunda, mas não era boba.

— Eles vão usar isso contra mim no julgamento?

— Você já passou por todos os interrogatórios possíveis. — Cale se arrependeu da brutalidade do que disse, mas as palavras saíram antes que pudesse impedir. — Desculpe.

— Não precisa — disse ela, praticamente inaudível, voltando a ser a educada, porém assustada, filha do alcaide novamente. — Você sabe quando vão me matar?

Isso o abalou. Ele se sentiu conivente e responsável.

— Não, não sei. Não acho que seja em breve. Pelo que sei, vão levar você a Chartres antes.

— Daí eu verei o céu novamente?

Isso o abalou ainda mais.

— Sim. Certamente. São 150 quilômetros.

Houve um longo silêncio.

— Você quer saber o porquê? — disse a donzela finalmente.

— Sim. — Embora neste momento Cale não quisesse saber mais nada sobre ela, de maneira alguma.

— Há cerca de dois anos eu entrei escondida na sacristia da igreja quando o padre estava fora. Eu sou uma lambisgoia... todo mundo diz isso.

Cale concordou com a cabeça na escuridão, mas não sabia o que era uma lambisgoia.

— No reservatório que o padre devia manter trancado, encontrei um cofre que ele também devia manter trancado. Dentro havia os quatro evangelhos do Redentor Enforcado. Essas foram as palavras do Redentor Enforcado como ele disse em pessoa para seus discípulos. Você leu os evangelhos?

— Não.

— Já falou com alguém que tenha lido?

Ele riu diante de uma ideia tão absurda.

— Claro que não. O que um pároco estava fazendo com os quatro evangelhos do Redentor? Só os cardeais podem ler os textos e mesmo assim só uma vez para não profaná-los com a compreensão humana. Não existem mais de cinquenta cardeais, e eles não incluem um pároco do Cu-do-Mundo. Sem querer ofender.

Ela pareceu, se não ofendida, pelo menos com certeza alarmada.

— Era uma cópia. Tenho certeza de que era a letra do padre. Não era um escriba propriamente dito, mas a letra era cuidadosa.

— Então foi feito de cabeça. — Era óbvio que ele não achava isso grande coisa.

— Você não se importa com o que diziam os quatro evangelhos? — perguntou ela, claramente perplexa.

— Não.

Ela não se deixou dissuadir.

— Os quatro evangelhos diziam que nós devemos amar os vizinhos como amamos a nós mesmos, que devemos fazer aos outros o que queríamos que fizessem conosco, que se alguém dá um tapa em nossa face devemos oferecer a outra.

— Bunda ou face?

— É verdade!

— Como você sabe?

— Estava escrito no próprio livro.

— Com a letra de algum Redentor maluco. Eles queimam uma dúzia por ano no pátio a 200 metros daqui... loucos que receberam a palavra de Deus numa visão. A única diferença é que seu padre estúpido ao menos teve o bom senso de tentar manter as besteiras trancadas em local seguro.

— Era a verdade. Eu sei.

— Isso era tudo o que eles diziam? O que mais?

— Paz e boa vontade a todos os homens — falou ela.

Cale riu como se fosse a coisa mais engraçada que já ouvira.

— Conte outra. "Obedeça e sofra... não resista e aceite os chutes." O estilo dos Redentores é mais nessa linha.

A donzela o encarou com os olhos tão arregalados, pensou Cale, quanto os daquela estranha criatura no zoológico de Memphis, a que tinha o dedo indicador da metade do tamanho do corpo.

— Aqueles que machucam crianças têm que ser punidos. Seria melhor para eles se tivessem uma mó amarrada ao pescoço e fossem jogados ao mar.

Estranhamente, ele não achou isso tão divertido e ficou calado por algum tempo. Ela se sentou na beirada da cama, parecendo frágil e esquelética. Cale pensou no que aconteceria com a donzela e se sentiu mal por ter rido das coisas que a trouxeram para este local terrível.

— Vou fazer o que for possível para conseguir comida para você. — Era todo o consolo que ele conseguiu imaginar. Ela olhou para Cale, e isso o fez se sentir terrivelmente velho e mau, muito mau.

— Você pode me ajudar a escapar?

— Não. Eu gostaria de poder, mas não posso.

Assim que saiu da Casa de Detenção, Cale descobriu que o inverno tinha finalmente chegado. Na grande praça do Santuário a neve recém-caída estava espalhada, profunda, vívida e certinha. Os corvos grasnavam nas árvores sem folhas enquanto Cale passava pisando na neve, os violentos cães de caça latiam para o frio como se fosse um ladrão ou fugitivo. Nada podia dar charme aos insossos prédios monumentais do Santuário, mas, coberto de neve e iluminado por uma lua meio encoberta pelas nuvens, o lugar tinha uma beleza frígida naquela noite — desde que você não tivesse que morar ali.

Mais tarde, ele perguntou a Bosco se poderia enviar comida para a donzela.

— Não posso permitir isso.

— Você não quer.

— Não, não posso. Você nunca ouviu a frase: "Um leão em casa, um spaniel no mundo?"

— Não.

— Bem, agora ouviu.

— O que é um spaniel?

— Um cachorro conhecido pela disposição para agradar. Eu posso explicar sua presença na cela da donzela uma vez. Quando se tornasse público, o que aconteceria em questão de dias, que eu permiti que ela comesse mais do que o necessário para mantê-la viva para o executor, eu seria instantaneamente apontado como um herege. Assim como você. Os pecados da donzela contra a fé dos Redentores não podem ser medidos.

— Eu fiz uma promessa a ela.

— Então você é ainda mais tolo.

— E os pecados da donzela não podem ser medidos porque ela leu a cópia dos ensinamentos do Redentor Enforcado e comentou sobre eles?

— Sim.

— Você queimou o livro que ela encontrou, imagino.

— Pareceu a melhor coisa a ser feita.

— E?

— E o quê? — Provocar Cale chegava quase a lhe dar uma espécie de satisfação.

— Esse livro de ensinamentos do Redentor Enforcado. O que era?

Uma careta de reflexão, ainda zombeteira de Bosco.

— Era um livro de ensinamentos do Redentor Enforcado.

Silêncio.

— Você está me zoando.

— Sim. Mas ainda assim era uma cópia do livro de ensinamentos do Redentor Enforcado.

— Uma boa cópia.

— Boa o bastante. Com alguns erros, mas ele era um homem inteligente com uma memória excelente.

— Era?

— Agora você está sendo burro de propósito.

— Então por que foi tão pecaminoso o que ela fez?

Bosco riu.

— Como você mesmo disse: a palavra de Deus é facilmente profanada pela compreensão humana. Isso foi sensacional, por sinal. Teria problema se eu usasse num sermão?

— Você estava escutando?

— Em algum momento você suspeitou de que seria diferente?

Cale não respondeu por um instante.

— Eu não sei exatamente o que a frase significa. É só uma coisa que ouvi um amigo meu dizer em Memphis. Ele estava brincando.

Bosco ficou um pouco desapontado. Ele sentira muito orgulho de Cale quando o ouviu dizer a frase. Afinal de contas, era perfeita. Talvez o fato de Cale não poder manter a promessa para a garota tivesse abalado sua grande vaidade por um minuto. E por que não explicar, afinal de contas?

— Mesmo para aqueles Redentores que não percebem que Deus decidiu recomeçar, o que nós concordamos é que não há fim para as brigas e confusões que homens e mulheres arrumam por qualquer coisa. Não existe uma declaração saída diretamente da boca de Deus, não importa que seja direta e fácil de entender, que impeça homens e mulheres de se matarem uns aos outros em nome do que ela realmente significa. Quanto a mim: publicar a palavra de Deus para a humanidade é jogar pérolas aos porcos. De qualquer forma, o que a donzela de Blackbird Leys fez é imperdoável.

Porém, mais tarde naquela noite, a neve trouxe algo mais do que um charme insólito ao Santuário — também fez o general Redentor Guy Van Owen buscar refúgio lá. Ele ficou esperando dez minutos do lado de fora dos grandes portões e estava de péssimo humor porque os guardas se recusaram a deixá-lo entrar. Van Owen pretendia voltar às montanhas Golan, ao posto de comando que protegia o Front Oriental, uma jornada que normalmente passava longe do Santuário e de Bosco por 30 quilômetros. Mas a neve tornara o caminho intransponível, e, como estava despreparado para retornar em clima tão extremo, ele fora obrigado a buscar abrigo onde era possível ou morreria. Van Owen também odiava Bosco, porque pensava ter visto um risinho de desdém durante um sermão que ele dera sobre a Sagrada Emulsão havia uns trinta anos. Na verdade, Bosco estava só entediado e pensando em chocolate quente em vez de acompanhar o sermão de Van Owen — uma rara iguaria que era especial para aquele feriado porque o santo em questão tinha sido fervido vivo em açúcar.

Finalmente Bosco apareceu em um dos torreões que protegiam o grande portão.

— Quem é você e o que quer?

— Você sabe muito bem quem eu sou, diabos — berrou Van Owen de volta.

— Eu só sei quem você disse que era ao capelão. Se acha que é o suficiente para que você e cem homens entrem no Santuário sem ser inspecionados e no meio da noite... — Ele não terminou a frase.

Van Owen xingou e gritou para o lanterneiro erguer a lanterna. Ele abaixou o capuz e se mostrou.

— Satisfeito?

— Mande o lanterneiro passar a luz pelas fileiras. Quero ver os homens que estão com você.

— Chateação! — Van Owen se virou para o lanterneiro. — Faça o que ele disse. — Foram precisos mais dez minutos para Bosco ficar satisfeito. Certamente ele teria feito a inspeção mesmo que Van Owen fosse um aliado, mas Bosco tinha que admitir que o atraso lhe dera um prazer cruel. No fim das contas, Bosco ficou satisfeito e sumiu da vista de Van Owen. Eles fizeram com que o general esperasse, cada vez mais furioso e inseguro, por mais dois minutos, e a seguir os portões se abriram lentamente, mas só parcialmente, de maneira que os homens e os cavalos foram obrigados a entrar devagar, um por um.

Van Owen entrou primeiro, procurando briga com Bosco.

— Onde ele está? — gritou para o capelão.

— O Lorde Redentor foi dormir, Redentor. Ele chamará o senhor após a missa de amanhã de manhã. Vou lhe mostrar seu quarto. Seus homens dormirão no saguão principal, que será trancado.

Espumando, Van Owen foi conduzido pela neve cristalina sem ser observado por seus homens, que estavam só interessados em colocar os cavalos nos estábulos e sair do frio. Mas uma pessoa o observou com atenção de uma janela alta. Quando o general terminou de andar irritado até o prédio principal, Cale acendeu uma vela de cera de abelha, foi à biblioteca, abriu a porta com uma chave que roubara de Bosco e procurou com cuidado nas estantes a pasta de Van Owen e um documento bem mais fino, "Táticas do mercenário lacônico". Depois se sentou na cadeira acolchoada da mesa de Bosco e começou a ler.

— Preciso estar de volta em Golan o mais rápido possível.

— Qual é a pressa, Redentor?

— Diga para o seu acólito se retirar, por obséquio.

— Meu acólito? — Bosco parecia perplexo. — Ah, este não é o meu acólito. Este é Thomas Cale.

Van Owen olhou para Cale, com expressão de quem estava ao mesmo tempo relutantemente impressionado e desdenhoso. Cale o encarou de volta, com uma expressão neutra.

— Se quer que ele fique — disse Van Owen —, fique à vontade.

— Eu quero.

— Agora, como o tempo é curto... — Van Owen fez uma pausa só para poder dar a notícia dramaticamente. — Há 8 mil mercenários lacônicos pagos pelos Antagonistas marchando pela planície costeira em direção às montanhas Golan.

— E você vai comandar a defesa das montanhas. — Era uma afirmativa em vez de uma pergunta.

— Não — falou Van Owen, claramente contente por ter pelo menos uma vantagem sobre Bosco. — Essa não é a minha intenção. Golan será a base para uma linha de frente de defesa das montanhas. Estou determinado a não permitir que essas criaturas inspirem o medo e a tensão que estão acostumadas. Um exército Redentor não tem o que temer de nenhum soldado, especialmente não desses sodomitas repugnantes. Eu tenho 8 mil homens da minha parte esperando em Golan, e amanhã eles ganharão o reforço de 10 mil hierofantes.

— Você não tem nada a temer, mas pretende ter uma vantagem de mais de dois homens para cada inimigo?

Van Owen sorriu, sentindo que havia surpreendido Bosco com sua ousadia.

— Você não é o único, Bosco, que acredita em novas táticas. Mas eu pretendo ser ousado sem correr riscos desnecessários.

— Sim — falou Bosco, como se estivesse admitindo. — É ousado.

Van Owen concordou satisfeito, porém em silêncio. Cale falou pela primeira vez.

— É loucura atacá-los na planície costeira.

— Você conhece bem o terreno, garotinho?

— Sei que é basicamente plano, e planície é planície onde quer que se esteja. Não há terreno melhor para os lacônicos lutarem. Se atacá-los lá, eles vão pensar que é o dia do aniversário de todos eles ao mesmo tempo. — Cale tinha ouvido a frase dos aniversários em Memphis e gostara de como ela soava. Como percebeu ao dizê-la em voz alta nos aposentos de Bosco, a frase tinha menos impacto quando usada por alguém que não comemorava aniversário. Lembre-se de que um Redentor tinha direito de matar um acólito que tivesse feito algo suficientemente inesperado. Sabe-se lá o que poderia ter havido se Van Owen tivesse ficado menos surpreso pelo tom de Cale ou vindo armado.

Bosco esticou o braço pela mesa e deu um enorme tapa na cara de Cale. Foi a vez de Cale ficar surpreso pelo choque e ficar sem ação.

— Peço que o perdoe — disse Bosco calmamente para Van Owen. — Eu o tenho mimado em nome de seus talentos pela glória de nosso Redentor, e ele se tornou convencido e insolente. Se nos dá licença, você terá toda a assistência e eu irei puni-lo. Sinto muitíssimo.

Tamanha humildade de seu inimigo era quase tão surpreendente quanto a grosseria de Cale. Van Owen se viu concordando estupidamente com a cabeça e, posteriormente, lá fora no corredor enquanto Bosco o conduzia à porta, que foi fechada assim que ele saiu.

O general Redentor se virou, mal respirando, e olhou para Cale. Não era uma visão agradável. O menino estava branco de fúria, uma expressão que Bosco jamais tinha visto antes, não só em Cale, mas em qualquer outra pessoa.

— Tem uma faca na gaveta bem à esquerda — disse Bosco. — Porém, antes de me matar, e eu sei que você é capaz disso, só me escute.

Cale não respondeu nem mudou a expressão, mas também não se mexeu.

— Você ia dizer algo que poderia ter mudado o mundo. Jamais — Bosco falou baixo, mas tremendo um pouco —, jamais interrompa seu inimigo quando ele está cometendo um erro.

Cale não se mexeu — mas, aos poucos, uma certa cor, um certo tom avermelhado anormal voltou ao rosto.

— Eu vou me sentar — falou Bosco. — Ali. Daí, quando eu acabar, você decide se me mata ou não. — Pela primeira vez desde que deu as costas para a porta, ele desviou o olhar de Cale e se sentou em um banco de madeira contra a parede. Os olhos de Cale perderam a expressão amarelada de cachorro raivoso à medida que recuperaram a humanidade.

Bosco soltou um longo suspiro e recomeçou a falar.

Cale levou 24 horas até aparecer no convento para contar a Henri Embromador o que acontecera.

— Faltou isso aqui — disse Cale, quase juntando o polegar e o indicador — para eu matá-lo.

— Por que não matou?

— Meu anjo da guarda, meu anjo da guarda me impediu.

Henri Embromador riu.

— Ele disse o nome? Porque eu quero agradecer a ele, esse seu anjo da guarda. Ele salvou a minha pele.

— Não fique muito contente, porque há más notícias também.

— Quais?

— Bosco fez uma barganha com Van Owen para levar a mim e os Purgadores com ele.

— Por quê?

— Como observadores. Bosco disse a ele que eu e os Purgadores, apesar do nosso sucesso na estepe, tínhamos muito o que aprender com um soldado como Van Owen. Isso e um suborno.

— Um suborno? — Isso deixou Henri Embromador de olhos arregalados. Talvez o coração humano chegasse a um ponto de conter tanto desprezo que não cabia mais. Isso certamente era o que parecia aos olhos de Henri Embromador quando ele pensava sobre os Redentores, mas ficou chocado com a simples ideia de um deles aceitar um suborno.

— Bosco ofereceu — disse Cale — o pé conservado de São Barnabé. Van Owen tem uma admiração pessoal por São Barnabé. Sabe aquela coisa que tira os malandros de Memphis do sério? Ele é exatamente assim. — Cale não teve coragem de contar a Henri Embromador que também teve que pedir desculpas a Van Owen. Foi necessário, mas angustiante.

Você tem que engolir, disse Bosco. Em breve, o verá fracassar, e isso vai valer a pena.

Tem certeza de que ele irá fracassar?

Não.

— Qual é a má notícia? — perguntou Henri Embromador.

— Você vai comigo.

— Eu? Por quê?

— Porque eu pedi por você.

— Por que diabos você fez isso?

— Porque eu preciso de você.

— Não precisa, não.

— Você deveria pensar melhor ao seu próprio respeito.

— Não há nada de errado na maneira como eu penso a meu respeito.

— Eu preciso de alguém que ouça as minhas ideias. Com quem mais eu posso falar?

— Eu não quero ir.

— Aposto que não quer. Aposto que prefere ficar aqui comendo um bando de taradas que pensam que você caga flores... mas não pode. É hora de acordar.

— Está bem! — berrou Henri Embromador. — Está bem! Está bem! Está bem! — Ele bufou como um cavalo irritado e xingou. — Quando?

— Amanhã, como ele propôs.

— Por que Bosco está me deixando ir?

— Porque ele acha que nenhum de nós vai abandonar as garotas.

— E vamos?

— Não sei. O que você acha?

Henri Embromador não deu uma resposta imediata.

— Pelo menos isso explica por que ele nos deixa aproveitar os pecados da carne.

— Isso explica por que ele permite que você aproveite os pecados. Bosco me deixa vir aqui porque é impossível corromper a Fúria de Deus.

— E é isso que você é?

— O que você acha?

— Você vive me perguntando isso.

— Porque quero saber. Eu dou valor à sua opinião, já disse. — Houve uma pausa. — Falando nela, o que você acha de eu trazer o meu acólito, Model, para o convento antes de irmos?

— Por quê?

— Seria uma bondade. Quem sabe o que acontecerá conosco? Ele pode nunca ter a chance de ver uma mulher.

Henri Embromador olhou para ele, furioso agora.

— Elas não são animais no zoológico de Memphis. Elas não pertencem a você para que as empreste para seus amigos.

— Está bem, guarde a faca. Não me lembro de você ter tido algo contra quando foi a sua vez.

— Não é a *vez* de ninguém com elas.

— Como queira. Bom Deus! Foi só uma ideia.

Henri Embromador não respondeu.

No dia seguinte, passadas duas horas do início da jornada para as montanhas Golan, Henri Embromador estava triste, com frio e muita, muita saudade das adoráveis garotas que deixara para trás, todas chorando exceto sua favorita Vincenza, que o beijou nas bochechas e depois levemente nos lábios. Ele tremeu, e não foi de frio, ao se lembrar do que ela tinha sussurrado em seus ouvidos entre aqueles beijos delicados. Ela, de longe a mais esperta das garotas, estava marcando Henri como dela.

— Volte para mim, e vou mostrar uma coisa que você nunca viu antes.

Henri Embromador sentia uma falta tremenda delas — e quem poderia culpá-lo? Se havia um paraíso, como ele seria melhor do que a vida no convento? Exceto, é claro, por não estar cercado pelo inferno. E este era o problema dos problemas — Henri Embromador sabia que estava disposto a atravessar o inferno para voltar para as garotas, mas não era possível. Só havia uma pessoa com a habilidade necessária, o perigo, a violência e a fúria.

Foram precisos mais seis dias até chegarem a Golan, uma grande cadeia de montanhas com cerca de 65 quilômetros de extensão e a essa mesma distância do palácio oficial do papa na cidade sagrada de Chartres, cujo flanco direito protegia. O flanco esquerdo de Golan levava às Macmurdos Orientais, montanhas intransponíveis para qualquer exército até que descessem 320 quilômetros mais adiante para um desfiladeiro, Buford's Gap, disputado pelos lacônicos e pelos neutros suíços. Esta era a única fraqueza nas defesas naturais dos Redentores a leste de Golan. Se os lacônicos de fato concordaram em se juntar aos Antagonistas, esse desfiladeiro seria por onde atacariam. À esquerda de Golan, Chartres e os vastos territórios dos Redentores atrás da cidade eram protegidos pelos Fronts — uma fileira de trincheiras, às vezes com 3 metros de profundidade, que se estendia por 800 quilômetros até a próxima defesa natural: o mar de Weddell. Por tempos imemoriais, os Antagonistas viveram encurralados por essas duas grandes defesas, natural e feita pelo homem. Só a fortuna em prata descoberta em Argentum seria suficiente para persuadir os lacônicos a colocar um exército inteiro em campo, porque a política deles era jamais alugar os serviços de mais de trzentos soldados ao mesmo tempo como forma de proteger seu maior recurso de um desastre. Também tiveram que ser subornados a arriscar uma guerra com os suíços pela posse de Buford's Gap, normalmente um lugar de pouca importância estratégica para ambos os lados.

Não foi fácil o avanço dos lacônicos para Golan. Normalmente um local de invernos amenos que faziam valer a pena contemplar uma campanha tão fora de época se o dinheiro fosse bom, eles avançaram pelo frio simplesmente no pior inverno na memória de todos. Os caminhos tortuosos, o tempo ruim, os dias cruéis, as noites insuportáveis, Bosco assegurou a Van Owen que o atraso no Santuário não importaria porque por mais que o tempo estivesse ruim no Penhasco de Shotover, ele estaria pior para os lacônicos tentando avançar pela planície costeira. Nas raras ocasiões que nevava lá, os ventos que percorriam os amplos espaços abertos formavam grandes correntes de ar. Os lacônicos podiam encarar mais adversidades que qualquer outro homem, mas não eram capazes de voar, então ficaram presos onde estavam com sua sopa negra e os pobres hilotas que morriam de frio às dezenas.

Assim que chegaram a Golan, Van Owen arrancou o couro de Cale e Henri Embromador, mandando que fizessem todas as tarefas desagradáveis e sem sentido que conseguia arrumar para os dois, o que não foi difícil, pois andar pelos ventos congelantes era tortura mesmo no desempenho da tarefa mais simples. Van Owen manteve os Purgadores nos piores e mais frios alojamentos e forneceu as menores provisões possíveis.

— Quem são essas pessoas? — perguntou Van Owen para Cale a respeito dos arredios Purgadores. — Não gosto do jeito deles. Tem algo de errado aqui.

Apesar de saber que Bosco estava certo e que revelar qualquer coisa para alguém que lhe queria mal era prova de infantilidade e podia facilmente causar a morte, enquanto que manter a boca fechada podia ser a diferença entre a vida e a morte, Cale simplesmente não conseguiu evitar.

— Do pau torto da humanidade, Redentor, jamais se fez algo reto. — Esse talvez fosse o ditado mais famoso de São Barnabé, aquele do pé conservado. E da devoção especial de Van Owen.

— Você está bancando o engraçadinho?

— Não, Redentor.

— Então, pergunto outra vez. Quem são essas pessoas?

Outro famoso ditado de São Barnabé era: uma verdade contada com má intenção vence todas as mentiras que a pessoa invente. Cale sabia disso porque tinha pesquisado uma biografia do santo na biblioteca na noite anterior à partida do Santuário. Ficou impressionado com o ditado sobre a verdade porque achou que São Barnabé expressou algo que ele aprendera sobre contar mentiras quando ainda era só um garotinho.

— São homens que estão expiando seus pecados através de atos especiais de bravura. Mais do que isso eu jurei diante do pé de São Barnabé que não vou dizer.

Se Van Owen estivesse mais acostumado a ser debochado por acólitos, poderia ter percebido mais facilmente que estava sendo caçoado. Foi um erro exagerado, pensou Cale, e assim que falou ele odiou a própria estupidez. Deus sabe o que podia ter ocorrido se Van Owen estivesse familiarizado com a pilhéria de jovens abusados. Van Owen não tinha certeza do que pensar a respeito do menino desagradável à sua frente (a não ser que não gostava dele). Meninos santos não eram uma coisa sem precedentes, embora ele mesmo jamais tivesse conhecido um. Geralmente eram santos porque tinham morrido ao provar a santidade e, portanto, eram incapazes de virar um transtorno. Não havia um menino guerreiro especialmente reconhecido como escolhido por Deus desde São Johan, havia trezentos anos — e ele havia morrido de varíola alguns anos depois de derrotar os Cenci em St. Albans, o que fora muito conveniente. Uma coisa era ser um menino escolhido que tinha belas visões da mãe do Redentor e dizia profecias incompreensíveis que pudessem ser interpretadas por cabeças mais inteligentes de maneira útil — mas ser um cordeiro ambíguo em pele de lobo, especialmente um que estivesse no bolso de Bosco, era outra coisa bem diferente. O problema de Van Owen era ser mais do que um sujeito ardiloso, ambicioso e egoísta (o que ele era, definitivamente); o general também era um fiel devoto do Redentor Enforcado. E se o cretino detestável diante dele não fosse só um selvagem fanfarrão com talento para a carnificina, mas sim um abençoado por Deus? Cometer um erro nessa questão ia além da política; poderia envolver sua alma imortal.

Esse tempo ruim fora do comum que trouxera a neve mudou tão rápido quanto surgiu. Os ventos cortantes e gelados do norte foram substituídos por ventos mais quentes do leste que fizeram a neve derreter em menos de três dias. A terra da planície costeira era clara e coberta por musgos, e as fendas e folículos das rochas abaixo do solo drenavam a água do degelo tão facilmente como se fossem a banheira com o ralo destampado de um dos palácios de Memphis.

Ocupado com preparativos, Van Owen não tinha tempo de pensar sobre Cale e, logo que possível, este arrastou Henri Embromador com ele para buscar mais comida para os Purgadores.

— Deixe que passem fome — disse Henri Embromador. — Deixe que congelem. Espero que peguem peste suína, que se contorçam ao queimar no mármore do inferno.

— Controle-se, Henri Embromador. Mais cedo ou mais tarde a sua vida e, mais especificamente, a minha vão depender deles.

Foi durante uma daquelas tarefas inúteis, a vigilância desnecessária de um carroção trazendo combustível das minas de carvão de Sluff a cerca de 15 quilômetros ao sul de Golan, que aconteceu um evento fora de série. Forçados a desviar do caminho ao voltar para Golan por causa de uma pequena avalanche que bloqueara a estrada principal, os dois se viram passando perto das terríveis fundições que dependiam das minas de carvão para o calor da produção de ferro e do aço, que era raro, tão mais caro e difícil de fabricar que quase nunca era usado pelos Redentores. Ao passarem por um morro baixo, Cale e Henri Embromador viram a grande pilha embaixo quase ao mesmo tempo. Os dois controlaram os cavalos e olharam para ela em silêncio, chocados, horrorizados. Jogadas em uma enorme pilha açoitada pelo vento e só parcialmente coberta pela neve estavam as armaduras dos Materazzi usadas no grande desastre da colina Silbury. De longe a pilha se parecia com um grande amontoado de cascos de alguma criatura marinha de forma humana, vazios e descartados como cascos de lagostas e caranguejos abandonados ao lado de barracas de frutos do mar na baía de Memphis. Em cinco minutos eles chegaram aos portões do depósito onde dois velhos estavam parados diante de um braseiro se aquecendo enquanto observavam meia dúzia de homens enchendo um carroção com pedaços da grande pilha de armaduras à frente.

— O que está acontecendo?

O homem mais velho olhou para Cale se perguntando se valia a pena ser insolente com o menino Redentor. Ele tomou uma atitude moderada.

— Estas são as armaduras daquela vitória contra os Mazzi. Onde eles estão agora com todo aquele orgulho? — A seguir, acrescentou humildemente: — Viraram pó.

— Para onde estão sendo levadas?

— Para serem derretidas. Ali. Na grande fundição. Não está funcionando agora, não tem carvão suficiente, entendeu, com o tempo do jeito que está.

Os homens na carroça estavam trabalhando rapidamente, não por zelo, mas para tentar se aquecerem. Um deles cantava ao trabalhar, uma mistura blasfema de um dos hinos mais reverenciados dos Redentores com uma canção de bar.

> AAAAH Morte, Julgamento, Céu e Inferno
> As últimas quatro coisas a que me apego
> Mas prefiro pensar em Marie, a vadia loura
> E no que ela faz com uma cenoura!

Os demais, congelando, continuaram a desmantelar as armaduras peça por peça, obviamente sem escutar, cortando as correias de couro que não haviam apodrecido e depois jogando as partes mais leves na carroça — manoplas retiniram, capacetes e placas traseiras repicaram, braceletes e cotoveleiras bateram e provocaram uma barulheira ao se agitarem uns sobre os outros enquanto enchiam a carroça. Um dos homens notou Cale e Henri Embromador.

— Cala a boca, Cob! — O cantor parou imediatamente, o bom humor magicamente substituído por uma atenção hostil.

Cale ficou parado e observou Henri Embromador andar até a pilha.

— É um dólar se quiser olhar, parceiro — disse um dos homens.

— Cale a matraca — falou Henri Embromador com gentileza.

— Sua presença não é permitida aqui.

— E agora são dois dólares — disse o cantor.

— Não se preocupe — falou Henri Embromador. — Vou lhe dar o que merece.

Cale foi até os homens e pagou um dólar sem falar nada. O que deixou Henri Embromador tão tenso?

— Nós concordamos que eram dois dólares.

— Não abuse da sorte.

Ele deu as costas para os homens que pareceram concordar que realmente abusar da sorte não era boa ideia. Cale observou Henri Embromador andar entre as armaduras espalhadas ao longo da base da grande pilha e se abaixar para pegar um capacete meio amassado. Tinha um símbolo esmaltado acima do protetor nasal, só um pouco maior que o polegar de um homem — um quadriculado rubro-negro e três estrelas azuis.

— Este é o brasão de Carmella Materazzi. — Ele apontou com a cabeça para outro capacete igualzinho, mas mesmo debaixo da sujeira dava para ver que era um modelo claramente bem novo. — E aquele deve ser do filho dele. Ouvi que ambos tinham morrido, mas ninguém sabia ao certo. Kleist roubou a carteira do moleque e depois recebeu dez dólares quando devolveu e disse que tinha achado em Sally Gardens. — Ele pousou o capacete com cuidado no chão, andou até o limite da pilha e pisou alto como se fosse escalar. Com um grande puxão, Henri arrancou outro capacete, este com uma pluma desgrenhada, nojenta, rasgada, desbotada pela exposição ao inverno severo. — Achei que tinha reconhecido. Este — disse ele, estendendo o capacete para Cale — pertenceu àquele merdinha Lascelles. Ele me deu um tapa na orelha uma vez por estar em seu caminho.

— Bem, isso vai mostrar o que é bom para ele.

Henri Embromador riu.

— Você está certo. É a maldição de Henri para qualquer um que me trate mal. — Ele abriu e fechou o visor do jeito que viu os titereiros fazerem no mercado de Memphis. — Cadê essa sua valentia agora, parceiro?

Ele olhou ao redor da grande pilha. No fim das contas, Memphis tinha sido muito divertido.

— É uma pena — disse ele, finalmente — não fazer algum uso disso. Deus, tem uma fortuna aqui.

Os homens, que fingiam com cuidado que não estavam ouvindo, não conseguiram se segurar ao escutar isso.

— Quanto, senhor?

— Dez mil dólares? Quinze?

— É mentira.

Cale e Henri Embromador riram alto ao ouvir isso.

— Sinto muito, senhor, mas não é possível.

— Como quiser. Mas olhe para o estado da pilha. Além disso, quase não sobrou alguém vivo que consiga usar isso. São necessários anos para aprender a se mover nessas camadas de metal. Que não serviram de nada para eles, de qualquer forma. Usar armadura sempre tem um preço.

— Ainda assim — falou Henri Embromador —, é loucura deixar tudo isso ser derretido.

— Por quê? Vai escurecer em três horas. É melhor irmos.

Ao se afastarem, um dos homens chamou os dois pelas costas.

— Para onde levamos isso, senhor? Só nos diga, e nós sempre iremos nos lembrar dos senhores em nossas preces.

Na grande despensa de Mantimentos do Bendito Honório, nas escarpas posteriores de Golan, Cale pediu duas peças de bife com uma requisição roubada do alojamento de guerra de Van Owen e a assinatura forjada de seu intendente.

— E se ele descobrir que foi você?

— Com sorte ele estará morto antes disso.

— E se ele vencer, ou mesmo se sobreviver?

— Não acho que vai conseguir... detê-los, quero dizer.

— Foi o que pensamos na colina Silbury.

Como se pode imaginar, não é fácil trazer duas carcaças para um quartel sem chamar atenção — mas havia tanta agitação no local, e eles tomaram o caminho mais longo depois de esperar até quase o anoitecer, que a comida, juntamente com nabos para todos, foi entregue a salvo e recebida pelos Purgadores com uma gratidão boquiaberta. Tudo estava assando e cozinhando em um minuto. Cale também seguiu o exemplo de Bosco e colocou um pedaço de madeira que arrancou da fundação do alojamento de Van Owen dentro de uma pequena caixa de latão de que havia gostado ao encontrá-la em um corpo na estepe. Ele alegou para o carvoeiro que era uma lasca da verdadeira forca onde o Redentor Enforcado fora sacrificado. Em troca, recebeu 14 sacas de carvão e um feixe de lenha. Cale e Henri Embromador assistiram aos felizes Purgadores comerem e se aquecerem em frente às fogueiras como se fossem crianças mimadas.

— Faz bem para o coração — disse Cale, sorrindo. O problema é que Henri Embromador não conseguiu se controlar, apesar de o coração gritar contra. A questão é que de fato fez bem ao seu coração ver homens cujos irmãos de fé o haviam perseguido e acossado a vida inteira. Naquele momento em que os Purgadores sentiam grande prazer em estarem quentes e bem alimentados, calor e comida que Henri Embromador providenciara e pela qual eles agradeceram de maneira tão ridícula, ele começou a perceber uma ligação com os

Purgadores como se uma linha estivesse sendo esticada entre eles, unindo todo mundo. Henri Embromador não queria isso.

— Como posso sentir pena deles? — ele sussurrou triste para Cale, enquanto a tenda grande, porém malfeita, onde se sentavam se agitava com a luz, a alegria e a imensa satisfação que só pés quentes e um estômago cheio conseguem promover. Cale olhou para Henri Embromador.

— Cuidado com as lágrimas, você pode se afogar.

Na manhã seguinte, os dois estavam prontos para partir antes de surgir a primeira luz. À medida que o céu começou a clarear, estavam montados e longe do acampamento de Golan, que agora se espreguiçava como um cachorro grande enquanto começava o último dia de preparativos.

Acostumados a vê-los entrando saindo e com Cale sendo muito admirado pela reputação das vitórias na estepe, os guardas acenaram com a cabeça quando os dois passaram para o caminho que levava à planície costeira. Começou o som dos sinos chamando os Redentores para a missa, e os vira-latas latiram enquanto eles desciam. Em meia hora Cale e Henri Embromador se deslocavam rapidamente, mas com atenção, pela planície fácil de cavalgar. Aqui e ali, havia áreas onde a neve permanecia teimosa, mas eram menores e mais escassas à medida que se afastavam da altitude.

— Não importa — falou Henri Embromador quando eles pararam por alguns minutos para dar descanso aos cavalos —, eu não quero saber como os lacônicos são durões. Mesmo que esteja quente agora, seis noites em campo aberto com um frio assim são capazes de abalar a valentia.

— Pode ser — respondeu Cale. Com os cavalos descansados, eles montaram novamente e cavalgaram devagar. Se encontrassem cavaleiros lacônicos dando uma batida, os dois preferiam que os animais estivessem descansados. O que Cale queria saber era como era o terreno, como o degelo afetava o solo, se havia gargalos para defender ou atacar. Solo lamacento, o que era de se esperar, seria uma desvantagem... e talvez uma bem grande para os lacônicos, que, apesar de outras habilidades, sempre tentavam se aproximar dos inimigos e usar a capacidade para lutar em blocos com dez fileiras de homens para sobrepujá-los com força, selvageria e a capacidade singular de deslocar esses blocos como se fossem dançarinos em uma tropa, em vez de soldados.

— Eles dançam muito, dizem os testemunhos.

— Quando não estão tomando no traseiro.

— Nunca se sabe, de acordo com os testemunhos eles têm uns tipos de cerimônias, quero dizer em público, onde fazem todas as práticas de Gomorra em um ritual como nos feriados.

— Seu mentiroso!

— Não estou falando que é verdade, só contando o que os testemunhos dizem.

— Melhor não sermos capturados então.

— Melhor não. De qualquer forma, você vai ficar bem.

— O que quer dizer?

— Você é feio demais.

— Não é isso que as garotas do Santuário dizem.

— O que dizem, então?

— Dizem que sou lindo, absolutamente lindo.

Rindo, eles cavalgaram em silêncio por quase dez minutos.

— Você o vê?

— Sim. Ele não está exatamente se dando muito ao trabalho de se esconder.

Por vários minutos, um cavaleiro esteve seguindo os dois a algumas centenas de metros de distância e surgiu detrás de uma elevação rasa, porém alta o suficiente para escondê-lo se ele não quisesse ser visto.

Ouviu-se um estalo alto quando Henri Embromador começou a engatilhar a besta leve pendurada em sua sela de tal forma que o cavaleiro não pudesse ver que ele estava se armando.

— Vamos voltar.

Cale concordou com a cabeça e começou a dar meia-volta com os cavalos. O cavaleiro parou por um momento e começou a seguir.

— Se ele chegar mais perto de você, é hora de recarregar. Dispare perto dele.

— Por que eu simplesmente não disparo nele?

— Para quê? Basta rechaçá-lo.

Henri Embromador ergueu a besta, mirou e deu o tiro de alerta. O cavalo empinou quando a seta passou voando, mais perto do que era a intenção de Henri Embromador. Porém, afinal de contas, ele também estava a cavalo e sem prática. Os dois garotos pararam e observaram.

— Oi — gritou o batedor lacônico. — Se importariam se eu trocasse uma palavra?

Cale parou e virou o cavalo enquanto Henri Embromador terminava de recarregar.

— Está pronto? — perguntou ele.

— O que você está fazendo? Essa não é a hora para uma conversinha.

— Eu não concordo. Podemos não ter outra chance.

— Avance! — gritou Cale. — E mantenha as mãos onde possamos vê-las. Meu amigo aqui não errou da última vez e não vai errar dessa também.

— Palavra de honra — gritou o cavaleiro, rindo.

— Os sodomitas têm alguma honra? — perguntou Henri Embromador.

— Por que pergunta para mim?

— Avance. Devagar — berrou Cale. — Tente alguma coisa e vai chorar em vez de rir.

O cavaleiro avançou como mandaram até chegar a mais ou menos 10 metros.

— Aí está bom.

O cavaleiro parou.

— Linda manhã — falou ele. — Deixa a pessoa feliz de estar viva.

— O que você não vai estar — disse Henri Embromador —, se tiver amiguinhos planejando se juntar a nós. Posso acertar você e voltar para a nossa patrulha antes que caia no chão.

— Não há necessidade disso, meu caro — falou o jovem, com a barba feita e o cabelo trançado com contas de maneira elaborada.

— O que você quer? — perguntou Cale.

— Pensei que poderíamos conversar.

— Sobre?

— Vocês são Redentores, não são?

— Pode ser. Em que isso lhe interessa?

— Perdoe a franqueza, mas vocês não são um pouco jovens para estar por aí quando vai haver tanto sangue e gritaria?

— Eu pensei que os lacônicos fossem de poucas palavras — disse Cale.

— Geralmente, é verdade. Mas o mundo seria triste, não é, se todos fôssemos iguais?

— Você é da Criptia?

O homem pestanejou e virou o rosto. Ele sorriu.

— Pode ser. Você é muito bem informado, se me permite dizer.

Cale deu uma olhadela rápida para trás e para os lados a fim de verificar o que podia acontecer, sabendo que Henri Embromador estava mirando no peito do homem.

— Seu amigo com a besta tem nervos firmes?

— Não sei dizer, para falar a verdade — respondeu Cale. — Então eu ficaria parado se fosse você. Já perguntei: o que quer?

— Só pensei que poderíamos ter uma conversa.

— É assim que estão chamando isso agora? — perguntou Henri Embromador.

— Não sei se entendi — respondeu o jovem, embora ele claramente reconhecesse deboche.

— Eu não o distrairia, se fosse você — disse Cale —, não quando essa coisa está apontada para o seu peito. — O jovem olhou para Cale, achando divertido e nem um pouco nervoso.

— Seu nome, jovem?

— Você primeiro.

— Robert Fanshawe. — Ele abaixou a cabeça, mantendo os olhos em Henri Embromador o tempo todo. — Seu criado até o fundo do poço do inferno.

— Dominic Savio — falou Cale, dando um aceno de cabeça perceptível só para uma águia dotada de uma visão especialmente aguda. — E é para lá que você vai se fizer alguma coisa de que meu amigo aqui não goste. Estou sempre reclamando com ele de sua impulsividade, por falar nisso.

— Prazer em conhecê-lo, Dominic Savio.

— O prazer é todo seu.

Mas então surgiu algo estranho, um brilho de alguma coisa nos olhos de Fanshawe. O cavalo de Cale, inquieto por algum motivo, começou a se mover para o lado. Ele deu mais um passo.

— Calma! — Mas Cale não era um grande cavaleiro, e o cavalo andou do mesmo jeito. O casco pareceu afundar na mistura meio arroxeada de tiririca e grama e, a seguir, o próprio solo se ergueu como se fosse uma criatura procurando por sua presa. Gritando de terror e sem equilíbrio, o cavalo empinou e jogou Cale no chão com um grande baque, tirando seu fôlego com tanta força que ele só ficou de costas gemendo. Então surgiu o borrão de um movimento conforme um homem rolava debaixo da tiririca e agarrava o atordoado Cale. O sujeito o puxou para cima do próprio corpo como um escudo e colocou uma faca em sua garganta.

— Calma! Calma! — gritou Fanshawe para Henri Embromador, que, tão assustado pelo fato quanto pela velocidade com que ocorreu, não tinha disparado. O que foi bom: se tivesse disparado, certamente teria matado Fanshawe, mas também Cale.

— Calma! Calma! — repetiu Fanshawe. — Todos nós podemos sair vivos dessa situação. Me deixe explicar.

Henri Embromador, tremendo, falou:

— Vá em frente.

— Eu tinha acabado de deixar meu parceiro debaixo daquilo ali — ele olhou para o pedaço de pano de 1,80 por 1,20 metro coberto por tiririca e grama costuradas na superfície — quando vi vocês indo diretamente para ele.

Pensei em seguir para garantir que passassem, mas vocês chegaram perto demais. Naquele momento eu notei que não tinham idade para serem soldados. Pensei em atraí-los para longe. Errei novamente, hein? — Fanshawe sorriu, esperando acalmar Henri Embromador. Ele parecia, pensou Fanshawe, uma combinação perigosa: nervoso, mas sabia o que estava fazendo. — Nós podemos sair vivos dessa situação — repetiu Fanshawe. — Basta abaixar a besta, e meu amigo aqui vai soltar Dominic.

— Você primeiro — falou Cale. — Eu falei para você.

— Eu vou cortar a garganta desse garotinho e depois vou para cima de você! — disse o homem segurando Cale.

— Vamos todos ficar calmos! Agora eu vou pedir para o meu parceiro aqui colocar Dominic de pé e a partir daí a gente continua, certo?

Henri Embromador concordou com a cabeça.

— Vou contar até três. Um, dois, três.

Dito isto, o homem que segurava Cale o levantou até que ambos estivessem de pé — a faca no pescoço dele jamais cedeu um milímetro.

— Que beleza — disse Fanshawe. — Estamos nos dando muitíssimo bem.

— E agora? — falou Henri Embromador.

— Agora é complicado, admito. E se nós... — Dito isto, Cale levantou o pé direito, acertou a canela do homem que o segurava enquanto metia o cotovelo em suas costelas e agarrava o pulso, torcendo com toda a força. O grito do homem foi sufocado pelo ar saindo dos pulmões. Rápido como um galgo, Cale se desvencilhou, deu outra cotovelada no antebraço do homem e tirou a faca de seus dedos. Para a surpresa de Cale, o sujeito ainda conseguia se mexer. O homem bloqueou a facada de Cale e desferiu um soco na lateral da cabeça dele. Com um grito de dor, Cale deu um passo para ganhar espaço e golpear novamente. Ao esfaquear o peito do oponente, o homem desviou uma, duas vezes e novamente outra, para depois chutar a canela esquerda de Cale e tirar seu pé do chão, fazendo com que ele caísse apoiado em um joelho. Outro golpe possante do homem, que se tivesse acertado teria quebrado todos os dentes de Cale, mas ele desviou, e os nós dos dedos do sujeito passaram raspando pelo ponto mais baixo do queixo. Cale estava de pé agora enquanto o oponente perdia o equilíbrio pelo golpe errado e se afastava. Ficaram parados, Cale com a faca e a vantagem, se encarando e esperando a oportunidade para atacar.

— Parem! Podemos parar aqui! Diga para ele! — gritou Fanshawe para Henri Embromador. — Todos nós podemos ir embora em paz. Ninguém precisa morrer aqui.

— Dá no mesmo para mim — disse o homem, olhando feio para Cale.

— Para mim, não — berrou Fanshawe. — Faça como estou mandando, diabos, e se afaste. Obedeça ou, por Deus, eu vou aí ajudá-lo.

Treinado mais para obedecer do que para matar, aos poucos o homem recuou passo a passo, com cautela.

— Parabéns. Para cada um de nós. Monte atrás de mim, Mawson. — Ele olhou para Henri Embromador. — Posso, meu querido?

— Eu não sou seu querido.

Fanshawe pegou as rédeas e passou o cavalo para Mawson, que ainda continuava olhando para Cale como se estivesse em dúvida se comia primeiro seu coração ou o fígado.

— Monte atrás de mim, Mawson.

— Minha faca — falou Mawson. Fanshawe suspirou e olhou para Cale com uma expressão cansada de eles-não-têm-jeito.

Cale deu as costas, ergueu a faca e atirou com uma força considerável a cerca de 40 metros na direção que queria que eles tomassem.

— Muito agradecido — falou Fanshawe. Sem receber uma ordem, Mawson, agora sem a expressão neutra de um assassino experiente, pegou o cobertor de tiririca e pulou atrás de Fanshawe com tanta facilidade e graça como se tivesse puxado uma cadeira para se sentar ao jantar. Ele parecia mais jovem agora.

— Até nos encontrarmos novamente, meninos — falou Fanshawe. Dito isto, ele virou o cavalo e, parando só para deixar Mawson recuperar a faca, os dois logo estavam a 500 metros de distância e atrás da elevação de onde Fanshawe tinha surgido havia apenas dez minutos.

— Não acho — disse Henri Embromador — que eu sirva para esse negócio.

— Você foi maravilhoso — falou Cale. Dito isto, ele saiu para recuperar o seu cavalo, e os dois cavalgaram de volta a Golan o mais rápido possível.

Fanshawe e Mawson, no entanto, não foram para muito mais longe do ponto onde os meninos os viram sumir atrás da elevação. Os dois acharam um pequeno canal e, após pousarem o cobertor de grama e tiririca debaixo deles, se entregaram com empolgação à bestialidade lacônica.

Era a noite da véspera da Batalha dos Oito Mártires, chamada assim porque, pelos últimos seiscentos anos, esse número de Redentores dera a vida pela fé dentro ou ao redor do que seria o campo de batalha. Não era de forma alguma questão de sorte que já houvesse um lugar de conflito consagrado pelo sangue de mártires. Os Redentores eram tão odiados por seus vários adversários que, ao longo de centenas de anos, havia poucos lugares onde um ou mais deles não tivessem sido enforcados, decapitados, partidos ao meio, desmembrados, esganados, garroteados ou crucificados. Havia uma variedade vergonhosa de nomes para os Redentores batizarem campos de batalha homenageando santos martirizados. Na verdade, praticamente não havia uma troca de socos em um vilarejo que não pudesse ser batizada em homenagem a um Redentor martirizado.

Não pediram que Cale participasse das últimas instruções para a batalha, mas também não o excluíram. Observando à espreita atrás do alojamento de Van Owen com Henri Embromador, esperando que um grupo se formasse diante da porta para entrar sem ser notado, Cale sussurrou para ele:

— O que eu tenho que fazer?

— Manter a boca grande fechada.

— Certo.

Quando cinco ou seis Redentores subalternos chegaram, Cale entrou seguindo-os de perto e foi para o canto mais escuro e cheio de gente da grande sala, que de qualquer forma só era bem iluminado onde um grande plano de batalha estava pendurado na parede.

Para a grande decepção de Cale, Van Owen não descreveu nada especialmente estúpido em termos de táticas. Também não houve nada interessante além do uso de armadura mais pesada para a primeira fileira de Redentores que tomaria o tranco inicial do contato com os lacônicos. Cale teve que admitir que, dado o pouco que Van Owen sabia sobre a estratégia de campo dos lacônicos — ele não tinha, é claro, acesso aos testemunhos da biblioteca de Bosco —, era difícil criticar qualquer uma de suas decisões. A única pequena satisfação de Cale foi olhar com desprezo o tamaninho da reserva de Van Owen. Dada a vantagem de dois para um, ele achou que Van Owen deveria manter de reserva uma porção maior do exército para ter a opção de lidar com qualquer situação inesperada.

— Por outro lado — disse Henri Embromador, depois de Cale ter escapado sem ser visto em meio à agitação geral da saída para os preparativos do dia seguinte —, suponha que ele enfraqueça o primeiro ataque por não usar a vantagem numérica. Deixar uma reserva muito grande é como dividir forças. Não sei se eu faria muito diferente no lugar dele.

— Ninguém perguntou para você.

— Você perguntou, por acaso.

— Bem, agora eu sinto muito e rezo a Deus por perdão.

— É mesmo? Ainda reza, quero dizer?

Cale não respondeu.

— Então?

— Sim, ainda rezo. — Houve uma pausa. — Rezo para ser salvo do mal e por ter quer olhar para a sua cara feia o dia inteiro.

— Eu? Eu sou lindo. Você mesmo disse.

Quando eles voltaram à tenda dos Purgadores, havia uma mensagem de um dos assistentes de Van Owen: Cale e seus homens podiam observar a batalha se quisessem, mas tinham instruções para ficarem longe do centro de comando e do campo de batalha. Sob nenhuma circunstância e de maneira alguma eles deveriam interferir.

Isso foi uma notícia excelente. O único medo de Cale era que Van Owen o incluísse em algo perigoso por maldade. Ficou claro que, em caso de vitória ou de derrota, ele não queria arriscar que Cale aumentasse sua reputação. Cale escreveu de volta repetindo a ordem e foi alegremente dormir.

Ele deu folga para a maioria dos Purgadores no dia seguinte, algo de que eles sempre gostavam, mas saiu na alvorada com Henri Embromador e dez homens. Quando os portões se abriram, o pequeno grupamento passou pelo exército, que se espreguiçava para a ação do dia. Avançaram pela frente do Campo dos Oito Mártires, sendo praticamente ignorados por homens que tinham mais coisas em mente, e cavalgaram para o norte, até um pequeno barranco com uma bela vista para o campo de batalha que haviam marcado antes do encontro com Fanshawe. Cale mandou os soldados verificarem os arredores em busca de postos avançados dos lacônicos montados desde que estiveram ali pela última vez e confirmou duas rotas de fuga caso as coisas dessem errado. Então subiram o barranco e esperaram em silêncio o dia começar. Os lacônicos já estavam reunidos livremente no fim da planície, sem nenhuma formação disciplinada, como uma multidão em uma grande quermesse fora do comum, observando a disposição dos Redentores.

Primeiro vieram os Cordélias Negras, 3 mil homens com armaduras cobertas de púrpura e preto, de onde tiraram o nome. Mesmo a alguns quilômetros de distância no barranco, o vento trouxe trechos de um hino. Os meninos riram e começaram a cantar junto, debochando.

> Lembre-se, homem, ao passar
> Eu já estive onde você está
> Como estou agora, você também deve ficar
> Preparado para a morte e me acompanhar
> Hoje fui eu, amanhã é a sua vez
> De virar pó, a mesma insensatez
> A verdade da Morte é horrível
> O último suspiro é terrível.

Os dois garotos ficaram quase histéricos de alegria — observando os inimigos, fosse qual fosse o resultado, indo para a morte enquanto eles assistiam sãos e salvos. Henri Embromador lembrou uma canção que os criados no palácio de Arbell Pescoço de Cisne costumavam cantar. Ele levou um instante para lembrar a melodia e esqueceu os primeiros versos.

Ah! Morte onde está vosso ding-ling-lim?
Ah! Que vitória tão grave assim?
Os sinos do inferno fazem ding-ling-lim
Não por você, mas por miiiiiiim!

O vento devia ter mudado um pouco, porque os hinos iam e voltavam a ser ouvidos, mas o que impressionava e tomava conta da formação era o gigantesco incensório do tamanho de um sino de catedral que os Cordélias Negras sempre levavam para a batalha. Ele balançava para trás e para frente, o incenso subia em um grande pilar de fumaça.

Ainda assim, os lacônicos andavam em frente ao acompamento como uma multidão assistindo a um desfile pouco interessante. Agora chegava o segundo exército de Golan, com suas cinco confrarias, somando 6 mil soldados ao todo: os escravos do Imaculado Coração, os Pobres Simãos da Perpétua Adoração, os Norbetinos, os sombrios Oblatos da Humilhação e então, a mais sinistra de todas, a Irmandade da Misericórdia. Pela próxima hora ocorreu a disposição do exército Redentor: roupas douradas, insígnias vermelhas, estandartes púrpura, as varas dos confissores, as frondes rosa dos frades médicos que não podiam tocar nos moribundos até serem chamados a dar a extrema-unção. Tudo ao som de gaitas de fole, em volume alto o bastante para desafiar o vento que sempre mudava de direção, a que Van Owen, observando do promontório que se projetava de Golan, faria um sinal para que agissem como sua voz assim que a batalha começasse e os hinos parassem, cada confraria com seu som particular e as próprias instruções para avançar, virar ou recuar.

Agora que os Redentores estavam meio alinhados para atacar, os soldados lacônicos começaram a se mover, mas ainda com a mesma falta de intensidade com que pareciam observar anteriormente. Porém, em menos de três minutos, eles formaram uma série de quadrados irregulares como se surgissem do nada. Mas então pareceu que os lacônicos perderam o interesse novamente, os grupos permaneceram bastante definidos, mas ainda sem precisão ou sem a disciplina marcial de tropas formais. Eles observaram novamente enquanto o segundo exército dos Redentores terminava a própria formação — uma linha contínua de Cordélias Negras na frente e mais cinco fileiras das demais confrarias atrás, os mais ligeiros e com armaduras menos pesadas na retaguarda. Em um grupamento concentrado 800 quilômetros atrás ficaram mil soldados da reserva. Daí, com o soar de uma trombeta, os seis gaitistas pararam com a música aguda de fole, e o som foi levado pelo vento como o último suspiro de um animal grande e ferido.

Por um minuto houve praticamente silêncio, só cortado pelo grito ocasional de um sargento ou pelo bufar de um cavalo dos quinhentos cavaleiros atrás do flanco direito dos Redentores.

Na frente dos lacônicos houve movimento na hora em que oito homens, com duas bandeiras cada um, correram para fora e para cada lado diante do exército ainda agrupado livremente.

Assim que se dispersaram, os homens ergueram as bandeiras e começaram a sinalizar. Como se fosse um cavalo preguiçoso tendo convulsões com o toque de uma enguia elétrica ao atravessar um rio, o exército dos lacônicos ganhou vida — seis quadrados irregulares se enrijeceram como as arestas afiadas de um broquel de pedreiro. Um novo tremular das bandeiras, e eles começaram a marchar em direção aos Redentores, quase um quilômetro e meio abaixo; perfeitos no passo e no ritmo como qualquer grupo de dança ou de mímicos.

Então as bandeiras tremularam outra vez. Os seis quadrados pararam em uníssono. Uma batida, e novamente as bandeiras. Um grito, uma voz, 8 mil homens. A seguir uma grande batida de espadas em escudos, rostos recolhidos e depois rapidamente virados para os inimigos. Um grande espetáculo de cores, amarelos e vermelhos. Cada fileira foi na direção da esquerda e da direita, de maneira que cada quadrado virou uma linha se espalhando pelo campo, deixando de ter trinta homens de profundidade para ter dez. Outro tremular de bandeiras e outro grito, outra entrada e saída dos escudos, as seis fileiras se movendo juntas como uma parede de um quilômetro de comprimento por seis homens de espessura. Do ponto de observação de Van Owen nas montanhas Golan, as trombetas soaram, e cada padre soltou um grito.

> MORTE! JULGAMENTO! CÉU! INFERNO!
> AS ÚLTIMAS QUATRO COISAS A QUE ME APEGO!

Mesmo seguros no barranco e apesar da malícia neutra com que Cale e Henri Embromador encaravam ambas as facções, um arrepio desagradável de medo começou na nuca e desceu pela espinha deles. Henri Embromador desafiou o poder dessa horrível prece ao cantar baixinho para Cale:

Mas prefiro pensar em Marie, a vadia loura
E no que ela faz com uma cenoura!

E o grande exército dos Redentores avançou como um touro que finalmente se livrava de um atoleiro. Então Cale e Henri Embromador se assombraram. Os mercenários lacônicos começaram a correr em direção ao inimigo como se estivessem desesperados e eufóricos para morrer. Não foi uma corrida leve ou um avanço ligeiro, mas uma explosão de velocidade que deveria ser fatal para a ordem e o poder da parede maciça que dependia de que milhares agissem juntos como uma única mente.

À medida que os dois grandes exércitos se espalhavam em direção um do outro como uma mancha, os pequenos animais da planície costeira foram espremidos no espaço entre eles. Os primeiros e únicos a escapar foram os faisões, estúpidos quase até o último instante, bateram asas cacarejando no momento em que a fileira lacônica estava prestes a atropelá-los. As lebres agora correram em busca de proteção, mas jamais a encontrariam disparando de um lado para o outro entre o avanço dos lacônicos e a paciência imóvel dos Redentores. A raposa que estava caçando as lebres também tentou fugir, primeiro para um lado, depois para o outro, aterrorizada, e então foi engolida, consumida pelo dilúvio como os animais fora da arca de Noé.

O súbito estouro dos lacônicos confundiu os centuriões dos arqueiros Redentores à esquerda e à direita. A própria súbita explosão de velocidade descendo pelo leve declive para a linha de frente dos Redentores os surpreendeu. Os segundos de diferença pioraram a confusão; o avanço constante foi tudo o que eles tinham visto antes. Na hora em que os centuriões receberam a ordem de disparo de um furioso Van Owen, a chance para duas saraivadas de flechas tinha sido perdida. Então eles se recuperaram, atiraram, e os dois meninos viram os projéteis letais fluírem pelo ar em direção à carga dos homens de vermelho. Porém, uma velocidade como aquela tirou os lacônicos de alcance, de maneira que só os homens na retaguarda foram atingidos e várias flechas caíram inutilmente atrás.

Agora tão próximos, os arqueiros Redentores foram forçados a atirar à queima-roupa nos lacônicos em carga e diretamente na proteção de seus escudos. Outro choque: os próprios mercenários tinham contratado homens para lutar em seus lugares. Como eram péssimos arqueiros por desdenharem há muito tempo a eficácia do combate a distância, os lacônicos trouxeram quatrocentos arqueiros contratados de Little Italy, que vieram devagar atrás dos soldados à direita e levaram a maior parte das flechas que errou a massa de lacônicos avançando. Cento e cinquenta já estavam mortos, os demais hesitaram — mas agora que os arqueiros Redentores ficaram livres para disparar à vontade, eles foram ignorados. Com tempo para se prepararem, os arqueiros mercenários por sua vez cuspiram fogo nos arqueiros Redentores.

Caos. Sem esperar que houvesse arqueiros e nada acostumados a receber o que costumavam distribuir, os arqueiros Redentores ficaram confusos por uma saraivada de flechas em que quase todas acertaram suas fileiras concentradas. Os gritos dos centuriões e sargentos eram mais altos que os dos mortos e moribundos. "ABAIXEM-SE! ABAIXEM-SE! ABAIXEM-SE! ABAIXEM--SE!" "Cuidado!", gritou outro. "Atenção! ALI! ALI!" Um Redentor leva uma flecha no peito, mas é o homem ao lado dele que recua como um cavalo que levou uma chicotada inesperada. Homens se abaixam e se dobram a troco de nada — outros só ficam parados e levam uma flecha no estômago ou no rosto como se tivessem sido pegos completamente de surpresa. Os arqueiros que tanto arrasaram a cavalaria Materazzi há menos de um ano foram reduzidos a espectadores dos lacônicos, que, praticamente intocados por suas flechas, se chocaram com as fileiras dos Cordélias Negras como um soco. O barulho de escudos maiores batendo nos menores foi mais um baque feio do que um estrondo majestoso. Mas, no mundo todo, só os Redentores poderiam ter levado um golpe de tamanha força encouraçada a essa velocidade e resistido. Alguns cederam ao longo da linha de frente, Redentor e lacônico rolando um em cima do outro em uma pilha confusa, ruim para os mercenários que esperavam que os inimigos resistissem ou caíssem como um todo, e quem passava era morto no chão pelos Norbetinos, que aguardavam. Então começou o empurra-empurra, os gritos e as ordens ritmados de ambos os lados como a berraria em um cabo de guerra de uma quermesse. Os homens atrás jogavam o peso contra os homens na frente, que faziam o mesmo com os soldados na frente deles, metendo os ombros nas costas, grunhindo e se esforçando a empurrar a batalha até a primeira fileira. De tão longe no morro, o vermelho-escuro da capa dos lacônicos e as várias cores das confrarias dos Redentores se pareciam com óleo e água derrubados sobre uma mesa. Mas, aqui e ali na linha divisória, irrompia uma pequena mistura de cores, e aí os intrusos eram massacrados ou recuavam, sendo reabsorvidos em suas fileiras.

A seguir veio a segunda surpresa: sabendo que estavam enfrentando homens que, assim como eles, não faziam nada além de lutar e aprender a lutar, os lacônicos roubaram outro truque de suas muitas guerras. Eles sacaram as novas espadas tiradas dos Strouds, com quase um metro de comprimento e uma curva acentuada na ponta. A arma permitia cortar facilmente por cima dos escudos dos Redentores e acertar com força terrível os capacetes dos homens diante dos lacônicos. Capacetes feitos para aguentar só um golpe ou um corte foram divididos ao meio pela potência de algo similar a um martelo e uma estaca. Os ferimentos terríveis causados a cada golpe arrasador abalaram as fileiras dos Cordélias Negras. A gota d'água foi quando a temível graciosidade ensaiada dos lacônicos entrou em ação. Ao longo do flanco direito dos lacônicos, que em todo caso contava com seus homens mais fortes, a fileira do meio na retaguarda mudou de posição — assim que eles souberam que a linha de frente não iria ceder — e ficou ainda mais forte. Enquanto os Redentores do centro e do flanco direito recuavam devagar com a queda dos Cordélias Negras para as espadas curvas e eram substituídos por homens mais fracos e ainda menos encouraçados, o flanco esquerdo entrou em colapso quando as espadas curvas, os lacônicos mais fortes e os reforços rápidos e súbitos se tornaram insuportáveis. "É ISSO? O QUÊ? ESPEREM! FIQUEM AÍ! FIQUEM AÍ." A confusão, o colapso, os gritos — a maioria dos soldados de ambos os lados não tinha ideia se estava prestes a vencer ou morrer.

Em meio ao barulho retumbante, aos gritos, às ordens, às trombetas dando instruções e aos mortos e moribundos, o flanco direito lacônico destruiu os oponentes — quem pôde correr correu, quem não pôde foi morto, e só os corpos escorregadios de sangue, excremento e terra tornaram desajeitado o avanço dos lacônicos. Os mercenários perderam o equilíbrio em cima dos corpos, no peso flácido dos mortos, nas mãos suplicantes dos moribundos e dos feridos que ainda gemiam; alguns ainda capazes de lutar e estocar os mercenários desequilibrados sendo empurrados por trás e subitamente desorganizados e vulneráveis. Morreram mais lacônicos nessa virada decisiva, porém complicada, do que em todos os dez anos anteriores de luta. Mas, assim que aconteceu, a batalha foi concluída, mas não a matança. Van Owen assistiu do morro com um horror desesperado, incapaz de fazer qualquer coisa além de mandar as poucas tropas de reserva para morrer e adiar o que não era possível parar. Agora, enquanto os Redentores do meio e do flanco direito continuavam a lutar, os lacônicos os atacavam pelo lado e os envolviam de maneira simples e sangrenta como uma toalha ao fim de um piquenique. Aqueles que não correram morreram.

Pela segunda batalha seguida, Henri Embromador e Cale acabaram assistindo a um massacre. Os Purgadores ao redor gritaram palavras de apoio tão alto que Henri Embromador ralhou e mandou que falassem mais baixo. Ele quase ressaltou que os Purgadores estavam vibrando por homens que teriam aplaudido suas execuções, que os consideravam mortos-vivos, homens sem alma. Foi Cale quem percebeu o que ele iria dizer, porque também estava pensando a mesma coisa, mas colocou a mão no braço de Henri Embromador para calá-lo. Desta vez, ao contrário do fiasco na colina Silbury, Cale teve o bom senso de não se envolver e bateu em retirada bem antes do terrível fim. Mas, ao contrário dos Redentores naquele dia, ele teve um golpe de sorte.

Do esquadrão de Purgadores de Cale e Henri Embromador, alguns estavam às lágrimas, outros faziam preces para os mortos e os moribundos.

— Morte, Julgamento, Céu, Inferno — disse o Purgador Giltrap, que fora o Patrocinador de Orações de Meynouth antes de ser condenado por três dos nove pecados contra a razão. Ao ouvi-lo, os demais responderam baixinho, atentos à bronca de Henri Embromador:

— As últimas quatro coisas a que me apego.

Com os rostos abaixados, os dois meninos seguindo à frente conseguiram esconder o sorrisinho inapropriado.

Ao voltarem para Golan, Cale protegeu a coluna ao percorrer o caminho tortuoso dos Dedos da Costa, chamados assim porque o fim das trilhas longas, baixas e compridas apontava o caminho ao redor das montanhas. Os lacônicos eram cavaleiros tão ruins quanto eram arqueiros, mas tinham tropas de cavalaria ligeira de reserva que não foram usadas naquele dia. Antes de sair do barranco, Cale as viu ao longe, dando a volta lentamente pelo outro lado do promontório de Van Owen. Ele voltou devagar para Golan, com cuidado, caso esbarrasse com as tropas montadas dos lacônicos. Ao longo dos dois lados dos dedos e logo abaixo da crista desses morros, Cale havia destacado batedores em burros, firmes nas quatro patas no terreno irregular, de olho em qualquer coisa que pudesse ameaçá-los. Um deles, quase no fim de um dos dedos, sinalizou a Cale para que se juntasse a ele no topo. Quando Cale subiu a pé ao lado de Henri Embromador, o batedor apontou para uma tropa de Redentores de uns vinte homens saindo e indo em direção a Golan.

— É Van Owen? — disse Henri Embromador enquanto Cale observava pela luneta.

— Deve ser. — Ele passou a luneta para Henri Embromador. — Olhe lá.

Henri Embromador vasculhou a direção que Cale apontava. Cerca de trinta lacônicos montados estavam perseguindo a guarda de Van Owen, que, pelo jeito do passo tranquilo, não tinha noção de que estava prestes a ser atacada.

— Não se iluda com as chances de Van Owen — disse Henri Embromador. — O que eu vi de seus guardas eram velhos soldados, pregadores e uns dois ortodoxos.

Cale pegou a luneta de volta e observou os cavaleiros lacônicos se aproximarem. Enquanto isso, sua mente trabalhava. Mesmo sem luneta, Henri Embromador conseguia ver claro o suficiente. Em cinco minutos, os lacônicos chegaram a cerca de 250 metros até que a retaguarda de Van Owen os percebesse. Henri Embromador viu que eles passaram de um galope lento para um acelerado e todos, exceto uns cinco ou seis guardas ao redor daquele que deveria ser Van Owen, recuaram para formar uma fileira de cavaleiros entre ele e os lacônicos que se aproximavam. Mas, se os lacônicos não eram bons cavaleiros, ainda assim eram melhores e tinham os melhores cavalos. Ficou claro que os Redentores seriam atacados em breve, e, pelo menos demonstrando algum bom senso, os guardas foram para um pequeno morro que não era mais do que um calombo metido a besta na paisagem. Após se desmontarem, os guardas de Van Owen fizeram um círculo ao redor do general e esperaram. Cale passou a luneta para Henri Embromador. Agora ele pôde ver os lacônicos se desmontando a não mais do que 30 metros de Van Owen e subindo a pequena elevação em uma formação rápida. E a seguir a luta começou.

Cale começou a descer pelo dedo. Henri Embromador pegou seu braço.

— O que você pensa que está fazendo?

— Eu? Vou salvar Van Owen. Você fique aqui.

— Por quê?

— Tudo bem. Venha comigo.

— Eu não vou ajudar aquele merda. Por que você vai?

— Veja e se surpreenda, garotão.

— Você é doido.

— Veremos. — E, dito isso, ele desceu pelo morro como se fosse um cabrito montanhês.

Henri Embromador esperou no topo do dedo juntamente com o batedor no burro e viu Cale e seus Purgadores entrarem na planície e lutarem no que eles chamariam depois de colina Pillock a 800 quilômetros à frente.

À medida que Cale e os Purgadores avançavam rapidamente, Henri Embromador se deu conta de que Cale não tinha sido tão impulsivo como parecera a princípio. Desde que fosse rápido, pegaria os lacônicos pela retaguarda. Espremidos entre fileiras de Redentores, a vitória inevitável viraria uma derrota praticamente certa. Além disso, ele não arriscaria um ataque direto. Henri Embromador vivia argumentando que besteiros poderiam facilmente substituir arqueiros porque estes levavam anos para treinar. Os besteiros davam os mesmos, e às vezes melhores, resultados em só alguns meses. E foi assim que aconteceu quando Cale desmontou seus Purgadores a 70 metros do topo da colina Pillock e ficou atrás de seus homens, na verdade uma boa distância atrás, e começou a dar ordens para que atirassem nos lacônicos com as bestas. Mais tarde naquele dia, um dos Purgadores contou a Henri Embromador que um deles questionara a ordem por causa do perigo para a guarda de Van Owen. Cale socou o homem com tanta força que, como o Purgador descreveu, "o nariz dele estourou como uma ameixa de Bicester".

Não importando o perigo para a eminente guarda de honra na colina Pillock, o efeito sobre os lacônicos foi arrasador. Dentro de um minuto, meia dúzia dos mercenários de capa vermelha tinha caído. Eles não tiveram escolha a não ser parar o avanço e atacar Cale e seus Purgadores. Mas, com a guarda de honra atrás, eles pareciam trocar uma derrota inevitável por outra. Os mercenários fizeram uma carga colina abaixo, uma visão que era bastante assustadora até mesmo da distância de Henri Embromador, e chegaram aos Purgadores com só mais três baixas. O que aconteceu a seguir foi uma luta terrível, e uma vitória por muitíssimo pouco. Não deveria ter sido assim, mas a guarda de honra de Van Owen, em vez de descer a colina Pillock e dar aos lacônicos a tarefa impossível de lutar pela vanguarda e retaguarda, simplesmente ficou parada observando seus salvadores em uma luta desesperada para sobreviver. Apesar de estarem em menor número, agora dois para um, os lacônicos usavam armaduras — porém não tão pesadas quanto as tropas de infantaria —, ao contrário dos Purgadores, e estavam descendo colina abaixo em um terreno ideal ao seu estilo de combate. Os Purgadores não tinham mais a vantagem, como ficou claro quando a Guarda de Honra decidiu simplesmente esperar e observar em vez de perseguir os lacônicos, como mandava o bom senso. Cale pôs as mãos ao lado da boca e gritou: — Nos ajudem! — Mas os guardas só olharam fixo para seus salvadores, impassíveis como vacas. Cale ficou cerca de 10 metros atrás dos Purgadores xingando, furioso e agitado ao perceber que eles não estavam confusos quanto ao que deviam fazer, mas sim evitando participar de propósito. *Por quê? Faz sentido nos ajudar*, pensou Cale. Mas não se a pessoa é um general que acredita em martírio e sacrifício e que é vital, acima de qualquer coisa, a própria sobrevivência pelo bem comum. Van Owen e seus guardas já estavam descendo pelo outro lado da colina, indo embora em direção a Golan. Se ele fosse Henri Embromador ou Kleist, Cale poderia ter ficado de fora da confusão contando com a própria mira, alvejando os lacônicos de uma distância segura. Mas ele não era. A única chance era lutar em pessoa. Cale gritou alto com raiva da própria estupidez e correu para o flanco esquerdo da batalha. Ele pegou o primeiro soldado lacônico por trás com uma estocada por debaixo do capacete que atravessou o pescoço. Vindo pela esquerda, Cale sempre tinha vantagem

— seguindo pela diagonal, tombou para a direita. Como se desequilibrar era geralmente uma má ideia, ele ergueu a perna esquerda não mais do que meio metro e chutou o joelho vulnerável do próximo homem. O grito de agonia do sujeito quando a articulação se rompeu foi cortado por um chute na lateral de sua cabeça ao cair. Cale pegou os dois Purgadores desesperadamente acuados que tinha salvado e começou a envolver os lacônicos, puxando todo Purgador que conseguia resgatar para formar uma parede que flanqueasse os inimigos. Na outra ponta da linha, as coisas iam mal para os Purgadores sem armaduras, que de qualquer maneira não eram páreo para a força ou a habilidade dos oponentes mais disciplinados. Mas Cale, furioso com a traição de Van Owen, era um turbilhão de hostilidade e rancor. Sem intenção, Cale inspirava seus homens, a coragem e até mesmo o amor por eles, como os Purgadores imaginavam, aparentes na habilidade monstruosa e terrível. Algo na intensidade do talento de Cale para matar parecia oprimir até mesmo os lacônicos, para quem a morte violenta era, em essência, o sentido de estar vivo. Cada ação de Cale não tinha graça ou elegância, nada além de uma convicção brutal em cada golpe ou estocada de que a pessoa e só ela iria falhar, de que tudo o que ela fazia na luta era inútil, o que pareceu provocar a perda de confiança até mesmo dos lacônicos ao serem cercados pelo flanco esquerdo. Eles não demonstraram isso, implacáveis que eram com eles mesmos assim como com os outros, mas nos minutos antes da morte os lacônicos tiveram tempo para sentir que a derrota era certa. Sete viraram três, três se tornaram um, e então acabou. A seguir, a monstruosidade de sempre: os feridos gritando, os atordoados, os contentes, a execução cruel dos lacônicos ainda vivos. Um deles estava só ferido levemente na perna, e dois Purgadores estavam ao mesmo tempo alertas para qualquer perigo — uma adaga escondida talvez — e se divertindo ao provocá-lo, enquanto o lacônico se afastava das estocadas arrastando os pés. — Antagonista de merda! — Não era o correto, mas foi a pior coisa que pensaram. — Malfeitor ateu! — Isso era perto da verdade em relação aos lacônicos, apesar de mal-empregado, mas era estranho que a maioria dos Redentores não fizesse ideia de que os Antagonistas eram uma ramificação de sua própria religião e acreditavam na maioria das coisas em que eles mesmos acreditavam. O gume de uma das espadas cortou fundo a palma da mão do soldado lacônico, e o grito de dor chamou a atenção de Cale. Ele foi enfurecido até os dois Purgadores e os afastou com um empurrão, irritado. Os olhos já aterrorizados do soldado lacônico ficaram arregalados ao ver Cale parado diante de si — ele se agachou de braços esticados para esperar o golpe que veio num instante e cortou da clavícula ao coração. Uma tosse terrível durou segundos, e vieram a inconsciência e a morte. Um fim mais benevolente do que muitos tiveram nas horas seguintes, abandonados para agonizar até morrer das feridas ou lentamente executados por soldados cruéis ou atrapalhados. Às vezes era melhor, disse IdrisPukke para Henri Embromador certa ocasião quando estavam comendo peixe com fritas numa praia arenosa no Golfo de Memphis, se reservar o direito de desviar o olhar.

Foi então que Henri Embromador chegou, com o batedor no burro ainda a 300 metros atrás. Ele olhou para os mortos ao redor.

— Eu nunca vi algo parecido — falou para os Purgadores sobreviventes, oito deles. Cale olhou para Henri Embromador sabendo exatamente o que ele queria dizer e que não era um elogio.

— Tirem as armas e armaduras de um par deles e sejam rápidos. — Em poucos minutos eles foram embora levando seus mortos.

Apesar de Cale ter chegado mais próximo da morte do que em Silbury, as coisas deram certo no fim. Ele aprendera uma lição — embora, como disse mais tarde para Henri Embromador, "eu ainda não sei qual foi" — e sobrevivera. Mas o dia ainda não tinha terminado para ele, de jeito algum.

Embora a tiririca e os arbustos do campo de batalha dos Oito Mártires fossem bastante resistentes, um bom trecho fora revirado, e a lama que ficava embaixo fora exposta e espalhada. Apesar da temperatura gélida de só uma semana atrás, os ventos quentes do mar que degelaram a neve ficaram ainda mais quentes. Naquela tarde fez um calor fora do normal, que trouxe vida nova para onde só havia morte horrorosa. Ovos de moscas, enterrados debaixo do calor da tiririca em vários centímetros de lama, foram expostos pela batalha. Aquecidos pelo sol, chocaram aos milhares e em só uma hora formaram uma coluna do tamanho do campo de batalha, girando em um turbilhão de mais de um quilômetro de altura.

Os quase 3 mil Redentores que sobreviveram à chacina e escaparam em uma massa irregular para o pé das montanhas Golan olharam para trás e notaram algo no ar que poucos dentre eles tinham visto antes — uma nuvem no céu que se movia e alterava não como bruma ou névoa, mas como alguma coisa viva. O que, afinal de contas, era o que aquilo era — agora parecia uma doninha apoiada nas patas traseiras, agora um camelo, agora uma baleia para aqueles que já tinham visto uma. Mas, para a maioria dos Redentores exaustos, envergonhados, temerosos e aterrorizados, a nuvem se parecia com o Redentor Enforcado balançando a cabeça de raiva diante da terrível perda e blasfêmia da vitória lacônica. E daí finalmente o vento e o voo a esmo dos insetos mudaram, e a imagem do salvador tomado pela dor se transformou em um instante no rosto severo e vigilante de um menino implacável. Ou assim pareceu sem dúvida para muitos mais tarde — até mesmo, depois de alguns dias, para um número cada vez maior de pessoas que sequer tinham estado lá.

Em questão de horas, os sobreviventes começaram a entrar em Golan, e os rumores se espalharam como manteiga sobre um pão milagroso: notícias do fim profetizado, de que os judeus entraram em massa em Chartres para se converterem, de que os quatro cavaleiros anões do apocalipse cavalgaram pelas ruas de Ware, de que um dragão vermelho apareceu na colina Gravelly pairando sobre uma mulher vestida ao sol, e de que em Whitstable uma fera da terra forçou as pessoas da cidade a adorar uma fera do mar. Em New Brighton um anjo apareceu carregando a Fúria de Deus em uma tigela. Assim que esses relatos se tornaram de conhecimento geral, uma estranha exuberância surgiu do horror desta derrota terrível. A história varreu Golan: que um acólito, um menino, derrotara cem soldados inimigos com a queixada de um burro e resgatara o Redentor Van Owen de traidores Antagonistas que entregaram seu exército para os inimigos.

Embora este último rumor não fosse totalmente falso, também não era de todo acidental. Os partidários de Bosco em Golan, juntamente com aqueles que sabiam e acreditavam, souberam que a versão distorcida dos números e acontecimentos na colina Pillock caíra em ouvidos desesperados para acreditar. Os acontecimentos finalmente conspiravam a favor deles. Os lacônicos, em vez de avançarem para tentar tomar as montanhas Golan ou mesmo dar a volta para pegar pela retaguarda os Redentores entrincheirados, ficaram exatamente onde estavam, para a surpresa de todos. Em algumas horas, todos os Redentores em Golan sabiam sem a menor dúvida que os lacônicos pararam porque foram detidos pelo medo de Deus provocado pela visão do Redentor Enforcado e pela manifestação de sua Fúria.

Não foram as moscas nem Deus que causaram o recuo dos lacônicos para o acampamento que eles ocuparam por uma semana antes da luta, mas um medo terrível que era habitual e insistente. Dizem sabiamente que quem coloca todos os ovos na mesma cesta acaba passando o tempo todo vigiando a cesta. É ainda mais preocupante se todos os ovos naquela única cesta forem excepcionalmente raros. Esse era o coração do problema para os lacônicos. A capacidade para atuar juntos como dançarinos no caos e horror do campo de batalha surgiu de uma vida de tratamento brutal e dedicação violenta. Cada um deles custava uma fortuna em tempo e dinheiro — e o tesouro necessário para comprar esse tempo era ganho por escravos. Esses escravos não foram adquiridos nos quatro cantos da terra, com a família e todos os demais laços destruídos no processo, mas pela submissão de povos inteiros vivendo lado a lado — os escravos em grande número, os lacônicos em número pequeno. Mal existia algum guerreiro lacônico que temesse a morte, mas não havia quem não sentisse medo dos homens e das mulheres que possuía. Na Batalha dos Oito Mártires, eles mataram 14 Redentores para cada lacônico que morreu. E, no entanto, ficaram traumatizados por essa perda. O esforço que foi para a cova com esses 1.100 homens era tão grande que eles jamais poderiam ser completamente substituídos mesmo dali a uma geração, pois os lacônicos eram poucos, e seu treinamento, muito longo e difícil.

À luz dessa catástrofe tão bem-sucedida, os éforos da Lacônia tinham que tomar uma decisão sobre o que fazer, e foi por isso que os lacônicos pararam, apesar de que, se tivessem dado a volta pelas montanhas Golan e tomado as trincheiras dos Redentores pela retaguarda, essa grande guerra teria durado meses ou mesmo semanas.

Os éforos ordenaram que as tropas diante de Golan se entrincheirassem e a seguir fizeram uma oferta para os escravos hilotas: se eles selecionassem 3 mil de seus homens mais fortes, corajosos e inteligentes, então todos os que lutaram com os lacônicos em Golan seriam libertados em troca e ganhariam duzentos dólares e um pedaço de terra. Os hilotas aproveitaram essa chance sem precedentes de liberdade e prosperidade. Três mil de seus melhores homens apareceram desarmados no local e na hora marcados e foram massacrados pelos lacônicos ali mesmo. E assim sendo, com a confiança de que tinham ao mesmo tempo aterrorizado os hilotas que sobraram e matado os mais fortes que tiveram vontade de se libertar, os éforos aceitaram o dinheiro a mais oferecido pelos Antagonistas e decidiram avançar de novo. Mas planejar e realizar um massacre leva tempo, assim como extorquir mais dinheiro dos Antagonistas. Levou quase três semanas até que o exército lacônico se deslocasse e, durante esse tempo, Bosco se superou.

Em menos de dois dias ele recebeu a notícia da derrota e em mais dois Bosco tirou vantagem da paralisia que acometeu a Santa Sé e estava em Chartres insistindo para ter uma audiência com o papa. Ao mesmo tempo, ele mandou intermediários para sua irmandade secreta de fiéis e os enviados mais persuasivos para seus partidários que, embora em pânico, também observavam para ver como poderiam agir de maneira lucrativa nessa calamidade.

Por mais desesperada que fosse a necessidade de se salvar dos lacônicos, isso não significou que todo mundo também queria acreditar em Cale. Os inimigos de Bosco se encontravam em uma espécie de dilema. Por um lado, estavam chocados com a derrota para os lacônicos como qualquer Redentor estaria e igualmente horrorizados pelas prováveis consequências. E só porque eles eram traiçoeiros, ardilosos e egoístas não significava que não tinham genuíno fervor religioso. E se fosse mesmo o Ceifador, algo há tanto tempo prometido de forma ambígua e indireta, ainda que vaga? Alguns duvidavam de que o Ceifador sequer fosse uma profecia; podia ser uma má interpretação do texto original muito danificado que significasse não um destruidor dos inimigos dos Redentores que poderia trazer — ou não — o fim de todas as coisas, mas sim uma espécie de bolo sagrado com setenta uvas-passas e nozes que seria dado pelo Senhor para acabar com a fome, caso ela alguma vez viesse a durar mais do que um ano. O debate se a profecia se referia a um sombrio destruidor ou a um bolo gigante era predominantemente irrelevante, considerando que a fé dos Redentores estava sem dúvida alguma diante da aniquilação.

A princípio, o surpreendente pedido de Bosco para que Cale ficasse com o comando do Oitavo Exército de Wras foi rejeitado de cara. Uma decisão mais cautelosa e plausível foi tomada pelo papa em um breve momento de clareza, quando ordenou que o general Redentor Princeps, conquistador dos Materazzi e já em Chartres, assumisse o comando. No entanto, diante de uma sugestão de Bosco, Princeps alegou estar à beira da morte com uma espinha de peixe entalada na garganta. Ele escreveu uma carta, e não foi pela primeira vez, deixando claro que seguira o plano de Cale em sua vitória sobre os Materazzi, e pediu ao pontífice com toda a humildade que confirmasse o jovem no comando do Oitavo Exército. Para convencer os descrentes, que eram muitos, de seu estado Princeps pediu que a extrema-unção fosse dada pelo papa em pessoa. Esta foi uma blasfêmia que ele não estava disposto a cometer a não ser pela insistência de Bosco, sob o argumento de que, se não fizesse o pedido, os inimigos certamente sentiriam que algo cheirava mal.

Seria difícil exagerar o golpe que esse plano representou para Gant e Parsi. Eles consideravam que, se Princeps não era a sua última esperança, com certeza era a melhor.

— Precisamos agir imediatamente ou estaremos perdidos. Dê o comando para o garoto — gemeu Parsi.

— Não vou expôr a fé a um ato tão imprudente. Se ele é um mensageiro de Deus, quero um sinal bem melhor do que uma bruma mágica ou a palavra daquele Bosco desgraçado. — Mas entre os fiéis, desesperados por um salvador, havia muito fervor para que um ou outro não fizesse nada.

— Muito bem, então — disse Gant finalmente. — Vamos andar com isso.

Em uma hora, um mensageiro pontificial e oito guardas armados chegaram aos aposentos de Bosco e exigiram que Cale fosse de imediato para uma audiência. Assustado com o inesperado da situação, Bosco tentou acompanhá-lo, mas teve ordens, com óbvio medo da parte do mensageiro, de ficar onde estava.

— Recebi ordens diretas, Redentor — ele se desculpou. — O senhor não deve ir.

E assim, sem poder instruir Cale no que dizer e fazer, ou não dizer e não fazer, Bosco foi obrigado a vê-lo partir para o que ele sabia ser alguma espécie de armadilha.

Cale foi levado a uma antecâmara e recebeu ordem para esperar, na esperança de que tivesse tempo suficiente para entrar em pânico antes da audiência. Na extremidade do aposento iluminado por velas e enfumaçado pelos quatro queimadores de incenso estava uma estátua do primeiro de todos os mártires Redentores, São José, sendo apedrejado até a morte. Aquele fora um fato notável por outro incidente: talvez tenha sido a última vez que alguém tentou intervir por compaixão por um Redentor. Enquanto os homens da cidade se reuniam para participar da execução de São José por desonrar a própria Única e Verdadeira Fé, um pregador itinerante, mas muito respeitado, tentou evitar sua morte ao gritar: "Quem de vocês estiver sem pecado que atire a primeira pedra." Infelizmente para o misericordioso pregador, e ainda mais para São José, um homem desavergonhado correu na direção dele carregando uma grande pedra acima da cabeça, gritou confiante "Eu estou sem pecado!" e desceu a rocha na canela do Redentor, quebrando a perna com um estalo horrível!

A estátua representava o momento em que o executor sem pecado levantou outro pedregulho sobre a cabeça e estava prestes a descê-la sobre o agonizante São José. Cale estava acostumado a ver estátuas de atos horríveis de martírio feitas em madeira e cobertas por gesso pintado diretamente com cores simples, esculturas toscas ou simplesmente competentes produzidas aos milhares em favor dos fiéis e exibidas em cada igreja Redentora. As estátuas de Chartres, e havia muitas delas, eram como nada que ele tivesse visto antes. Elas eram mais reais do que a própria realidade, a escultura não só feita de maneira linda, mas cheia de vida. As mãos do executor não eram só de um belo entalhe, mas de uma bela observação: eram as mãos de um trabalhador. Havia pequenos cortes cicatrizados e quase cicatrizados em praticamente todos os dedos. Havia sujeira debaixo de todas as unhas, exceto uma. A expressão no rosto era mais do que só uma careta de maldade; também captava o deleite da crueldade, o prazer, e debaixo da face dinâmica uma nota grave de desespero. Os dentes feitos de marfim da melhor qualidade foram cuidadosamente descoloridos, dois estavam lascados, um parecia podre. Quanto a São José, teria provocado pena no coração mais duro: a perna esquerda não só tinha sido quebrada pela primeira pedrada, mas destruída, com o osso da canela exposto, rachado, sangrando, agonizante — o tutano reluzente que saía da ruptura foi feito de vidro. A boca estava aberta em um grito de dor — nada de santa resignação diante do destino, mas medo e agonia expressos em cada ruga e dobra. A mão estava erguida para deter o segundo golpe, o braço magro, um braço de velho com manchas de pele que parecia impossível tremer de dor e medo. Mas o olhar de Cale foi atraído novamente para o homem diante do mártir, o rosto tomado pelo ódio, olhos tão cheios de raiva furiosa que só a morte de outra pessoa serviria como resposta.

O próprio coração de Cale se encheu de desprezo pelo homem que realizara essa coisa extraordinária e tentara fazer com que ele sentisse compaixão por um fanático no momento da morte. Cale foi interrompido por um pigarro na porta do outro lado da antecâmara. Ele andou até o Redentor que o aguardava, com a costumeira mistura de torpor e agitação que quase sempre sentia antes de uma luta.

E a seguir ele estava em uma sala com o pontífice de todos os Redentores. Era esplêndida a ponto de tirar o fôlego, com vitrais que iam do chão ao teto e estátuas extraordinárias de cenas religiosas tão maravilhosas e horríveis como aquela na antessala.

A 50 metros de distância estava o pontífice em seu trono, vestimentas douradas, a face de Deus na terra, poderoso, austero, distante e sábio, o cabelo grisalho debaixo do chapelete que sempre usava. Observando Cale de ambos os lados do trono estavam oitenta Redentores vestidos em batinas comemorativas tipo as usadas pelas confrarias e trazidas aqui hoje para aterrorizar o presunçoso acólito de Bosco. Detrás do trono, um coral começou a cantar, um baixo profundo possante e terrível, tão grave que parecia ressoar nas tripas de Cale, justo o que Gant esperava. Deixando transparecer seus 15 anos de idade, ele andou os 50 metros em direção à barreira de corda azul diante do trono. Quando chegou, e a sala era grande o bastante para considerar isso uma chegada, o Redentor ao lado tocou no braço de Cale como se fosse impedi-lo de pular pela barreira de corda grossa.

O grande coral atingiu o clímax de dar nos nervos, e houve um momento em que a última nota pareceu encher o ar com algo celestial, enorme, capaz de apagar todo o sentido do próprio ego e qualquer coisa a não ser a vontade de Deus. Houve uma longa pausa enquanto o pontífice, imponente, forte, apontado por Deus, olhava para o menino diante dele expondo a alma para a sabedoria da pedra de Deus.

— Em nome de quem você veio incomodar o escolhido de...

— Você não é ele — disse Cale, friamente. Houve um suspiro, e o rosto majestoso do homem no trono definhou como se o ar escapasse de um balão de criança de Memphis.

— O que você quer dizer com...

— Você não é ele.

— Quem é então? — A voz do homem agora era bem distante da santa majestade, era ranzinza, irritada, claramente chateada por ter sido desmascarada com tanta facilidade.

Cale encarou de maneira insolente o olhar do falso pontífice e, sem desviar os olhos, levantou a mão direita para apontar um velho frágil parado no meio da fila de quarenta Redentores em direção ao trono. Houve outra onda de espanto, realmente muito satisfatória para Cale. Devagar, dramaticamente, ele se virou para a direção do homem que estava apontando. Cale abaixou a cabeça, o Redentor ao lado gesticulou para que seguisse em frente, e ele andou até quase tocar o verdadeiro pontífice. O Santo Pai olhou para ele e sorriu inconscientemente, estendendo a mão para ser beijada.

— Você veio de longe?

17

Cale nunca vira Bosco rir antes, mas de volta à companhia dele o velho mestre estava absolutamente radiante.

— Rá! Como você adivinhou que aquele tolo pomposo Waller era falso? Aposto que ele se parecia com um papa.

— Foram os sapatos — disse Cale, um pouco distraído pela extrema jovialidade e admiração de Bosco. Houve uma pausa enquanto Bosco considerava o que ele disse, e então veio o estalo. O rosto ficou ainda mais radiante de alegria.

— Maravilhoso! Maravilhoso!

— O que você quer dizer? — disse Henri Embromador do outro lado da sala.

Não foi fácil para Cale responder, porque não estava acostumado a se referir ao Redentor diante dele como algo diferente de "aquele merda de Bosco" ao falar com Henri Embromador.

— Por algum motivo, anos atrás quando eu era pequeno, me lembro... me lembro do Redentor aqui falando sobre os sapatos do papa, que eram feitos especialmente para ele em seda vermelha e que ninguém além do vigário do Redentor Enforcado usava sapatos daquela cor ou feitos de seda. Não sei por que lembrei daquilo, mas quando entrei na capela pude vê-los de cara. Os sapatos de todos os demais eram de couro preto. Daria no mesmo se tivessem pendurado um sinal no pescoço dele.

— Besteira — disse Bosco, animado. — Eu jamais vi a mão de Deus agir tão claramente. Você estava inspirado.

Na realidade, era duvidoso se essa estranha farsa fez muita ou qualquer diferença em Cale ser apontado para liderar o Oitavo Exército. Já havia pregadores nas esquinas de Chartres saudando Cale como a encarnação da Fúria de Deus, e só alguns eram fiéis subordinados de Bosco. Se algum dia houve um grupo de homens mais disposto e perfeito para um salvador do que naquele momento, a História não registrou.

Relatos sobre o inexplicável fracasso dos lacônicos em avançar em Golan ou ao redor das montanhas já haviam chegado a Chartres, mas o futuro líder do Oitavo Exército não estava pensando em mercenários atrasados ou planos surpreendentes de ataque. Ele estava chorando pelo amor perdido como um cãozinho sensível. Essas não eram, no entanto, lágrimas de perda e arrependimento como as convenções dos romances populares exigem, embora com certeza elas estivessem presentes na grande mistura de sentimentos por Arbell Pescoço de Cisne. Em sua maioria, eram lágrimas de raiva e humilhação, especialmente humilhação, e concentradas em uma ocasião em especial a respeito da qual ele odiava pensar, mas para onde era sempre atraído nas noites amargas de insônia como uma língua que cutuca um dente podre.

Aquela fora a noite mais feliz de sua vida. Com certeza a competição por esta honra não era grande, mas, diferente do romance popular mencionado, a vida real não se importa com a cuidadosa preparação para um clímax final que deve ser, após a perda e o sofrimento devidos, o ponto alto da história que caminha confiante para o epílogo. Quantos homens e mulheres, até crianças, se deram conta só aos poucos de que o ponto alto de suas vidas ficou para trás? É um pensamento melancólico cujo único consolo é que nunca se sabe — a situação pode melhorar, algo pode acontecer para salvar o dia, o belo estranho, a criança de sucesso, o reconhecimento repentino, o encontro fortuito, o retorno feliz, tudo isso é possível. O grande e constante alívio é que nunca se sabe. Cale, no entanto, não estava muito no clima para o consolo da filosofia naquela noite. Ele estava de volta à cama de Arbell, lembrando o que parecia ter acontecido há séculos. Ela estava dormindo, deitada ao lado de Cale, respirando suavemente e fazendo ocasionalmente um barulho adorável. Por algum motivo, naquela noite ele não conseguia dormir, o talento para dormir e acordar à vontade o abandonara em tempos mais tranquilos. Havia várias velas queimando no outro lado do quarto, e ele se levantou na luz mortiça e quente para beber alguma coisa. Ao fazer isso, com as costas apoiadas na parede, Cale olhou para o rosto adormecido de Arbell. Ele odiava o rosto de homens dormindo, o barulho que faziam, o cheiro, tudo, enquanto dormiam ao redor no alojamento. A luz da cela não prejudicava o rosto dela — o nariz um pouquinho grande demais, que se fosse menor teria tornado sua beleza sem graça como a de uma boneca, os lábios muito mais carnudos do que deveriam ser, mas que ficavam bem nela. Como era possível ele estar ali? Como pôde acontecer? Uma repentina onda de alegria bateu em seu peito, uma sensação de algo maravilhoso, de todas as possibilidades da vida. Devagar, com cuidado, ele foi até a cama e afastou gentilmente o lençol que cobria Arbell. Ela dormia nua diante dele, o longo corpo esbelto com o umbiguinho, um pouco de gordura, seios pequenos (como algo podia ser tão lindo?), pernas compridas, dedos do pé meio atarracados. Ele a olhou de cima a baixo, maravilhado, e depois, quase hesitante, o pelo escuro e escondido entre as pernas, a respiração de Arbell.

Como o próprio paraíso podia ser melhor que essa surpreendente pele delicada e dobrada?

— O que você está fazendo?

Arbell não se movera, só abrira os olhos e de repente despertara. Se Cale estivesse olhando para o rosto dela, como fazia na maior parte do tempo, ou com o corpo virado na sua direção, Arbell talvez tivesse visto a ternura. Ela puxou o lençol sobre o corpo, a ação em si uma terrível repreensão — um olhar de indignação em seu lindo rosto.

— Eu me sinto exposta — disse Arbell, tremendo com uma repulsa incompreensível para Cale. Ele começou a falar, a explicar.

— Não. Por favor, vá embora.

E foi o que ele fez. Com alguma sorte, aquela noite de humilhação poderia ter sido ignorada, Cale poderia ter dormido mais facilmente, ela poderia ter continuado a dormir, e a situação teria ficado bem e tudo o mais.

Finalmente, diante do som delicado dos pequenos sinos que anunciavam os quartos de hora em Chartres, ele adormeceu. Às seis, Cale foi acordado por Henri Embromador, e não houve tempo para nada além de guerra e questões de vida ou morte.

O general Redentor Bosco também teria gostado muito de estar igualmente concentrado. Mas ele estava com uma visita. A princípio, havia muitas instruções a serem dadas e informações para serem absorvidas, mas finalmente o mirrado Redentor insistiu tanto que precisava ser ouvido que Bosco parou por um momento, dando atenção só para se livrar da aporrinhação.

— Quem é você? — perguntou Bosco.

O sujeito suspirou, nitidamente descontente com o tratamento. Era um homem que esperava ser levado a sério.

— Eu sou o Redentor Sim, do Gabinete do Espírito Santo.

— Nunca ouvi falar deles.

— Nós éramos o Gabinete do Celibato.

— Ah, *deles* eu ouvi falar.

— Então o senhor percebe que este não é um assunto trivial.

— O que você quer?

— Quero ajudá-lo, Redentor.

— Estou tentando lutar uma guerra, você pode ajudar indo embora.

— A igreja tem um dever de amor de ajudar seus bispos.

— Eu não sou um bispo.

— Ajudar bispos e prelados igualmente seniores a impedir que nossos prelados celibatários se desgarrem. Como um ato de amor, nós do meu gabinete queremos estar presentes com o prelado o tempo todo para prevenir que ele leve alguma vida privada ou secreta. Como podemos pedir a vocês, Redentor, que todas as suas ações como pais da igreja sejam puras sem que nós demos a ajuda de que precisam?

— Ajuda?

— Presença constante de um integrante do gabinete.

— Em meu quarto, presença constante?

— Especialmente em seu quarto, Redentor. Mas seu ajudante estará vendado durante as horas de escuridão. E o senhor receberá, como mais um ato de amor, um par de luvas noturnas. Luvas noturnas são...

— Sim, compreendo — interrompeu Bosco. A expressão abrandou. — Eu compreendo seus receios, é claro, Redentor. Sim, você está certo ao dizer que não pode haver intrusão na privacidade de alguém que não tem vida privada. — Ele sorriu, como se estivesse arrependido. — Mas entenda que eu preciso lidar com... não com uma ameaça maior, talvez, porém com uma mais premente.

O Redentor Sim não parecia concordar que as transgressões contra o Espírito Santo fossem menos prementes que as questões de sobrevivência.

— Eu voltarei em breve, de uma forma ou de outra, se eu sobreviver, e então poderemos dar a esse assunto a atenção que merece.

O Redentor Sim não ficou exatamente à vontade com isso. Lamentava muito que os bispos não fossem mais receptivos a ele e ao seu gabinete. Obviamente queria só ajudar, mas ninguém parecia pensar assim. Com alguma relutância, o Redentor Sim concordou em voltar uma semana depois e foi embora. Logo que fez isso, Bosco chamou Gil.

— Esse Redentor Sim. Ponha-o na lista.

A questão de ser observado também estava na mente de outros.

— Como vamos escapar agora que você se tornou o Deus Todo-Poderoso de Tudo, diabos?

— O que eu podia fazer? Recusar? Sou todo ouvidos se você tiver alguma ideia.

— Ah, dá para ver que está arrasado. — Henri Embromador olhou para Cale com uma expressão hostil. — Você queria isso, não queria?

— O que posso dizer é que, como sempre, era pegar ou largar. E daí? Estou fazendo algo em que sou bom. E até parece que eu tinha alguma escolha, de qualquer maneira.

— Perca.

— O quê?

— Perca!

— Por que não fala mais alto? Acho que não deu para ouvir do outro lado da cidade.

— Tudo bem. Finja que eu falei baixinho.

— Eu nunca ouvi nada tão estúpido em toda a minha vida.

— Por quê? Deixe os lacônicos passarem, e você mesmo disse que eles começariam a abrir trincheiras até Trípoli. Chartres será perdida em uma semana, e daí ninguém seria capaz de ficar no caminho deles por 5 mil quilômetros. Por que estamos tentando detê-los?

— Porque eles vão abrir trincheiras em cima de nós. Você sabe o que os lacônicos fazem com garotinhos, não sabe? Ou fariam, se os fizessem prisioneiros. Eu matei Antagonistas da Tribo aos milhares na estepe. Você acha que eles não ouviram tudo sobre o Anjo da Morte de Bosco? Os Antagonistas costumavam ter 12 cartas com a descrição de todos os Redentores mais impuros que deveriam ser mortos ao serem reconhecidos. Agora são 13.

— Eu aposto que você adorou quando ouviu: Thomas Cale, o grande "Eu sou".

— O que isso quer dizer?

— Você sabe muito bem.

— Eu nunca pedi que você viesse atrás de mim. *O que* você está fazendo aqui? — Foi uma pergunta feita com o máximo de rancor que ele conseguiu. E magoou.

— Eu não paro de fazer essa mesma pergunta para mim mesmo.

— Bem, é uma pena que não perguntou em Memphis. Ou em qualquer outro lugar, menos aqui. Pelo amor de Deus, como se eu já não tivesse tanta coisa para me preocupar.

— Não vi você reclamando quando eu o mantive vivo enquanto você brincava de Fritigerno, o Temível, nos degraus do velho palácio Materazzi. E quando desceu pela colina em Silbury como o perfeito imbecil que é por causa daquela traidora tarada Arbell maldito Pescoço de Cisne. Eu salvei sua vida uma dúzia de vezes enquanto você se debatia como um peixe em uma chapa.

Houve uma pausa venenosa. E foi Cale quem falou primeiro.

— Acho que você vai descobrir que não salvou a minha vida mais que meia dúzia de vezes na colina Silbury. Mas é bom saber que estava contando.

— Acho que você vai descobrir que eu tinha uma visão melhor do que houve lá do que você.

— Eu não sou um perfeito imbecil — disse Cale.

— É, sim — respondeu Henri Embromador. — Nós precisamos pensar como vamos escapar, e é para já.

— Agora é você que está sendo imbecil. Não há para *onde* escaparmos. Caso você tenha ficado surdo: nós estamos cercados por assassinos desgraçados por todos os três lados. Quando a gente esteve em Memphis, eu não notei ninguém lá que tivesse algo bom a dizer dos Antagonistas. Só porque eles não são Redentores não significa que tudo vai ser uma moleza.

— Eles não podem ser piores do que os Redentores.

— Podem. E mesmo que não sejam, no que diz respeito a eles, nós somos Redentores, eu em especial. Com quem você acha que eu estava lutando na estepe? A avó da Chapeuzinho Vermelho?

Houve uma batida na porta, que foi instantaneamente aberta pelo guarda do lado de fora. Era Bosco. Ele estava bem menos alegre do que da última vez que o viram.

— O papa aceitou sua indicação, temporariamente e sujeita a confirmação. Você tem que assinar isso. — Ele pousou dois documentos na mesa.

— O que são esses papéis?

— Mandados.

— Que tipo de mandado?

— Este é para a execução da donzela de Blackbird Leys.

— Ela é só uma menina.

— Evidentemente que não. Assine.

— Não.

— Por quê?

— Já disse. Ela é só uma menina.

— Você sabe que ela pregou cartazes nas portas de igrejas de oito cidades criticando o papa por queimar hereges, dizendo que isso se opõe aos piedosos ensinamentos do Redentor Enforcado. Como a pessoa faz uma coisa dessas e espera viver?

— E as estrelas continuam a brilhar?

— Você está sendo ridículo. Sabe muito bem que ela tem que morrer, e não viver.

Ele sabia, de fato. Era surpreendente que ela não tivesse pegado fogo espontaneamente de tão grande que era o número de seus crimes inflamatórios.

— Me deixe listá-los para você — disse Bosco. — Palavras escritas em portas de igrejas. Morte. Ela criticou o papa. Morte. Demonstrou consideração pela vida de hereges. Morte. E deu uma opinião sobre a condição humana do Redentor Enforcado. Morte. E fez isso sendo mulher. Açoite. E tudo isso vestida de homem para conseguir chegar à porta à noite. Morte. — Ele gesticulou o mandado. — Assine, por gentileza. Assine sem gentileza. Mas assine.

— Por que é preciso a minha assinatura?

— Porque, como o papa é misericordioso, ele não pode assinar mandados de execução. Eles têm que ser assinados pelo comandante do grupamento militar de Redentores de Chartres. E essa pessoa, a partir da manhã de hoje, é você.

— E como sou o comandante, eu decidi pensar a respeito.

— Curiosamente, não é tão simples assim. Quando você sair daqui, o que deve ocorrer hoje à tarde, o próximo clérigo militar mais graduado na cidade, ou seja, eu, se torna o comandante do batalhão. E eu *vou* assinar.

— Então não há problema.

— Há sim. Assinar esse mandado é uma grande honra, bem como estar presente à execução do mandado. Se não assiná-lo, isso significa que seu primeiro ato como indicado direto do pontífice é insultar a Única e Verdadeira Fé. Uma grande ofensa. Você será destituído do cargo e aí não vai servir para nada. Ela está morta, não importa o que faça. Assine.

Cale olhou para ele, chateado e desanimado.

— Van Owen — ele disse afinal. — Van Owen é o próximo clérigo militar mais graduado na cidade.

— Não — disse Bosco, baixinho —, quando você assinar o segundo mandado.

Como você vai descobrir se um dia comparecer a duas execuções, todas elas se parecem: a plateia, a espera, a chegada, a algazarra, os gritos, a morte lenta ou rápida, o sangue ou cinzas no chão.

Uma característica dos Redentores é que eles eram tão obsequiosos e bajuladores no convívio entre si quanto eram desdenhosos e arbitrários em relação a qualquer outra pessoa. Tirando o ocasional terror com respeito a conspirações Antagonistas ou ao abuso de meninos, os Redentores eram complacentes em relação aos pecados uns dos outros. Mesmo quando envolvia a grave questão dos meninos, era algo que tinha que ser testemunhado em pleno abuso por um Redentor ordenado para a acusação ter valor. Quanto às consequências de fazer uma falsa acusação — o que quer dizer uma verdadeira acusação que não deu certo —, os resultados para o acusador eram terríveis. Os Redentores se vangloriavam de que tal imundície era rara ao garantir que só as vítimas mais desesperadas faziam um estardalhaço. A maioria dessas vítimas logo se arrependia.

Geralmente cautelosos quanto a punir um de seus próprios integrantes, a decisão de culpar Van Owen pela derrota na linha de frente em Golan não tinha precedentes. Van Owen, portanto, tinha que ser acusado de traição e não de incompetência. Afinal de contas, era improvável que um general que sempre lutara bem no passado de repente comandasse seus homens tão mal. Assim sendo, ficou óbvio que isso era um exemplo de algo que geralmente era usado para explicar grandes derrotas dos Redentores: "a facada nas costas". A Batalha dos Oito Mártires foi uma facada nas costas porque ficou claro como água que Van Owen era secretamente um traidor dos Antagonistas e conspirou para criar uma derrota a partir de uma vitória certa.

Van Owen foi julgado em sua ausência para garantir que ele não aproveitaria a ocasião para espalhar mentiras nojentas dos Antagonistas. Foi isso que o levou à Praça da Emancipação no meio da tarde só três dias depois de ter sido condenado. Porém, até mesmo o bispo Redentor de Verona, líder da confraria dos Cordélias Negras que sofrera baixas tão terríveis, não se mostrou contrário quando a sentença de Van Owen foi decretada juntamente com o privilégio considerável de ser enforcado antes de ser queimado. Apesar de que pessoalmente ele teria gostado de estripar Van Owen com uma pá cega por causar a quase aniquilação dos Cordélias Negras, até mesmo o bispo Redentor de Verona não se dispôs a quebrar o precedente. Nunca se sabe, afinal de contas.

Os Notáveis Redentores, liderados por um Cale com expressão chateada, se sentaram em uma plataforma com vista para a Praça da Emancipação e dois palanques. O papa não estava lá, nem Henri Embromador. Contudo, havia um bom público esperando agitado e com bom humor por alguém para assumir a culpa.

Quando Van Owen surgiu entre quatro guardas houve uma onda de empolgação na multidão, alguns aplausos agitados, umas piadinhas indecentes e uma alegria intensa que, como o historiador Solerine disse depois, "fez com que parecessem feras selvagens em vez de homens". Apesar dos muitos guardas, a multidão foi se empurrando em direção ao palanque para ver melhor. Como era de costume, o supervisor dominicano Novella ordenou que tirassem a batina de Van Owen. Embora ele continuasse a usar uma túnica de lã, houve um murmúrio alto de desaprovação vindo da plataforma dos Redentores.

— Isso é realmente necessário?

Mas era tarde demais para interferir, e Van Owen retirou a batina de maneira tão obediente quanto uma criança prestes a ser castigada. Sabendo que isso aconteceria, ele teve a intenção de dizer algo humilde naquele momento, sobre como tinha amado usar aquela vestimenta sagrada, mas o medo fez a boca secar, e as palavras ficaram presas. Então o general foi conduzido até a escada por um supervisor Novella, com o rosto cada vez mais pálido. Van Owen pediu água, e o supervisor se esqueceu e ofereceu o próprio cantil, tão distraído que estava pelo horror de realizar algo que tinha ficado empolgado em executar quando era só uma ideia em um tribunal. Van Owen queria molhar a garganta para que pudesse falar, mas o executor, mais acostumado à realidade dessas ocasiões do que Novella, percebeu o que Van Owen estava tramando e não teve a intenção de permitir nenhum heroísmo que estragasse a punição.

— Abandone a ideia de tagarelar sobre sua inocência. Siga o exemplo de nosso Sagrado Redentor na forca e mantenha a boca fechada. — E Van Owen foi rudemente empurrado escada acima. No meio dos degraus, o executor, animado pela plateia atenta, começou a fazer palhaçada ao se abaixar para uma reverência e quase escorregou e caiu. Esse comportamento deplorável despertou Novella, que gritou furiosamente com o executor. Isso abalou tanto o homem que, no momento em que chegaram ao topo da escada, sua arrogância foi substituída por temor. Van Owen começou a dizer as últimas palavras.

— A vossas mãos, ó Senhor, eu entrego meu espírito e espero que hoje eu acenda uma vela que jamais seja...

Essa despedida cuidadosamente ensaiada foi interrompida por um empurrão tão grande e prematuro que Van Owen não só caiu com a corda no pescoço, que se quebrou instantaneamente, mas também ganhou impulso tão forte e sem jeito que começou a sacudir para frente e para trás como o pêndulo de um relógio. Em vez de usar o bom senso e subir na pilha de lenha para estabilizar o homem já morto, o Redentor encarregado de atear fogo ficou ansioso e imediatamente acendeu a madeira com uma tocha. A madeira tinha sido preparada, encharcada em óleo e pegou fogo que foi uma maravilha. Infelizmente, conforme o cadáver sacudia para frente e para trás através das chamas parecendo uma criança em um balanço, soprou um vento forte como se fosse uma diabrura que afastou as labaredas do corpo. A multidão suspirou de medo diante disso. "Um milagre! Um milagre!" Mas em um minuto o vento parou, o balanço diminuiu, e imediatamente a plateia se empurrou à frente de novo para ver melhor.

Após alguns minutos com a multidão de queixo caído, horrorizada e fascinada, o fogo queimou completamente a corda que prendia os braços de Van Owen. Tão intenso era o calor que fez com que a mão direita do Redentor se erguessse lentamente e parecesse que ele apontava de maneira acusadora para a plateia. Mais tarde foi divulgado pelo Gabinete de Propagação da Fé que aquilo não fora um sinal de uma maldição de Van Owen sobre os fiéis por terem desejado a morte de um homem inocente, mas sim a concessão de uma bênção como sinal de arrependimento.

A essa altura, os Redentores na plataforma estavam sinceramente enojados de todo aquele procedimento, e alguns tiveram a dignidade de se sentirem culpados e envergonhados pelo que fizeram. Contudo, ainda não tinha acabado. Era tarefa dos Queimadores humilhar os cadáveres dos hereges, e dez deles chegaram arrastando um saco pesado com as pedras do arrependimento e remorso. Enfileirados diante do corpo agora muito carbonizado, eles imediatamente começaram a atirar pedras do tamanho de punhos de modo que, de tempos em tempos, fragmentos do corpo meio consumido pelas chamas caíram no fogo. "Choveram sangue e entranhas", escreveu Solerine.

Poucas pessoas fora da influência dos Redentores ou Antagonistas terão visto alguém ser queimado vivo. Na imaginação popular dos que vivem nos quatro cantos do mundo, tal experiência se limita às enormes piras de festivais de inverno onde bonecos de Guy Fawkes ou do general Curly Wurly são queimados no topo de uma montanha de madeira. A realidade é mais mundana e horrível em muitos níveis. Imagine, se possível, a fogueira no jardim de um mercador razoavelmente próspero. Então imagine queimar um porco adulto vivo em pilha de lenha tão modesta.

Você vai entender por que então não falarei dos 15 minutos que a donzela de Blackbird Leys levou para morrer, dos gritos acima do volume e tom que se esperaria ouvir de uma garganta humana, do cheiro e, bom Deus, do tempo que durou. E, no decorrer, Cale assistiu e assistiu e não desviou o olhar nem uma vez. E, afinal, até o mais terrível martírio tem que chegar ao fim.

— Como foi? — perguntou Henri Embromador.

— Se você queria saber, deveria ter ido.

— Diga que foi rápido.

— Foi muito longe de ser rápido.

— A culpa não foi sua.

— Mas você me culpa de qualquer maneira.

— Não.

— Sim. Você acha que eu devia ter usado meu poder para levá-la a um lugar seguro num passe de mágica, onde quer que fosse. Se eu conhecesse um lugar seguro, eu mesmo iria. Talvez você ache que eu devia ter pulado da plataforma dos Abençoados, soltado as mãos dela, criado asas e voado para longe.

— Eu não falei isso.

— Eu resgatei uma donzela inocente em perigo duas vezes antes, e veja quantos milhares morreram como resultado de eu enfiar meu nariz grande em coisas que não deveria tentar mudar.

— Eu sei que a culpa não é sua. Só me sinto mal, só isso.

— Não mal o bastante para ir assistir com ela.

Henri Embromador não disse nada. E, afinal de contas, o que havia para ser dito?

Depois de algumas horas, eles saíram de Chartres e se aproximavam velozmente do acampamento do Oitavo Exército, que fora reunido rápido, já protegido por trincheiras, barreiras e paliçadas de madeira. Minutos após sua chegada, Cale examinava as novas espadas lacônicas que causaram tanta devastação às fileiras dos Cordélias Negras. Ele testou a curvatura em vários capacetes Redentores enfiados em algumas cabeças de madeira. À exceção de um, racharam com o primeiro golpe. Ele voltou para a tenda, pensou por vinte minutos e depois se virou para Henri Embromador.

— Quero que você leve trinta carroções até o depósito onde estão sendo mantidas as armaduras dos Materazzi e traga todos os capacetes que conseguir achar. Leve cinquenta homens, peça mais se precisar. Mande um cavaleiro de volta logo que chegar, com meia dúzia de capacetes para eu testar.

— Está tarde para ir agora.

— Então vá amanhã. Quero ver Gil. — Gil estava lá em cinco minutos.

— Quero que você me arrume uma dúzia de cachorros mortos — disse Cale.

— Onde eu vou arrumar cachorros mortos aqui?

— Não precisam ser cachorros nem 12. Vinte e quatro gatos mortos servem. Entendeu?

— Sim.

— Eu não quero que você corte a garganta do animal de estimação de alguma família de camponeses. Preciso que os animais estejam podres. Caindo aos pedaços.

— O Redentor Bosco deseja ver o senhor.

Cale sorriu.

— Sempre. Faça com que ele entre.

Eles ficaram de rodeios por alguns minutos, e Cale fez o máximo de esforço para não falar do assunto que estava na mente dos dois, a fim de que seu velho mentor fosse forçado a puxá-lo primeiro.

— Então — Bosco finalmente falou —, posso ver seus planos?

— Eu não tenho planos. Não escritos, assim desse jeito.

— E, assim desse jeito, o que você tem?

— Ainda estou pensando.

— E vai compartilhar suas ideias?

— Preciso de um dia ou dois.

— Um ou dois?

— Dois. Provavelmente.

— E se eles atacarem antes, então?

— Vai ser o plano B, imagino.

— Que é?

— Eu não sei, Redentor. Nem tenho um plano A ainda.

— Zombar de mim é uma infantilidade.

— Seria se eu estivesse zombando de você. Você tem perguntas, mas eu não tenho respostas.

— Entendo que as respostas sejam estimativas.

— Não. Você diz que entende, mas não vai entender quando eu contar.

— Vou sim.

— Não vai não. Só pensa que vai.

— Então a resposta é "não".

— A resposta é sim, mas não ainda.

Cinco minutos depois, como Cale já imaginava, Gil estava na tenda de Bosco dando o relatório ao seu mestre.

— Ele quer 2 mil capacetes enferrujados e 12 cães mortos.

18

Em duas semanas, por conta de um vendedor ambulante de remédios cujos produtos eram, se você desse sorte, completamente inúteis, Kleist e sua esposa com gravidez avançada souberam dos grandes eventos em Golan.

Havia acontecido uma grande batalha entre os Redentores e os lacônicos, uma carnificina horrível, e o exército dos Redentores fora destruído quase até o último homem. Desnecessário dizer que isso alegrou Kleist, mas não por muito tempo. Ele quase se engasgou com a própria língua ao ouvir a história, muito enfeitada pelos caipiras das montanhas, de como o dia fora salvo por um mero menino e de que este menino, Cale, agora era considerado o Anjo da Morte, capaz de flutuar a um quilômetro de altura.

— Então, esse amigo seu — disse Daisy mais tarde, quando os dois estavam na cama, enquanto ela descansava as costas doloridas e as terríveis hemorroidas, tentando entender as notícias confusas que tinham ouvido.

— Ele não é meu amigo...

— Esse amigo seu, ele não é o Anjo da Morte, capaz de flutuar a um quilômetro de altura?

— Ah, ele é o Anjo da Morte, sim. Aonde Cale vai, um funeral vai atrás. Ele tem funerais no cérebro.

— Mas não consegue flutuar?

— Não.

— Pena. Um amigo que flutua a uma altura de um quilômetro seria muito útil.

— Bem, ele não consegue. E eu já disse, aonde ele vai, muita gritaria vai atrás. É por isso que eu estava tentando ficar o mais longe possível dele. Se não tivesse encontrado você, eu estaria do outro lado da lua se soubesse como chegar lá.

— Ah — ela suspirou, cheia de tristeza. — Meu pobre traseiro.

Ela não falou mais nada até a dor passar e a seguir passou uma jarra com o creme que o charlatão tinha vendido.

— Passe isso em mim.

— O quê?

— Passe isso em mim.

Kleist olhou para ela.

— Faz você.

— Estou gorda demais. Não consigo alcançar assim tão longe. É mais fácil para você.

— Não dá para chamar a sua irmã?

— Não seja nojento. Anda com isso.

A essa altura, ele sabia muito bem quando não devia discutir com Daisy. Não que Kleist não tivesse habilidades médicas. Os Redentores eram famosos por serem bons em cuidar de ferimentos por conta do fato de que as pessoas estavam sempre tentando matá-los. Cuidar de hemorroidas não era uma lesão, conforme estipulado no *Manifesto Católico*, o manual médico dos Redentores, mas pelo menos ele sabia ser delicado com ferimentos. Ainda assim, a pobre menina respirou fundo.

— Desculpe.

— Tudo bem.

Após mais alguns segundos, Kleist terminou, e a dor no traseiro de Daisy começou a passar.

— Obrigada.

— Não foi nada.

— Mentiroso. Aposto que você não imaginou que estaria fazendo isso um ano atrás. — Agora Daisy simplesmente latejava e soltou um longo suspiro de alívio. — Deite aqui comigo. — Ela esperou enquanto ele obedecia. — Tem algo que preciso falar com você.

— O quê?

— Promete que não vai ficar emburrado?

— Por que não fala logo?

— Você está participando de muitos assaltos. É perigoso demais.

— Acredite em mim, eu sei o que é um risco, e eu não corro riscos. Nunca chego a 500 metros de alguma coisa afiada.

— Eu acredito *mesmo* que você fique a salvo. Mas estamos fazendo o dobro de incursões a que estávamos acostumados por sua causa.

— E?

— Os muçulmanos não vão simplesmente permitir que isso continue. Existem mercenários muçulmanos que lutam melhor do que nós.

— Qualquer um luta melhor do que vocês. Jogar uma pedra na cabeça de alguém que não está olhando não leva ninguém muito longe.

— É isso aí. Todo mundo ficou ganancioso. Isso não pode durar.

— Seu pai vai ter um ataque se eu me recusar a ir. E eu serei tão popular quanto hemorroidas se me recusar a ajudar.

— De qualquer forma, você entende o que quero dizer?

— Sim.

— Vou falar com meu pai. Eu só queria falar com você primeiro.

— E se eu dissesse que você não podia?

Daisy olhou para Kleist, mais surpresa do que aborrecida.

— Não seja ridículo.

Diziam da pobre azarada Sharon de Túnis que ela era condenada a dizer sempre a verdade, mas nunca a ser acreditada. Os cleptos podiam não ser contrários às mulheres que demonstravam força de vontade, mas, assim como as outras pessoas em geral, não se empolgavam com opiniões que não queriam ouvir. A princípio, a irritação do pai de Daisy foi direcionada só a ela. Em tom de fúria, ele mandou a filha manter o narigão longe de assuntos que não lhe diziam respeito. Ofendido pela maneira rude de o sogro falar com sua esposa, Kleist defendeu os argumentos dela e assim provocou a acusação geral de que a ideia era dele o tempo todo e de que estava usando a mulher como escudo para opiniões que eram realmente dele, uma estratégia tão comum entre os cleptos que era conhecida como arrumar um bode expiatório. Kleist foi acusado de preguiça, covardia e ingratidão, características que normalmente os cleptos admiravam quando vinham deles. Ninguém, a não ser a irmã de Daisy e alguns amigos dela, falava com os dois, e deixaram claro que, se Kleist se recusasse a ajudar, haveria problema na forma de uma votação — dada como certa — para banir ambos.

O casal encarou a opção de ou ir embora conforme o inverno se aproximava, com Daisy em gravidez avançada e sem eles terem para onde ir, ou ficar e obedecer. Se havia uma escolha, Kleist não sabia qual era. Ceder não era o que o incomodava. Daisy ardia de indignação e deixou isso claro para o pai, mas Kleist estava mais acostumado a uma vida inteira de obediência hostil, porém silenciosa. Ainda assim, foi um casal aborrecido que cedeu.

Mais notícias sobre Cale também o incomodaram. Não só por despertarem em parte um indesejável sentimento de culpa — não em relação a Cale, mas a Henri Embromador —, mas também porque traziam o fantasma de algo enterrado ainda mais fundo, de tal forma que ele nunca tinha enfrentado diretamente. Embora Henri Embromador jamais tivesse levado a sério a ideia de que poderia haver algo inumano sobre o talento de Cale para matar, os rumores confusos que chegaram à serra de Quantock, por mais ridículos que Kleist normalmente os considerasse, tocaram na ferida de sua alma. Ao longe, a ideia de Cale ser uma espécie de fantasma vivo que circulava causando catástrofes sobrenaturais fazia certo sentido sinistro. Kleist teve a chance de ficar a oceanos de distância de Cale, mas agora a chance passara. O arrepio que descia por sua espinha era muito parecido com aquele que a pessoa sente ao ver a morte de perto.

— Como minha avó sempre costumava dizer — comentou Daisy —, as pessoas acreditam no que querem acreditar.

— Você não está errada — falou Kleist para sua jovem esposa.

19

— Por que eles não estão avançando? — Bosco queria ao mesmo tempo ouvir o que Cale tinha a dizer sobre a inatividade incompreensível dos lacônicos e também se certificar de que Cale percebera como aquilo era incompreensível.

Cale não ergueu o olhar para Bosco ao ouvir a pergunta, mas continuou examinando a meia dúzia de capacetes Materazzi presos às cabeças de madeira.

— Você espera descobrir? — falou para Bosco, ainda sem erguer os olhos.

— Não.

— Então por que se preocupa com isso?

— Você se tornou muito insolente.

Desta vez Cale olhou para Bosco.

— Eu estou errado?

Bosco sorriu, o que ainda era uma visão horrenda.

— Não, você não está errado.

O mestre ferreiro que Cale estava esperando chegou e mostrou o capacete sobressalente.

— O que você acha? — perguntou Cale.

— Bom acabamento e bom aço, mas a ferrugem está muito ruim nesse aqui, diria eu. Não queria que ele protegesse a minha cabeça. Posso olhar os outros?

— Quando eu terminar, afaste-se.

E dito isto ele deu em cada um dos seis capacetes Materazzi uma série de golpes violentos com uma das espadas lacônicas curvas.

— Me ajude a tirá-los — disse Cale para o ferreiro quando terminou. Três aguentaram bem, um ficou danificado, dois foram partidos.

— Amanhã devemos receber uns 2 mil desses.

— Nas mesmas condições?

— Provavelmente. Não tenho certeza. — Cale apontou para os capacetes que ele rompeu. — Você pode consertá-los? Soldar uma chapa de ferro em cima?

O ferreiro os examinou com cuidado por todo um minuto.

— Mestre, acho que consigo fazer alguma coisa para reforçá-los. Quanto tempo eu tenho?

— Não sei. Uns dois dias, pelo menos, talvez mais. Trabalhe o mais rápido possível. Chame quantos ferreiros conseguir trazer. O primeiro lote vai chegar hoje à tarde. O intendente recebeu ordens de lhe dar tudo de que precisar. Venha diretamente a mim se houver problemas. Você não deve passar por mais ninguém. Compreendeu?

O ferreiro olhou para Bosco. Cale pensou em chamar a atenção do homem, mas desistiu. Bosco aquiesceu.

— Sim, mestre.

Após a saída do ferreiro, Bosco não pôde evitar perguntar:

— Por que você precisa dos cães?

— Quando eu estive na estepe, a Tribo sempre deixava para trás um animal morto nos tanques de água para atrapalhar a vida. Se houvesse um poço, eles deixavam um lá também.

— Entendo.

— Não, não entende. Com água parada, não dá para esconder que ela está envenenada por causa do cheiro. Os lacônicos estão pegando água do córrego que passa atrás do acampamento. Os cães vão ficar corrente acima onde os lacônicos não conseguirão sentir cheiro de nada.

— Se a água é corrente, o veneno será diluído.

— Sim.

— Os Redentores na colina Silbury estavam com diarreia e ainda assim venceram.

— Sim.

— Você sabe que envenenar água é um pecado mortal?

— Então a minha sorte é que eu não tenho alma.

Os 12 cães mortos viraram oito porcos mortos e uma caixa de pombos, todos adequadamente rançosos e cuidadosamente colocados por Henri Embromador e vinte Purgadores o mais próximo do acampamento lacônico que arriscaram chegar. No meio da noite, em água gelada e mexendo com montes de animal podre, a tarefa foi tão agradável quanto seria possível imaginar.

Quatro dias se passaram, e ainda não houvera movimento por parte dos lacônicos. O estado dos capacetes trazidos por Henri Embromador podia ter sido melhor ou pior, e os ferreiros estavam quase terminando de entregar os 2 mil capacetes reforçados da menor meta de Cale.

— Você vai discutir suas táticas comigo agora? — Cale ficou um pouco desconcertado pelo tom frio, mas respeitoso, de Bosco. Ele considerou enrolar, não porque as táticas não estivessem prontas, mas simplesmente para bancar o difícil. Por outro lado, por mais que odiasse Bosco, o Redentor era, além de Henri Embromador, a única pessoa que podia reconhecer devidamente sua genialidade. Além disso, ele queria testar as táticas contra o velho mestre e Princeps. Foi Princeps que obteve a verdadeira vitória de lama e violência em Silbury, mesmo que a campanha tenha sido planejada por Cale. Ele tinha certeza de que seus planos para destruí-lo em Silbury teriam funcionado, mas depois que os Materazzi fizeram tamanha cagada na batalha inteira, como dava para saber ao certo? Verdade seja dita, ele cometera erros na estepe, mas ninguém era perfeito, e Cale aprendera com esses erros — os tribalistas agora estavam derrotados naquela pradaria miserável, e não se ouvia um pio deles havia dois meses. Ainda assim, ele não podia se permitir um erro contra os lacônicos. Cale precisava testar suas ideias, mas só contra pessoas que respeitava. E, com a exceção de Henri Embromador, as pessoas que Cale respeitava ele também odiava.

Foi assim então que, sensível à crítica e também satisfeito consigo mesmo, Cale arrumou o mapa de seus planos para derrotar o mais forte exército que os lacônicos levaram a campo de uma só vez e cujo registro de derrota sob tais circunstâncias era inexistente, provavelmente porque jamais tinha acontecido.

— Os lacônicos se movimentam com mais facilidade e rapidez do que qualquer soldado que eu jamais tenha visto ou lido a respeito. Da elevação, pude ver que só reforçaram o flanco direito do ataque dois minutos antes de investirem, é aí que eles quebram os oponentes. Os lacônicos põem os melhores homens à direita e, em um instante, deslocam soldados do meio, e de repente ficam duas vezes mais fortes onde já eram mais fortes.

— E daí? — disse Bosco.

— Temos que dobrar nossa força à direita.

— Simples assim? — perguntou Princeps.

— Não tão simples. — Cale não se importou com uma boa pergunta para a qual tinha uma resposta. — Se reforçarmos o flanco com tanta gente sem nos prepararmos, a tropa vira só uma multidão, se empurrando, se acotovelando e caindo um por cima do outro. Mandei que treinassem 12 horas por dia para que façam isso numa fileira com tantos soldados assim. Quanto mais os lacônicos demorarem a atacar, melhor nós ficamos.

— E os capacetes.

— Há só o suficiente para montarmos uma parede com fileiras de quatro homens à direita e com dois homens pelo resto da linha de frente.

— Não há chance de conseguirmos mais?

— Não. A maioria enferrujou a céu aberto. Os que salvamos estavam enterrados no fundo da pilha. Foi um grande desperdício abandoná-los ali.

Cale gostou do silêncio que veio a seguir, mas não Bosco ou Princeps, embora isso estivesse longe de ser culpa deles.

— De qualquer forma, se os lacônicos quebrarem uma barreira de quatro homens à direita, não creio que tenhamos muita chance, seja como for. Perdemos tão facilmente no Campo dos Oito Mártires porque o finado Van Owen, que Deus o tenha, fez a gentileza de planejar de acordo com as vantagens dos lacônicos.

— E você não fará isso? — disse Princeps.

— Não. Se eles vierem mesmo e evitarem atacar as montanhas, então existe um lugar aqui onde vou tentar lutar. — Cale colocou um dedo no mapa.

— Parece tão plano quanto o Campo dos Oito Mártires — falou Princeps.

— Mas não é. Eu notei quando passei por ali e já cavalguei pelo local meia dúzia de vezes desde então. A elevação no meio da planície é realmente gradual, mas engana. Está muito mais para um morro do que aparenta e corta a planície em dois. Não dá para avançar um exército em linha por aqui como nos Oito Mártires, tem que ir por um lado ou pelo outro. Estou construindo uma fortificação nessa elevação para os arqueiros. Os lacônicos não vão chegar ao ponto de choque sem ter o dobro de mortos e feridos da vez anterior. E acho que posso piorar a situação. Aqui está a escarpa de Golan, íngreme e longe demais para os arqueiros. Preciso mostrar a vocês.

Meia hora depois, na planície em frente ao acampamento, a luz começava a ir embora. Hooke, é claro, estava com a cabeça completamente raspada e sem a horrenda barba vermelha, mas Bosco o reconheceu imediatamente.

— Este é Chesney Fancher — disse Cale.

— Mestre Fancher. — Um aceno de cabeça de Bosco, outro de Princeps, silencioso.

O problema de apresentar novas ideias a um Redentor (e o que era uma boa arma senão uma boa ideia concretizada de forma cruel?) era que eles reprovavam muitas delas. Ideias surgiam do pensamento, e pensar era algo que os seres humanos eram extremamente ruins em fazer. Mas como Santo Agostinho de Hipona, alguém mais próximo de um filósofo que os Redentores tinham, dissera uma vez: "A mente humana foi mal desenvolvida para pensar. Como a amputação, o pensamento só deveria ser executado pelos altamente treinados e mesmo assim raramente." Até Bosco e Princeps, pensadores perigosamente independentes à maneira deles, não seriam facilmente convencidos. Do jeito insensível da juventude, Cale quis usar porcos vivos para a demonstração do uso dos morteiros adaptados de Hooke. Tirando o próprio nojo, Hooke o convenceu de que era arrumar confusão colocar armaduras feitas para um homem num porco inevitavelmente desobediente. Cale concordou com relutância. Mas não para a segunda demonstração. Nela, Cale insistiu em usar animais vivos. Pelo menos, Hooke se consolou: por mais horrenda que fosse a segunda demonstração, ela seria rápida.

Cale levou os dois Redentores para um passeio pelos dois locais e causou uma perplexidade suspeita em ambos. O primeiro local era composto por duas fileiras de 16 porcos mortos com pedaços de armadura Materazzi presos às carcaças onde as peças couberam. O segundo, a 50 metros de distância, era um chiqueiro com 12 porcos vivos grunhindo felizes, perto de três grandes caixotes de madeira amarrados por uma corda firme.

Após se recolherem atrás de um paredão de um metro e meio de toras grossas a cerca de 100 metros dos porcos mortos e com Hooke segurando uma grande bandeira vermelha na ponta de uma vara, os Redentores viram Cale fazer um sinal para ele começar. Hooke sacudiu o bandeirão vigorosamente no ar. Nada aconteceu por mais ou menos trinta segundos até que os dois espectadores Redentores viram uma nuvem densa surgir no céu bem acima dos porcos e depois cair tudo ao mesmo tempo com uma série de pancadas leves e pesadas. Cale conduziu os dois padres de volta às fileiras de porcos e os convidou a inspecionar o estrago. Dentro de uma área de 40 metros quadrados, o chão estava densamente coberto por setas de 20 centímetros disparadas por duas dezenas de morteiros posicionados a 800 metros de Golan. De cada seta que acertou os porcos, havia pouco mais de 2,5 centímetros saindo da carne. Mas mesmo as setas que acertaram as armaduras penetraram a carne embaixo delas a uma profundidade de 7,5 a 10 centímetros.

— Podemos instalar cinquenta desses morteiros em saliências até o meio da subida de Golan. Daquela altura podemos atingir mais de um quilômetro e meio dentro do vale. Desde que eu consiga forçar os lacônicos a virem pelo canal esquerdo, nós podemos acertar pelo menos o flanco direito deles, talvez até mais para o interior das fileiras. — Os Redentores fizeram perguntas, mas não muitas. Era difícil não ficar impressionado. A 50 metros de distância, os porcos vivos grunhiram na direção deles como se estivessem concordando para convencê-los.

— Precisamos voltar — disse Cale para os dois homens. Desta vez, um Hooke de aparência nervosa não foi com eles, mas andou até o chiqueiro, onde um dos Purgadores de Cale esperava com uma tocha acesa. Atrás do paredão de toras, Cale, também nervoso porém escondendo melhor do que Hooke, sinalizou para que ele começasse. Hooke se afastou do chiqueiro junto com o Purgador, mas o homem parou a cerca de 30 metros, enquanto Hooke continuou e subitamente desapareceu dentro de uma grande trincheira. Houve um grito de Hooke, o Purgador soltou a tocha no chão e, escolhido especialmente pela velocidade, correu pelo campo como um perseguido pelo diabo e sumiu dentro da trincheira ao lado de Hooke. Cerca de cinco segundos depois, os portões do inferno se abriram no chiqueiro, e um grande fosso de fogo surgiu ao redor dos animais com um estrondo como o fim do mundo.

Mesmo Cale, que sabia o que esperar, quase teve um troço, mas Bosco e Princeps estavam tão chocados e surpresos que caíram no chão, levados não só pelo medo, mas por uma convulsão física irresistível para fugir de um poder tão terrível. Por dentro, Cale apreciou a humilhação quase tanto quanto a carnificina bem-sucedida que viu acontecer no chiqueiro. Ele deu cinco minutos para Bosco e Princeps se recuperarem e em seguida conduziu os dois homens estarrecidos até Hooke e o Purgador, que estavam ao lado do chiqueiro e do que restava dos porcos que um dia o ocuparam esperando pela inspeção. Foi rápido como Hooke posando de Fancher esperava, mas o estrago foi além de algo que qualquer um dos dois padres pudesse compreender facilmente. O processo e o efeito medonhos das execuções eram algo que testemunhavam com frequência, mas tais mortes judiciais eram lentas e elaboradas — esse, afinal, era o objetivo. O que os Redentores viram diante deles, esses corpos maiores que cadáveres humanos com órgãos internos, patas e cabeças arrancadas, era a marca de um poder que era terrível, mas não humano. Isso era uma violência do outro mundo e incompreensível para eles. Os padres não poderiam estar mais chocados se o diabo em pessoa tivesse voado até ali e destroçado os porcos com as próprias mãos.

Ainda assim, Cale e Hooke ficaram surpresos quando, uma hora depois e ainda pálido pelo horror, Bosco se recusou a permitir que Cale usasse aquela máquina abominável contra os mercenários lacônicos.

— Você percebe — disse Bosco — o que a cúria vai fazer quando eles descobrirem sobre essas erupções? Vão fazer uma fogueira tão grande com cada um de nós que eles serão capazes de aquecer os traseiros em Memphis. Você e esse lunático têm ideia do que desencadearam hoje?

— O que nós desencadeamos, Lorde Redentor — gritou de volta um furioso Cale —, é a única maneira garantida de derrotar um exército que já limpou o chão com vocês. E, se fizerem de novo, os lacônicos poderão marchar até o trono do Redentor Enforcado em Chartres sem ter ninguém sequer para mijar neles.

Esse argumento extravagante, mas consideravelmente verdadeiro, pareceu deixar os dois calados. Princeps e Hooke posando de Fancher assistiram espantados a essa discussão de feirantes entre o grande prelado e o menino que não era menino, mas sim a indignação-de-Deus-em-carne-e-osso. Sob controle agora, foi Cale quem falou primeiro.

— Se eu perder não haverá segunda chance. É isto que você queria de mim.

— Agora ainda não é o momento certo para ir contra a cúria.

— Que outro momento haverá?

Era impossível discordar e, assim que Bosco se deu conta de que tudo em que vinha trabalhando por trinta anos havia chegado ao grande momento de agir, falou pouca coisa a mais. Se não fosse agora, não seria nunca.

— Temos que ir agora para preparar os acontecimentos em Chartres. Se conseguir a vitória, mande notícias, rápidas e precisas. Se não, os lacônicos trarão as notícias por você.

E foi isso. Ele saiu da tenda sem dizer mais nada, mas retornou quase de imediato segurando uma carta.

— Eu quis entregar isso há vários dias. É do seu substituto na estepe. Achei que você fosse se interessar. — Cale fez questão de mostrar que estava guardando a carta num dos numerosos bolsos que ostentava... ele fazia isso porque acólitos eram proibidos de ter bolsos, que na fé Redentora representavam tudo que havia de misterioso e escondido na alma humana. "Bolso" era um apelido para o próprio diabo.

Vinte minutos depois Bosco e Princeps estavam a caminho de Chartres, e Cale terminava de contar a Henri Embromador o que acontecera enquanto ele estivera do lado de fora da tenda tentando ouvir. Os dois ficaram sentados em silêncio por um tempo.

— Agora pode ser uma chance de escapar, se você quiser tentar — disse Cale.

— Pensei que você tinha dito que era perigoso demais.

— Posso estar errado. E agora Bosco tem que confiar em mim, quer ele queira, quer não. Ninguém irá atrás de você. É arriscado se ficar. Meio a meio.

— Não posso ir.

Era óbvio que Henri Embromador tinha algo a mais em mente.

— Por quê?

— Não posso abandonar as meninas.

Cale soltou um gemido, sem poder acreditar.

— Não há nada que você possa fazer por elas.

— Então eu devo ir embora?

— Se não há nada que possa fazer, por que não?

— E se você ganhar? O que vai fazer a respeito delas?

— O que eu puder, o que provavelmente não é muita coisa. Ou sequer alguma coisa. Eu não sei o que fazer ao meu respeito, ou ao seu.

— Mas você sabe como vencer o maior exército já reunido para uma guerra.

— Possivelmente.

— Como isso pode estar certo?

— Porque vencer os lacônicos é possível, mas entrar e sair voando do Santuário com asas de anjo, não.

— Você quer lutar contra eles, não quer?

— Porque eu prefiro me arriscar fazendo aquilo em que sou bom do que fugir, em que obviamente não sou bom.

— Não é só isso... você quer lutar contra eles. Você gosta disso.

— Diga que escolha eu tenho.

— Fugir.

— Já disse. Não. Uma escolha pior não é uma escolha.

— Mas é boa para mim?

— Eu não falei isso. Por que você está querendo puxar uma briga?

— Olha quem está falando. Puxar briga é simplesmente o que você faz. É quem você é. Você puxaria briga com uma preguiça caolha.

— Isso sequer faz sentido. O que é uma preguiça?

— Eles tinham uma no zoológico de Memphis.

— Mansa?

— Muito.

— Se você subir as montanhas Golan com Hooke, vai estar tão seguro quanto em qualquer outro lugar.

— Certo.

— Então... você não vai insistir em ficar comigo no calor do combate?

— Não.

— Pelo menos demonstra bom senso.

— Você vai ficar no calor do combate?

— Não se eu puder evitar.

— Você pensou assim nos Oito Mártires.

— Tento aprender com meus erros.

— É melhor você não cometer nenhum desta vez.

— Não.

— Nós não podemos abandoná-las.

— Podemos sim. Bosco não vai matar as meninas só por matar.

— Você nem sempre pensou tão bem assim sobre ele.

— Eu não penso bem sobre ele, só o conheço melhor. O que Bosco acha que posso fazer é mais importante para ele que a própria vida. É bem mais importante do que as garotas no Santuário.

— E o que *você* acha que pode fazer?

— O que isso significa?

— Não tenho certeza. Talvez signifique que você está começando a gostar da ideia de ser um Deus.

— É você que acha que eu consigo tirar garotas da manga, não eu. Tudo que estou tentando fazer é continuar vivo... e, por razões que não compreendo, fazer o mesmo com você.

— Diga que não está doido para que chegue amanhã.

— Não estou doido para que chegue amanhã.

— Eu não acredito em você.

— Eu não me importo com o que você acredita. — Houve um silêncio enquanto ambos pensavam em algo mais ofensivo para dizer. Estranhamente, foi Cale quem recuou.

— Ele não vai matar as meninas mesmo que a gente fuja — disse Cale.

— Por que não?

— Porque, se Bosco as mantiver vivas, elas podem ser úteis.

— Você não sabe disso.

— Não, mas é o que eu acho.

— É o que você acha que quero ouvir, isso sim.

— Também. Mas é verdade, ainda assim. Tudo o que ele faz é por uma razão. Eu costumava achar que Bosco me batia porque ele era um merda. Mas a situação é mais complicada do que isso.

— Você *gosta* dele?

— Eu o admiro.

— Você gosta dele.

— Bosco é doido de pedra, mas ele pensa bem sobre tudo. Admiro isso. Eu *gosto* disso. É uma qualidade que vai me salvar, vai *nos* salvar, se eu conseguir entendê-lo.

— Se você acabar entendendo Bosco, é melhor abrir o olho.

— Blá-blá-blá! Você está falando ou isso é só o som do ar ventaniando do seu traseiro?

— Não existe essa palavra.

— Prove.

20

— Como posso ajudá-lo, IdrisPukke? Ou, falando de outra forma, o que você tem a oferecer que eu sequer possa querer?

O homem que falava era o *señor* Bose Ikard, sentado diante de IdrisPukke no outro lado de uma mesa tão grande quanto o colchão de um rei. Tinha uma expressão de segurança cínica e cheia de si — uma expressão que dizia *sei--qual-é-a-sua-e-não-pense-que-não-sei.* Ele era conhecido nos quatro cantos do mundo como um advogado, um filósofo natural (tinha inventado um método de preservar galinhas na neve), e era mais famoso ainda por ser um conselheiro de grandes homens, especialmente o rei Zog da Suíça, um homem tão conhecido pelo estudo quanto pela estupidez e pelos hábitos pessoais repugnantes. Não havia muita dúvida pelo resto do mundo de que a Suíça teria perdido sua famosa capacidade de ficar de fora de qualquer tipo de guerra pelos últimos quinhentos anos se não fosse por Bose Ikard — mas havia muita dúvida se, na tempestade que todos previam que estava por vir, até mesmo um homem tão inteligente e sem princípios continuaria sendo capaz disso. Esta situação explicava sua hostilidade na presença de IdrisPukke, um homem que trouxe aquela tempestade diretamente ao coração da Leeds Espanhola e da Suíça.

Fazia mais de dez anos que IdrisPukke e o *señor* Bose Ikard tinham se falado, e mesmo na ocasião não fora uma conversa no sentido comum, a não ser que se leve em consideração que o último decretara uma sentença de morte para o primeiro e perguntara se ele tinha algo a dizer antes de lavrar o veredicto. Ikard sabia muitíssimo bem que IdrisPukke não era o culpado da acusação de assassinato pelo simples motivo de que fora ele próprio a encomendar a morte pela qual IdrisPukke estava no banco dos réus. Não havia rancor entre eles porque o veredicto em si fora só uma forma de pressionar os governadores de províncias, que na ocasião empregavam IdrisPukke. Naquela época, eles valorizavam IdrisPukke o bastante para entregar um dos adversários políticos de Bose Ikard, que, como Ikard imaginara, se refugiara entre eles porque simpatizavam com sua causa (uma causa complicada, defendida com intensidade, que poucos agora conseguiriam relatar de forma coerente). Eles de fato simpatizavam com a causa do homem, mas não o bastante para impedi-los de aceitar trocar IdrisPukke pelo exilado, que no retorno forçado fora sumariamente executado.

Ultimamente, Ikard estava num estado mais ou menos contínuo de irritação política. De sua parte, era um sujeito bastante agradável em questões cotidianas e continuaria a sê-lo mesmo que seus capangas estivessem enterrando os restos mortais da pessoa em um buraco distante junto com meia saca de cal. Bose Ikard era, como Vipond o descrevia, "praticamente um político vilão padrão, porém muito mais astuto. Sua grande fraqueza é pensar que todo mundo que não aceita enxergar o mundo como ele é um hipócrita".

Foi a presença de Vipond na Leeds Espanhola, a maior das cidades de fronteira da Suíça, que causou preocupação a Ikard. Na verdade, Vipond em si não era o problema, mas sim os remanescentes depauperados mas em grande número dos Materazzi que fugiram para lá. Na opinião de Ikard, eles perderam o império de maneira fácil e vergonhosa só para invadir seu país decididamente neutro e virar um grande transtorno, e ameaçavam se transformar em algo pior. Ele tentou implementar a política padrão em relação a aliados que não eram mais úteis — oferecer todo tipo de amparo, exceto ajuda. Infelizmente, o rei Zog da Suíça era um esnobe sentimental e insistiu em providenciar abrigo e assistência financeira a colegas da realeza em apuros. Ikard considerou a medida ao mesmo tempo cara e prejudicial em si, e um terreno fértil para Deus sabe que problemas imprevisíveis. A tentativa de calcular que problemas seriam esses levou Ikard a decidir falar com IdrisPukke, depois de ostensivamente se recusar a fazer o mesmo com seu meio-irmão, julgando que a atitude mais sensata era "encorajar o velho desgraçado a se sentir o mais indesejado possível".

— Então, o que você pode fazer por mim? — perguntou a IdrisPukke.

— Sua honestidade é, como sempre, revigorante, *señor*.

— Sinto que pense assim.

— Por acaso, eu *posso* ser útil.

— Sim?

— Estou prestes a organizar uma deserção que será, a meu ver, de enorme vantagem para o senhor.

— A última vez que ouvi alguém falar com rodeios estavam tentando me vender a participação em uma expedição ao Eldorado.

— É um soldado Redentor, muito jovem, tão valioso para eles que o rapaz foi o único motivo para o ataque aos Materazzi. O senhor não ouviu falar dele?

— Não.

— Então seus espiões são muito menos competentes do que costumavam ser.

— Tudo bem. Thomas Cale.

— O que você sabe?

— O que *você* sabe?

— Bem mais do que você.

— Estou muito disposto a escutar.

E foi isso que ele fez. Foi com certeza muito interessante e com certeza muito peculiar.

— Isso é tudo?

— Claro que não. Os Redentores entraram em contato com você?

— S-sim.

— Não me parece tão certo disso.

— Não, me lembro muitíssimo bem. Um par absolutamente assustador. Um deles tinha dentes que estavam definitivamente podres.

— E o que queriam?

— Expressar a reprovação de nossa ajuda aos Materazzi.

— Por menor que ela seja.

— Isso soa meramente como ingratidão. Eu acho, levando tudo em consideração, que nós os tratamos bem melhor do que o velho Materazzi teria feito, que a paz esteja com ele, se as posições fossem revertidas.

— Pensar assim lhe convém.

— Verdade. Mas ainda assim é o que eu penso.

— E o que o senhor disse para eles?

— Os Redentores? Mandei que os putos caíssem fora.

— Que gratificante.

— Esse seu prodígio monstruoso. O que ele quer e por que devo fornecer para ele?

— Ele quer passar a salvo pelas fronteiras.

— Não acho boa ideia acolher um sujeito que os Redentores estão dispostos a arriscar tanto para recuperar. Jamais vou entender como os Materazzi conseguiram entrar em colapso de maneira tão patética, mas eu diria, com base nas provas, que não é prudente se aproximar dele.

— Isso depende.

— De quê?

— Se o senhor quer esse prodígio monstruoso... um ótimo termo para ele, a propósito... no território deles mijando no seu ou no seu território mijando no deles.

— Ele me parece um jovem bem problemático.

— Ele está vindo aqui de qualquer maneira.

— Como assim?

— Porque os Redentores vão usá-lo para destruir os Antagonistas e, quando acabarem com eles, virão atrás do senhor. E em seu comando estará um Thomas Cale nada feliz, muito insatisfeito pelo senhor tê-lo mandado cair fora quando ele lhe ofereceu a mão da amizade. Os Redentores definitivamente não vão parar. Não importa que o senhor seja um herege ou ateu, é tudo a mesma coisa para eles.

— Por que os Redentores fariam uma cruzada agora? Não se importaram com isso em seiscentos anos.

— Porque eles estão mudando. E, se o senhor não mudar de ideia, vai acabar seguindo o caminho dos Materazzi.

— Por que devo acreditar em você?

— Sabe de uma coisa, quase me senti ofendido. Me ajude a acolher Cale.

— Vou ter que considerar isso.

— Eu não levaria muito tempo se fosse o senhor.

Señor Bose Ikard certamente estava muito mais amedrontado depois que IdrisPukke saiu do que antes de sua chegada. Ele imaginava que era capaz de dizer quando IdrisPukke estava blefando, mas hoje ele parecera muito convincente no geral. Por outro lado Ikard sabia, ao contrário de IdrisPukke, que os lacônicos finalmente tinham decidido marchar em Golan. Assim que os Redentores e sua monstruosidade adolescente passassem por uma luta de verdade com aqueles pederastas cruéis da Lacônia, Ikard decidiria se eles eram uma ameaça ou não. Até o momento IdrisPukke podia sair por aí assobiando — juntamente com seu moleque assassino.

Basta ir a qualquer biblioteca de esquina para encontrar uma centena de livros sobre a fuga dos Materazzi depois da queda de Memphis: livros fantásticos, mágicos, místicos, históricos, curtos e grossos, lendários e refinados, trágicos e realistas, simples e diretos, cheios de detalhes sombrios, vermelhos de sangue e sofrimento — em algum lugar, no meio disso tudo, estará a verdade. Contar um décimo da história seria insuportavelmente chato, pois um relato de horror e sofrimento em uma época de frio intenso e escassez se torna praticamente igual a qualquer outro. É horrível dizer isso, mas é fato. Foi um momento difícil para os Materazzi antes que os 4 mil fugitivos chegassem pela metade disso a Leeds Espanhola, onde a recepção não foi mais calorosa do que a jornada até lá.

— Então? — disse Vipond quando IdrisPukke voltou para o gueto judeu recentemente vago, pois o rabino-chefe decidira que, com a ascensão dos Redentores, era hora de sua congregação ficar o mais longe deles que fosse humanamente possível, o que significava tão longe que se andassem mais um pouco já estariam no caminho de volta.

IdrisPukke fez um resumo para o meio-irmão.

— Ele vai me receber?

— Não.

— Sendo justo, nem eu receberia, na posição dele.

— Vocês, homens sofisticados — debochou IdrisPukke. — Tão surpreendentes.

— Ele receberia você novamente, talvez?

— Depende. Eu conheço o tipo dele. Sempre querem que a pessoa saiba que está comendo na mão deles.

— Por assim dizer.

— Ikard não sabe o que fazer a seguir, a despeito de toda a vaidade. Mas quer que vocês saiam de seu município assim que ele puder. Depender da bondade daquele velho desgraçado Zog não é muita garantia.

— Não. — Houve um longo silêncio.

— O que você acha que Cale vai fazer?

— O que ele pode fazer além de esperar? Ikard colocou a maioria das tropas às margens do conflito. Cale e Henri Embromador estão encarando 950 quilômetros de trincheiras Antagonistas e uma linha de 300 quilômetros de tropas de fronteira nervosas da Suíça. Cale vai ficar quieto no lugar dele, eu diria.

Houve uma batida na porta, que foi instantaneamente aberta pelo lado de fora. O guarda, todo reverente e solícito, indicou que Arbell Materazzi entrasse na sala. Ela bem podia ser a última líder dos Materazzi, um grupelho agora tão diminuído que mal se imaginava que fosse liderado, mas pelo menos parecia a quase rainha que era. Mais velha, mais bonita, o sofrimento dera uma espécie de poder maduro ao seu visual. Tudo havia mudado em poucos meses, seu mundo destruído, o pai morto, agora a primeira entre os Materazzi remanescentes, casada com o primo, Conn, e com uma gravidez avançada.

21

Passaram-se quatro dias até que os lacônicos começaram a contornar Golan, como Cale esperara, e foram diretamente tomar Chartres. Independentemente das baixas dos preciosíssimos soldados que os lacônicos sofreram na vitória na planície costeira, essas mortes teriam de ser compensadas pela necessidade que tinham da prata dos Antagonistas. A única alternativa que os lacônicos tinham ao dinheiro ganho por alugar seu poderio militar era a riqueza proveniente do enorme número de servos hilotas que viviam na Lacônia e dos países escravizados que cercavam a nação por quase todos os lados. Eles podiam aterrorizar os hilotas e exterminar seus líderes, mas isso lhes diminuía a renda — um escravo morto era um escravo morto — e garantia que os hilotas ameaçassem se rebelar repetidas vezes porque os lacônicos os matavam em grande quantidade, quer eles se rebelassem, quer não. Sempre que exterminavam alguns milhares de hilotas, os lacônicos ficavam cheios de si a curto prazo, mas mais desconfiados a longo prazo. Sem medo de morrer, temiam a aniquilação, contudo. Foi isso que levou os lacônicos a voltar ao campo de batalha e atacar Chartres.

A preocupação imediata de Cale era que os lacônicos pudessem ter concluído que os Redentores iriam tentar detê-los com o paredão das montanhas Golan de um lado e, inegavelmente, só com uma pequena elevação do outro. A elevação só limitava a visão daquilo que era um campo de batalha bem maior, mas, apesar de sua aparente insignificância, era quase tão boa quanto um grande paredão de rocha porque serviria para afunilar os lacônicos em um espaço bem mais estreito do que qualquer coisa antes ou depois da elevação. Assim que Cale conseguisse entrar em combate com eles, nem mesmo os lacônicos seriam capazes de se reagrupar em meio à batalha.

Infelizmente para Cale, o recém-eleito rei lacônico, Jeremy Stuart-Clarke, realmente tinha percebido o problema, mas suas opções eram limitadas: ele podia avançar contra Chartres via Golan e correr o risco de passar em um gargalo ou ficar onde estava e esperar, gastando todos os valiosos suprimentos que acabara de receber e travando seus homens não só física, mas também mentalmente. Por mais disciplinado que seja, nenhum soldado jamais foi um homem paciente. Soldados perdem o pique, e, ao se prepararem para um avanço após uma longa espera monótona, parar bruscamente outra vez não era algo que o rei

Stuart-Clarke quisesse fazer sem uma boa razão. Ele não tinha uma. Ir mais ao sul para atacar Chartres pelo terreno mais plano da retaguarda levaria pelo menos uma semana e daria mais tempo para os Redentores se prepararem — e eles já haviam tido bastante. O rei Stuart-Clarke sabia que os Antagonistas estavam prestes a fazer mais pressão contra os Redentores ao atacar as trincheiras que se estendiam a oeste de Golan — uma manobra que ele não podia adiar agora e que seria completamente inútil se não pressionasse os inimigos diretamente.

O rei Stuart-Clarke pesou os riscos e, dado que já havia massacrado um exército Redentor, achou que valia continuar. Além disso, o acampamento todo fora afetado por uma indisposição estomacal desagradável que, embora não fosse nem de longe tão ruim quanto disenteria, havia deixado quase todo mundo com terríveis diarreias e dores de estômago desagradáveis. Levando-se em conta todos os riscos, fazia mais sentido tomar o caminho mais curto para Chartres.

Foi com uma mistura de alegria e medo repentino que Cale viu os lacônicos, após uma pausa de quase três horas, entrarem no único ponto em que ele tinha uma vantagem defensiva em um raio de 150 quilômetros. Mas então lhe ocorreu que nas duas experiências anteriores de uma grande batalha ele observara de um lugar seguro, um espectador indiferente cheio de opiniões sobre o que estava sendo feito de errado. Agora, parado diante do mais terrível dos exércitos, Cale foi forçado a reconhecer a diferença entre saber de uma coisa e senti-la. Agora ele sentia a diferença. Por alguma razão, era um medo diferente daquele que o deixara imobilizado de terror na luta com Solomon Solomon no Opera Rosso. Desta vez foram os joelhos que sofreram com o terror. Eles estavam tremendo de verdade. No Opera Rosso tinha ocorrido uma terrível paralisia no peito.

Cale ordenara a construção de uma torre na retaguarda da última fileira de homens para que pudesse ver a batalha se desenrolar, mas agora estava preocupado em não conseguir subir a escada estreita de estrutura leve. Olhou para os joelhos como se fosse dar bronca. Parem de tremer. Parem. E lá vieram os lacônicos em seus quadrados malfeitos. Por um instante tudo parecia perdido para Cale, seus soldados fracos, as ideias para ataque e defesa risíveis diante da grande máquina de matar que se movia lentamente em direção a eles. Então Cale colocou um pé na escada e depois mais um, devagar, uma pausa, outro passo. Queria estar em qualquer outro lugar, que houvesse um salvador para ele, que o levasse embora e o mantivesse a salvo. A seguir, um passo e depois outro. E então, como um filhote de ave marinha chegando à praia após ter ousado nadar em mar bravio, alcançou a plataforma da torre e foi ajudado por dois guardas que já estavam lá em cima com enormes escudos para protegê-lo de flechas, setas e lanças. Olhando para os lacônicos, Cale se acalmou pensando que tudo daria certo desde que não saísse nada de errado com o salitre explosivo.

O que aconteceu. Começou a chover. O salitre, como Hooke explicou depois, não gostava de água — ou, mais exatamente, gostava demais. Absorvia a menor umidade do mesmo jeito que a areia do deserto amava chuva. Dois minutos depois de as nuvens se abrirem, estava tão inflamável quanto um brejo. Sabendo da fraqueza, o cauteloso Hooke tomara todos os cuidados para evitar demonstrar sua invenção quando o tempo estivesse úmido, não por querer esconder sua vulnerabilidade, mas simplesmente porque não funcionaria. Sua única experiência com guerra fora na estepe numa época do ano em que nunca chovia. Em retrospecto, pareceu óbvio que Hooke devia ter mencionado isso, mas simplesmente não lhe ocorrera, ao menos até começar a chover: a vida de quem experimenta envolvia naturalmente criar as melhores circunstâncias possíveis para seu experimento.

Alheio à nêmesis molhada, Cale observou os lacônicos avançarem do alto da torre, protegido por dois Purgadores. Esperou muito tenso para dar o sinal para que os pavios embebidos em óleo fossem acesos. Foi uma espera eufórica e agonizante, até que veio o sinal de Cale, e as trompetas soaram, agudas como corvos. À primeira nota, a linha de frente dos Redentores foi para trás das estacas de teixo cravadas no chão atrás deles, e, a seguir, equipes de dois soldados fincaram mais estacas no vão para que, embora não fosse propriamente uma cerca, fosse impossível para um homem passar pela brecha, pois cada estaca tinha ganchos de metal presos em intervalos de 25 centímetros. Cale fizera com que duas duplas treinassem a sua rapidez por 12 horas ao dia durante as duas últimas semanas, e, antes que os pavios atingissem os barris, outra camada de estacas com ganchos já havia sido fincada no chão.

Enquanto isso, no meio da subida das montanhas Golan, o plano de batalha de Cale estava se desintegrando ainda mais. Embora a chuva já estivesse diminuindo, a força da breve enxurrada fora tanta que não só liquefizera o salitre, mas também molhara as cordas dos morteiros e reduzira a força com que poderiam ejetar as setas extraordinariamente pesadas. Hooke havia coberto os morteiros rapidamente, mas para que atingissem o flanco direito do avanço lacônico eles estavam operando no limite do alcance. Agora que as cordas estavam ligeiramente úmidas, o alcance foi reduzido em um quarto, uma distância que os tornava inúteis.

Um desesperado Hooke sinalizou com uma bandeira que não conseguiria disparar, e a mensagem foi devidamente recebida por um assustado Cale em sua frágil torre. Ele também notou várias bandeiras improvisadas tremulando das montanhas Golan. Eles não combinaram um sinal sobre o salitre porque não havia bom motivo para isso. Agora os lacônicos estavam se aproximando dos barris, assim como o fim muitíssimo bem sincronizado da queima dos pavios.

Outro sinal de Cale e outro clangor ensurdecedor das trombetas abaixo. Desta vez, toda a linha de frente dos Redentores se abaixou e virou na direção contrária dos barris, cada soldado encolhido como uma bola para se proteger. Os lacônicos continuaram a avançar e começaram a correr como haviam feito no Campo dos Oito Mártires. Os pavios queimaram segundo os cálculos, os lacônicos chegaram como esperado, e nada ocorreu. Muitos pisaram nos barris levemente encobertos por terra, mas, embora sentissem o chão ficar diferente, não tinham como parar. Então um dos barris explodiu, o último, mas que estava no flanco direito dos lacônicos. Fora projetado para explodir para a frente, mas madeira não é um material confiável, e a força da explosão saiu pela frente e por trás, matando quase tantos Redentores atrás do barril quanto inimigos que avançavam.

O que essa explosão isolada conseguiu fazer foi parar a linha de frente dos surpresos lacônicos. Nenhum deles jamais tinha visto tamanha violência, a própria terra indo pelos ares e o som ensurdecedor pior que o trovão. As fileiras tremeram, pararam e recuaram como se fosse uma única criatura assustada. A carnificina feita pela mão do homem é uma coisa, é um ato horrível em que carne e osso são dilacerados pessoalmente, de perto. Pense, contudo, em como foi testemunhar pela primeira vez a calamidade de tamanho estouro de poder e fumaça. Por um instante depois do urro dos exércitos lutando para entender o que aconteceu, houve um imenso e súbito silêncio como se a mão de um deus furioso tivesse dado um tapa no solo entre eles. Acostumados a dar golpes e cortes horríveis, nenhum deles havia visto um homem ser rompido, pulverizado e destroçado em menos de um piscar de olhos.

De queixo caído e estupefato diante do fracasso dos barris, Cale foi tomado por pânico e medo. Mas não foi o único — o rei Stuart-Clarke foi jogado do cavalo quando o animal empinou aterrorizado pela explosão, assim como meia dúzia de mensageiros ao lado. Cavalos assustados disparavam para todos os lados, e o ataque, o pior dos pesadelos, foi completamente interrompido, e todo o ímpeto vital pela linha de frente de um quilômetro se perdeu. Todos os comandantes caíram do cavalo como o rei ou estavam tentando controlar as montarias. Cale, horrorizado pelo fracasso dos barris, teve alguns instantes para recuperar o juízo abalado.

Cale tinha poucos arqueiros, mas os reservara de qualquer maneira para alvejar os lacônicos após os inimigos serem atingidos por todos os vinte barris, imaginando que alguns deveriam falhar. Ele desceu da torre, subiu no cavalo que o aguardava, gritou para os quatrocentos arqueiros à frente para que disparassem a primeira saraivada e mandou um mensageiro até os outros quatrocentos escondidos na elevação para esperarem até que os lacônicos tentassem dar a volta pelo seu flanco direito. Então, enquanto os lacônicos começaram a se ordenar para recomeçar o ataque, Cale acenou para Gil para levar as tropas de reserva como planejado a fim de reforçar seu flanco esquerdo já muito mais forte. As tropas de reserva, formadas em maioria pelos sobreviventes dos Cordélias Negras, começaram uma lenta marcha em direção ao flanco esquerdo. Cale parou e se deu conta de que, na pausa entre a mudança de seus planos e o reinício do combate, ele não tinha ideia do que fazer. *Espere para ver, espere para ver.* Mas o horror da falta de ação, o pânico provocado pela sensação de que deveria ficar onde estava ou voltar para a torre e esperar era simplesmente grande demais para impedir. Ele correu pela retaguarda para cima e para baixo por talvez vinte segundos — uma eternidade — como uma criança perdida e desesperada até recuperar o juízo e parar. Agora, como costumava fazer durante os terríveis ataques de pânico nas longas noites tristes quando era criança, Cale mordeu com força a mão debaixo do polegar e sentiu a onda de dor começar a acalmá-lo. Ele parou, respirando fundo por alguns segundos, depois virou o cavalo de volta à torre e, em poucos momentos, estava sob controle, observando a batalha se recompor e os lacônicos começarem a atacar novamente.

Desta vez não houve uma carga; os lacônicos simplesmente avançaram e esperaram cobrir a distância. Isso foi o que aconteceu com as fileiras mais fortes dos inimigos em relação ao flanco agora imensamente reforçado de Cale. Mas ele não tinha homens para criar uma parede de soldados tão grossa a fim de resistir ao flanco mais forte dos lacônicos e simultaneamente ter seis ou oito fileiras no meio e à direita — daí as estacas de teixo e os ganchos. Isso atrasaria os lacônicos e protegeria a linha de frente mais fraca. Logo eles passariam pelas estacas, e Cale havia treinado os Redentores dali para recuarem lentamente enquanto lutavam e se recusarem a oferecer resistência. Então os quatrocentos arqueiros na elevação atirariam nos inimigos pela retaguarda, que teriam que se virar para defender as costas sem armaduras e diminuir a pressão do ataque ou seriam alvejados por dez saraivadas a cada minuto pelos melhores arqueiros dos quatro cantos do mundo.

Cale não tomou medidas assim para seu flanco esquerdo. O flanco direito dos lacônicos era composto de uma parede com vinte fileiras dos soldados mais fortes e experientes, mas agora a parede que se opunha a eles tinha cinquenta fileiras de Redentores. Enquanto os capacetes os protegessem dos golpes arrasadores das espadas lacônicas e o empurra-empurra de tantos homens não levasse a um colapso, Cale esperava reverter a pressão do flanco direito dos lacônicos e fazê-los recuar para trás e rumo ao flanco esquerdo deles — fazer o que os inimigos haviam feito com os Cordélias Negras vinte dias antes.

Se tudo isso teria dado certo foi uma coisa discutida por meses e anos. Foi arriscado, disse Cale ao falar sobre a vitória, tarde da noite, com Henri Embromador.

— Você foi totalmente inútil — falou Cale para Henri, em tom agradável —, enfiado lá em cima com aquele retardado do Hooke, mas sem os cães mortos no córrego eu não creio que teríamos vencido.

A batalha foi tão horrenda quanto era de se esperar entre um lado que simplesmente não tinha medo de morrer e outro que considerava a morte só como uma porta para a vida eterna. Seis horas após começar com tanta violência, a luta terminou. O rei Stuart-Clarke morreu junto com 8 mil de seus homens, e os sobreviventes lutaram durante uma retirada que durou quatro semanas e se tornou lendária pela coragem e resistência. Não que a sobrevivência deles fizesse muita diferença para os lacônicos no fim das contas. Thomas Cale mudou a história deles para sempre naquele dia — e tudo graças a três coisas que, na ocasião, ele julgou serem menos importantes do que seus grandes morteiros e a destruição em massa dos barris de salitre: os capacetes reforçados dos Materazzi mortos, táticas inteligentes e uma terrível diarreia, causada pelos animais em decomposição no córrego que alimentava o acampamento lacônico, que minou só um pouquinho, mas o suficiente, a terrível força necessária para lutar em armadura pesada por um dia. E, dando o devido crédito, à coragem insana e à capacidade de abnegação dos Redentores. No decorrer do dia, Cale andou para cima e para baixo com seus dez Purgadores que estavam doidos para morrer por ele. Em um minuto ele estava no topo da torre, descendo e indo para uma seção da linha de frente que ameaçava ceder, gritando para os que não conseguiam ver onde eram necessários que corressem ali ou recuassem de acolá. Cale cavalgou repetidas vezes pelo flanco direito, com os Purgadores temendo por ele e o protegendo como se suas vidas eternas dependessem disso. Ele tentou que a linha de frente primeiro contivesse os lacônicos ao longo da parede de estacas de teixo e, no momento em que os inimigos cruzassem, que a linha recuasse de forma ordeira para que os lacônicos continuassem encurralados onde os arqueiros na elevação pudessem infligir o maior dano. Daí era voltar para a grande disputa no flanco esquerdo onde a batalha seria vencida ou perdida, encorajar o empurra-empurra mortal, gritar para aqueles onde a batalha arrefecera para se deslocarem para o outro lado e somarem forças. Agora o medo sumira, e Cale estava tão ocupado com a luta que não teve tempo para se preocupar por estar em seu elemento, por, ao menos uma vez, não estar irritado ou triste, mas animado além da conta, e só de vez em quando uma vozinha dizia para que tivesse bom senso. O dia inteiro durante a luta ele fora como uma mosca ou vespa zumbindo diante de uma janela, indo e vindo como se tentasse achar um ponto fraco no vidro. Liderar da linha de frente: sempre, algumas vezes, jamais. Ele sempre se prometia a última opção, mas hoje fora impossível. Às vezes Cale tivera que atacar os lacônicos conforme abriam um buraco na linha dos Redentores, fechando a brecha, atacando o inimigo como o louco mais calmo do asilo, golpeando e bloqueando como a máquina que fora criado para ser, os Purgadores e os homens que mais odiava na vida corriam para morrer ao seu lado como se não tivessem outro destino que não o dele. E então os Purgadores formavam um anel ao redor de Cale, e ele recuava, voltava ao cavalo e subia a torre alta e esguia como Deus no céu observando o caos da própria criação. Daí, de forma impossível, o vidro se dobrou diante da vespa, se inchou e se rompeu. O flanco direito dos lacônicos perdeu a forma e a seguir não só se rompeu, como estourou. Em uma criatura como aquela foi o poder do conjunto que cedeu, entrando em colapso como um animal muito exausto, ao mesmo tempo cedendo ao próprio peso e ao peso do inimigo. Foi uma morte coletiva e não questão de bravura ou mesmo de força, e assim que o flanco caiu a batalha como um todo terminou. Mas não terminou como uma carnificina individual — agora a criatura estava se desmanchando em partes, se desmontando em cada homem, fraca, sozinha e fácil de matar pois não conseguia se recompor na forma de uma criatura menor para fugir.

Com a batalha vencida, a matança dos lacônicos foi tão terrível quanto aquela que haviam infligido aos Redentores havia apenas algumas semanas. O que há para ser dito? O terror, o horror, a estocada para baixo, o sangue sobre o solo. Cale não teria conseguido detê-los mesmo que tivesse desejado. Ele deixou para os centuriões a tarefa de parar a matança como pudessem. Quando eles conseguiram, havia só quinhentos prisioneiros e os poucos milhares que deram um jeito de fugir por completo. O próprio Cale tinha duas tarefas urgentes. Uma era informar a vitória para Bosco, que aguardava; a outra era arrepiar os pelos da bunda de Guido Hooke por meio de uma bronca tão desesperada e ofensiva que se tornou quase tão lendária quanto a própria batalha.

O que Cale não se deu conta foi de que sua vitória trocou um perigo mortal por outro, desta vez um perigo sobre o qual ele não tinha controle. A hesitação de Bosco em tomar uma atitude decisiva em Chartres não surgiu de indecisão, mas da complexidade dos problemas que enfrentava. Ele não só devia destruir os inimigos, e fazer isso rápido ainda por cima, mas também destruir um grande número de amigos. Ele sabia perfeitamente bem que muitos de seus aliados eram aliados por desafeto. Eles não eram entusiasmados partidários do sonho de Bosco de um mundo completamente purificado pela simples razão de que não sabiam no que ele acreditava e teriam ficado estarrecidos se soubessem. Bosco tinha reunido uma coalizão feia e multicolorida de desafetos teológicos, muitos deles totalmente incompatíveis, rancores pessoais, rancores religiosos e descontentes egoístas que tinham certeza de que a mudança estava no ar, mas tinham medo de estar no lado errado. Os mais perigosos de todos eram aqueles tão empenhados quanto Bosco na visão de um mundo novo e puro, que se consideravam tão vitais quanto ele para a limpeza que o precederia. O principal entre esses parceiros perigosos era o Redentor Paul Moseby, há muito tempo o detentor do dinheiro que apoiava essa coleção de visionários e partidários. Distribuidor de favores e influência, muitos deviam a Moseby, e ele esperava ser pago. Um ano antes, Moseby ganhara poder ainda maior em Chartres ao prender com grande rapidez um núcleo de conspiradores Antagonistas que tinha queimado a Basílica do Perdão e da Compaixão em pleno coração da cidade velha, que perdia em importância e santidade só para o enorme Domo do Conhecimento. Impaciente por esperar uma conspiração de verdade, ele próprio ateou o fogo, ou providenciou que isso fosse feito, e prendeu quatro irmãos previamente escolhidos com um histórico de doença mental e cuja incoerência foi ajudada pela administração cautelosa de drogas soporíferas. Eles foram rapidamente executados, e, como recompensa, Moseby assumiu a tarefa de dirigir um Ato "de permissão", assim chamado porque permitia que ele aprisionasse qualquer pessoa por até quarenta dias sem acusação. Moseby raramente precisava desse tempo para encontrar alguma coisa que justificasse a prisão que fez. Alguns eram liberados não só porque parecia um ato justo, mas também porque a ficha deles fora devidamente marcada, e a lição sobre o que aconteceria se não cooperassem no futuro, aprendida.

Mas Moseby começou a gostar do aumento do poder que passava agora a experimentar da forma quase mais pura. Prendia e ameaçava Redentores que Bosco não queria presos ou ameaçados. Começou a discutir com Bosco sobre as próprias ideias em relação à renovação da fé Redentora. Mais ainda, em vez de discordar em particular, ele fazia isso em reuniões, onde podia mostrar sua importância comparada a Bosco e deixar claro que não era um partidário a ser confundido com um servo obediente pelos novos fiéis. Pior, Bosco descobriu que Moseby questionara as origens divinas de Cale. Tinha sido, na verdade, só uma piada sobre o fato de que, apesar de Cale realmente poder ser a fúria do Senhor em carne e osso, ele não parecer isso. Uma zombaria casual tinha o mesmo efeito sobre Bosco, como tantas vezes ocorre na vida, de causar tanto ou mais dano do que uma argumentação cuidadosamente sensata. Daquele ponto em diante era possível dizer que o destino de Moseby e de seus familiares estava decidido. Porém, não estava garantido, de forma alguma. Bosco estava prestes a enfrentar duas poderosas facções ao mesmo tempo e não tinha certeza se poderia destruir qualquer uma delas em algumas horas separadamente, quanto mais juntas. Ele tinha uma grande vantagem: a completa surpresa e a alarmante originalidade do que estava a ponto de tentar.

Poucas batalhas são decisivas. Mesmo aquela ocorrida nas montanhas Golan, que parecia definir o termo, dependia dos eventos que aconteceram em Chartres imediatamente após a vitória sobre os lacônicos para ter um significado duradouro. Bosco primeiro convocou um Congresso das Confrarias da Perpétua Adoração com a intenção, abertamente, de rezar pela salvação dos Redentores contra os Antagonistas. Se Cale perdesse, eles poderiam continuar rezando que não adiantaria de nada. Se ele vencesse, o que aconteceria seria o exato oposto das preces.

Assim que Bosco soube da derrota dos lacônicos, teve a sua própria batalha para travar. Os membros do congresso, que incluíam a maioria dos partidários de Bosco, confiáveis ou não, foram trancados no templo pelo seu olheiro religioso, Redentor Francis Haldera. Um integrante sênior das confrarias, ele fora de grande utilidade nos anos em que Bosco tentara criar uma rede de partidários em Chartres a partir de sua base distante de poder no Santuário. Ele era um facilitador incansável e obediente, um vaselina para os que precisavam de bajulação, implacável com aqueles para quem a chantagem era a abordagem mais útil. De uma forma ou de outra, estava chegando a hora em que essas qualidades não seriam mais necessárias e a essencial falta de fé ou coragem de Haldera seria a parte central do plano delicadamente equilibrado de Bosco. Haldera tinha sido chamado e isolado numa sala reservada antes do início das preces e acalmado com certas mentiras. Assim que chegou a notícia da vitória de Cale, Haldera foi confrontado com provas de que ele havia agredido quatro acólitos e roubado outro, o que era verdade, e conspirado com Antagonistas, entre vários outros hereges, o que era mentira. Deixaram claro para Haldera que ele seria queimado vivo devagar pelos crimes que cometera, reais ou falsos, mas caso confessasse e cooperasse seria meramente exilado. Não foi surpresa, portanto, que ele tenha concordado em acusar a si mesmo como também qualquer outra pessoa que o mandassem denunciar. Haldera recebeu um documento para ler e vinte minutos para ensaiar, enquanto integrantes das confrarias não suspeitavam de nada e rezavam por uma vitória que já havia ocorrido.

Ao mesmo tempo que Bosco se vingava dos amigos, um grupo que ele conseguia reunir facilmente num só lugar, também tinha que começar a eliminar os inimigos, que estavam dispersos pela cidade inteira, e conseguir fazer tudo isso aproximadamente ao mesmo tempo. Era vital manter a informação da vitória de Cale longe da cidade pelo maior tempo possível. A notícia de uma salvação tão épica levaria a um grande caos de celebração, e qualquer chance de destruir os oponentes de Bosco dependia de eles ficarem onde deveriam estar.

Enquanto um aterrorizado e perplexo Haldera subia a escadaria de pedra de um dos púlpitos do congresso sob os olhos atentos de Bosco, que esperava no outro púlpito a 30 metros de distância, os primeiros assassinatos estavam prestes a ocorrer nos conventos. O Redentor Low e dois de seus confrades, que simplesmente deram o azar de estar na companhia dele, foram abordados enquanto rezavam pela vitória por quatro assassinos de Gil e esfaqueados umas seis ou sete vezes. Outros não puderam ser abordados tão facilmente. Ao sair na rua após meia hora de silêncio, o gonfaloneiro de Hasselt foi alvejado por uma seta de uma janela próxima com tamanha força que disseram que ela trespassou o corpo e feriu um monge que mantinha guarda atrás dele. Esta história improvável era de fato verdade, porque a arma preferida dos assassinos de Gil era uma besta pesada super-retesada, chamada assim porque disparava setas pesadas quase sempre fatais para as vítimas. Ela tinha uma desvantagem, como o nome sugere, porque era retesada com tanta força que às vezes, quando o gatilho era solto, o mecanismo inteiro se desintegrava e explodia como se tivesse sido preenchido, de maneira bem-sucedida, por salitre. Foi assim que o Redentor Breda, chefe dos guarda-costas papais, os beguinos, sobreviveu. Com mais experiência em assassinatos do que a maioria das outras vítimas na lista, ele percebeu o significado do horrível estalo que a desintegração da besta provocara ao ser disparada pelo aspirante a assassino e escapara pela saída mais próxima. Lá a sorte e o bom senso o abandonaram. A rota de fuga mais próxima era chamada Impasse Jean Roux, e a ignorância do dialeto local lhe custou a vida. Logo ao se dar conta de que *impasse* era um beco sem saída, voltou rapidamente à rua principal, mas encontrou o assassino barrando o caminho, sangrando muito de uma ferida profunda na testa causada pela besta que explodira. Este estava tão envergonhado pelo fracasso que se preparou para sacrificar a vida para cumprir a tarefa. O sacrifício foi devidamente realizado pelos guardas de Breda, que finalmente vieram ao resgate depois da demora na reação, mas não antes de o assassino ter cortado fora a mão do Redentor e o esfaqueado no pulmão.

Outros assassinatos por besta deram mais certo: Pirenne morreu na Rue de Châteaudun, juntamente com Hardy e Nash; padre Pete, no Auditório; Redentor “Amável” Oliver — chamado assim por sua extraordinária ternura —, na residência paroquial na Rue de Reverdy com um tiro especialmente certeiro. A seta foi disparada de um poço atrás de uma janela a 50 metros, atravessou outra janela na residência e o acertou no peito enquanto ele passava pelo vão pela primeira vez naquele dia. Mas existe um limite para o número de assassinos de alta qualidade assim como há de escultores em madeira ou encanadores. Tão extremas foram as exigências da capacidade homicida de seus confrades secretos que Gil foi forçado a recorrer só aos muito bons, a seguir aos meramente competentes e, então, aos inconstantes. Ele decidiu que esses últimos deveriam realizar as tarefas de perto com armas que exigissem perícia menos refinada. Houve um número satisfatório de mortes por faca, gládio e pilo, mas também fracassos inevitáveis, embora menos do que ele esperava. Duas vezes o Redentor errado foi esfaqueado, ou guardas se mostraram mais alertas que o esperado, ou o assassino em si, mais incompetente. Mas para seus dois principais alvos, Gant e Parsi, Gil reservou os melhores homens, é claro, o que significava Jonathon Brigade e ele próprio. Qual fez o melhor serviço depende se sua preferência é por criatividade, pensamento rápido ou enorme habilidade no manejo de armas e em não dar chance ao azar.

O problema em assassinar Gant e Parsi não era que eles desconfiassem do mundo (o plano cruel de Bosco era impensável, afinal), mas sim que a grandiosidade e a soberba os isolavam por completo de qualquer contato casual. Eles iam do Sagrado Palácio para a basílica, para o templo e de volta ao palácio só em carruagens, entrando e saindo sem serem vistos pelas pessoas e pelos Redentores comuns, como uma forma consciente de elevar o status. Que eles eram inacessíveis por conta da vaidade e não do medo não tinha importância quando alguém estava tentando matá-los.

Brigade elaborou o plano — mas, como um verdadeiro artista que produziu um bom trabalho, mas não uma grande obra, ele sabia que era inferior. Brigade adorava simplicidade, parcimônia, poucas peças — em grande parte porque havia menos chance de dar errado, mas também porque combinava com seu gosto pela ausência de complicação. O único simpatizante de Bosco na Santa Diocese, o palácio de Gant, foi capaz de descobrir um corredor usado por Gant para entrar na capela a fim de rezar ao meio-dia durante a hora canônica da sexta. A entrada do corredor tinha uma porta de só um metro e meio, a invenção irritante de algum predecessor mais humilde, desenhada de propósito para forçar todos que passassem a se abaixarem docilmente antes de entrar na capela. Assim que Gant entrasse, Brigade planejava fechar a porta, bloqueá-la, matar Gant e escapar. Parecia simples, mas não era. Gant nem sempre participava da sexta ali — dado a sentir dores de cabeça à tarde, ele às vezes, embora raramente, se recolhia aos aposentos escuros para se recuperar. Não era preciso ser alguém muito preocupado para calcular que, em um dia de tamanha tensão, ele poderia facilmente sucumbir à enxaqueca. Também havia a dificuldade para escapar — a capela ficava bem no meio de um complexo colossal que formava a Santa Diocese. A última fraqueza do plano era que Brigade teria que acreditar na calma e na confiabilidade de um traidor para entrar e sair. Ele ficou tão apreensivo que decidiu pela estratégia — longe de ser menos perigosa — de dar a volta no palácio procurando por outra oportunidade. Mudar de planos no último minuto era algo que Brigade nunca considerara antes, mas não conseguia deixar a apreensão passar. O plano original era plausível, mas ele sentiu o cheiro de um desastre. Depois de dez anos como assassino sagrado, Brigade havia aprendido a desconsiderar o instinto. Agora, após 25 anos, ele aprendera a dar valor ao instinto mais uma vez. Talvez, pensou, estivesse só ficando velho.

Enquanto isso, na reunião do Congresso das Confrarias, os presentes estavam, se não inquietos, pelo menos certamente perplexos com o tamanho da assembleia. Bosco trabalhou duro ao longo dos anos para construir esse grupo e também para manter o tamanho e muitos de seus integrantes em segredo. Havia muitos presentes que não eram aliados naturais de forma alguma ou que acreditavam fazer parte de uma conspiração bem diferente ou de nenhuma. Essas diferenças tinham que ser apaziguadas — mas não através de entendimento. Pacatos reformistas que teriam ficado horrorizados pelo grande plano de Bosco e fanáticos inconformados que tinham outras ambições para a salvação teriam que ser tratados da mesma maneira — e tratados naquela tarde.

Parado em um dos grandes púlpitos do congresso, Haldera olhou para Bosco do outro lado como um garotinho que irritou a mãe terrivelmente. Embora não estivesse tremendo, ele parecia estar, o rosto tão pálido e chocado. E, como uma mãe terrível e impiedosa que deixou de amar e proteger a criança do outro lado, Bosco fez um sinal impaciente para que Haldera andasse logo. Uma tensão horrível se espalhou imediatamente pela assembleia, da mesma forma que uma risada numa plateia reunida para ser entretida por um mágico e seu cachorro divertido. Haldera confessou os terríveis pecados em nome da heresia dos Antagonistas, as palavras saindo tão fracas quanto ele próprio, e que conspirara com outros, para sua dolorosa vergonha ("Não cite números", instruíra Bosco. "Quero todo mundo alerta — quero que sintam o vento das asas do Anjo da Morte ao passar sobre eles. Ou não.").

Um por um, com muitos olhares temerosos para Bosco, que parecia agora profundamente triste, traído e até mesmo lacrimoso, Haldera leu a hesitante lista de nomes daqueles cujos últimos suspiros em vida agora podiam ser contados: Vert, Stone, Debau, Harwood, Jones, Porter, Masson, Finistaire. À medida que cada um era chamado, os rostos ficavam pálidos. A maioria se levantou sem protestar, saindo dos assentos como se obediência pacata pudesse aplacar o terrível julgamento. Os espectadores sortudos ao lado se encolhiam para não serem tocados quando os acusados se roçavam ao passar, como se o destino deles fosse contagioso. Nas fileiras, policiais religiosos carrancudos os conduziam para os fundos e para fora. Então, antes que fossem embora, outro nome foi chamado. E assim prosseguiu — a obediência chocada, a confusão ocasional. "Não, ele não. Nós conhecemos Frederick Taverner bem, e ele não é um traidor." "Minhas desculpas, Redentores. Por favor, sentem-se." O condenado e então instantaneamente perdoado Taverner levou um susto do qual nunca se recuperaria totalmente. O resto da plateia ficou horrorizada com o erro e o que poderia significar para eles.

Os acusados foram confinados em uma grande sala a cerca de 50 metros dali, depois levados para uma sala menor e ficaram nus até a cintura. Brzca foi trazido do Santuário para supervisionar o grande número de execuções necessárias. Mas eram muitas para um único homem realizar, e vários assistentes foram designados para ele. Sempre sensível em relação a qualquer ofensa à raridade de sua arte, Brzca reclamou que era impossível que os assistentes possuíssem habilidade suficiente.

— Eles denigrem os meus mistérios — disse para Gil com o egoísmo de qualquer prodígio.

Menos vaidoso com seus talentos, Jonathon Brigade estava empolgado pela inspiração do novo plano como qualquer autor abalado por um fracasso em sua arte e que encontra a súbita pista de como ajeitá-la e ser tirado do labirinto confuso do insuficientemente bom. Filho de mestre pedreiro, Brigade não evitou a reprovação ao notar um andaime de três andares lotado de tijolos que os trabalhadores receberam ordem de abandonar para sair e rezar pela vitória. Após passar horas carregando os tijolos para cima do andaime, eles encararam um problema: levar outra hora ou mais descarregando os tijolos no chão e perder a chamada para a oração ou correr um pequeno risco e deixá-los onde estavam. E os pedreiros estavam certos ao julgar que os tijolos ficariam a salvo, que o andaime aguentaria — por que levariam em conta a possibilidade de o mal-intencionado Jonathon Brigade passar por ali? Como poderiam adivinhar que uma presença tão maligna saberia como enfraquecer os encaixes que mantinham o andaime intacto e em que ponto amarrar uma corda para que, quando Gant e cinco de seus irmãos sagrados passassem, como deveriam fazer a fim de entrar na capela, um puxão forte causasse a queda de mais de uma tonelada de tijolos em cima deles? Era simples e não ficava longe de uma parede externa onde a ampliação da cozinha tornava fácil a fuga de Brigade. Perfeito, exceto pelo retorno dos pedreiros, cuja saída o capataz perfeccionista vira, e os ordenara que voltassem para descer os blocos de pedra do andaime para o chão. Brigade, que tinha por temperamento sempre tentar ver o lado bom das coisas, escolheu encarar a situação como um sinal de que estava sendo aconselhado pelos céus a encontrar outra maneira e foi devidamente à procura disso.

Por outro lado, Gil planejou o assassinato de Parsi levando em conta a sorte. Era cada vez mais da natureza de Parsi jamais ser visto. O que já fora ansiedade em relação a lugares abertos se transformara nos últimos anos quase em medo. Mesmo suas audiências no palácio do pontífice ocorriam por meio de um túnel debaixo da terra. Ele saía para a luz por vinte minutos todo dia, dando uma volta pelos claustros cobertos, expostos a céu aberto de um lado só, para ler os versículos da doutrina dos apóstolos de seu breviário ("Purifique-me do desejo, ó Senhor, bata na minha alma" e por aí vai). Informações sobre suas idas e vindas eram raras, quase nenhuma, mas uma referência casual a um dos rituais diários de Parsi foi parcialmente ouvida do topo da torre Carfax, dando a Gil sua única oportunidade. O tempo era sempre o mesmo, o ritmo em que Parsi andava em círculos era praticamente exato. Só parte do jardim sagrado era enclausurado; para o azar de Gil, o único pedaço que podia ser visto de seu ninho escondido na torre Carfax dava para o lado coberto por um telhado, o que deixava Parsi nas sombras e, portanto, invisível da torre a não ser pela parte de baixo do corpo coberta pela batina. Era impossível dar um tiro para matar da torre, em outras palavras. Mas Parsi andava quase em velocidade constante, um ritmo monótono dando a volta, e Gil sabia que ele estava fora da mira na torre, mas que ficava a céu aberto por talvez uns vinte segundos na outra ponta do jardim. Gil não estava em seu ninho da águia para dar um tiro, mas sim para medir o passeio e calcular quando Parsi estava a descoberto, mas fora de sua mira, e aí então sinalizar para um grupo de quarenta arqueiros em um pátio a 300 metros. Eles disparariam as flechas sobre o muro do próprio pátio, que cruzariam duas ruas e atingiriam o fim dos claustros onde Parsi estava ao ar livre rezando para ser punido por seus pecados — quanto a isso, Gil, com grande inventividade, torcia para atendê-lo.

Como se soube mais tarde, houve uma testemunha do que aconteceu a seguir, salva da execução por Gil porque ele ficou curioso sobre os detalhes do que acontecera a Parsi.

Gil arfou quando os arqueiros dispararam as flechas, a linda, terrível e pontiaguda curva em voo rumo ao prelado que não viam murmurando no pátio, o delicado deslocamento de ar conforme passavam em direção ao alvo e então a mistura de estalos e baques quando acertaram muro, terra e homem. Gil, como se soube depois, acertou nas contas, mas por pouco. Parsi foi acertado por três flechas, no limite da nuvem de projéteis; uma no pé, outra na virilha e uma terceira na barriga. O grito de surpresa e o berro de agonia alcançaram Gil na torre quando ele se preparava para partir. Mas uma dor assim podia vir de qualquer ferida. Ele não ficou satisfeito para valer até salvar a testemunha, um noviço que estava sentado nos claustros enquanto o mestre fazia as orações, mais de quatro horas depois.

A 400 metros, um irritado Moseby, não acostumado a ficar por fora das coisas e pronto para esbravejar e lembrar a Bosco com quem estava tratando, esperava na sala que era o mais próximo de uma cela ali. Era um local pequeno com uma janela no alto, para que ninguém enxergasse lá fora, e o mais distante possível das prisões e da matança. Moseby pediu uma bebida com educação para um criado (considerava sinal de fraqueza ser rude com criados), e Brzca entrou com uma jarra para cumprir a tarefa, ficou atrás dele, hesitou entre uma caneca e uma xícara e serviu a água que foi pedida. Então alguém parecido com Bosco entrou, e Moseby ergueu o olhar.

— Eu quero... — mas o que ele queria se perdeu na eternidade quando Brzca o pegou pelo cabelo e cortou sua garganta.

Enquanto isso, Jonathon Brigade estava começando a sentir que deveria parar de procurar pelo local ideal para o assassinato e, no entanto, tinha certeza de que acharia se olhasse apenas um pouquinho mais. O tempo todo uma voz, que com certeza não era sua consciência, insistia para que voltasse ao plano original, por mais insatisfatório e arriscado que fosse. *Alguma coisa é melhor do que nada. Isso vai acabar matando você. Pare.* Mas ele não podia — sempre achava que a resposta estaria só um pouquinho mais adiante. E então uma porta se abriu diante dele, e Brigade ficou cara a cara com o Redentor Gant e, atrás dele, meia dúzia de padres. Eles se encararam enquanto Gant tentou reconhecê-lo, sem sucesso. Deu um branco na mente de Brigade por um segundo, mas todas as células de seu corpo eram as de um assassino instintivo. Ele deu um passo delicado à frente de maneira que Gant foi forçado a ficar na passagem, bloqueando os padres atrás. Então veio uma ideia — a verdade dita com má intenção vence todas as mentiras que se possam inventar.

— Meu Lorde Redentor — disse Brigade —, um assassino foi enviado para matá-lo. Venha comigo. — Ele o pegou gentilmente pelo braço e sorriu para os padres. — Por favor, esperem até serem chamados pelo Redentor Gant. Protejam essa passagem com suas vidas. — A seguir, ele fechou a porta, puxou Gant pelo braço, e os dois desceram rápido as escadas, ganhando velocidade ao chegarem a um patamar espaçoso, onde Brigade pegou Gant pelos ombros e, empurrando ainda mais rápido o Redentor que protestava, jogou-o contra uma grande janela que se estilhaçou em mil pedaços, enquanto o grande prelado, gritando, caía para a morte nos paralelepípedos 15 metros abaixo. Uma rápida olhadela e Brigade saiu para escapar, descendo as escadas correndo e gritando: — Fogo! Fogo!

Esta foi a famosa Primeira Defenestração da Santa Diocese. A segunda é outra história.

Que dia!

Momentoso, vingativo, terrível, trágico, cruel — nenhuma palavra ou lista poderia dar conta de seus horrores e de seu drama brutal de vidas perdidas e impérios vencidos. Havia, talvez, menos de 1.500 Redentores que precisavam ser executados, mas isso tinha que ser feito rapidamente e era tarefa difícil até mesmo para um homem tão experiente quanto Brzca e com a mesma determinação hesitante de Gil. Executores de alta qualidade eram tão raros quanto cozinheiros, armeiros ou pedreiros de alta qualidade — e execuções em massa eram, na verdade, extremamente raras. Afinal, qual era a necessidade, a não ser para desmoralizar os oponentes, como no massacre em Mount Nugent que mandara uma mensagem tão clara aos Materazzi, ou nas circunstâncias peculiares da morte dos Redentores escolhidos com tanto cuidado por Bosco na Casa de Detenção? O objetivo real de uma execução era se livrar de um indivíduo permanentemente em particular ou fazer isso de maneira extravagante em público para torná-lo um exemplo. Na primeira opção, é possível levar o tempo que se queira; na segunda, é preciso produzir algo espetacular e altamente individualizado. Matar 1.500 homens que não estavam enfraquecidos pela fome e por meses de escuridão e frio era uma tarefa difícil. Brzca não tinha assistentes para esse número de mortes porque normalmente não precisava deles. Então este foi um trabalho difícil à beça para Brzca e Gil.

— Já cortou a garganta de um porco alguma vez? — perguntou o primeiro para o último.

— Não.

— Quando eu era menino na fazenda do meu pai — Brzca explicou melancolicamente para Gil —, ele costumava dizer que levava dois anos para treinar um homem para matar um porco. É muito mais difícil matar um homem.

— Eu lhe trouxe homens experientes. Eles sabem por que isto é necessário.

Brzca resmungou com a impaciência de alguém acostumado a ter seus grandes talentos menosprezados.

— Isso não é nada... *nada* como matar um homem em batalha ou fugindo de uma batalha. Isso tem sua própria lógica, seus próprios jeitos e técnicas. Poucos têm aptidão para matar a sangue-frio constantemente, e muito menos matar a própria espécie. Mas duvido que acredite em mim.

— Você é mais convincente do que pensa, Redentor — respondeu Gil. — Mas tenho certeza de que, com a sua orientação, nós conseguiremos.

— Tem, é?

E eles conseguiram. Mas foi macabro. Primeiro, Gil tranquilizou os prisioneiros, reunidos em meia dúzia de salões de até trezentas pessoas, de que eles nada teriam a temer a não ser que fossem culpados de envolvimento no levante dos quintas-colunas Antagonistas daquele dia. Infelizmente era necessário interrogar todos para descobrir os poucos que eram tidos como envolvidos. Mas isso, como os prisioneiros entenderiam, teria que acontecer antes que a esmagadora maioria pudesse ser solta. Eles também entenderiam, Gil tinha certeza, que era necessário que fossem amarrados pelos pés e pelas mãos, mas que isso seria feito com respeito dado o imenso número de inocentes entre eles. Gil pediu pela cooperação dos prisioneiros em um momento de grande crise para a fé. Para demonstrar a sua sinceridade, Gil deixou que as próprias mãos fossem presas com cordas frouxas atrás das costas e os dois tornozelos atados também com cordas frouxas. A seguir, ele saiu da sala arrastando os pés docilmente. Tranquilizados, os Redentores presos se deixaram ser amarrados e conduzidos em grupos de dez. Os primeiros grupos foram levados ao pátio mais próximo onde Brzca e quatro assistentes forçaram-nos a se ajoelhar e cortaram suas gargantas como uma demonstração para os homens escolhidos por Gil, que observavam.

De início, as previsões agourentas de Brzca provaram ser verdadeiras, e só o fato de Gil ter preparado os prisioneiros com tanta habilidade e de eles estarem bem amarrados impediu um fiasco quando os executores inexperientes descobriram que cortar uma garganta fatalmente exigia mais mira e precisão do que eles estavam acostumados a mostrar no campo de batalha. Brzca salvou o dia com um simples improviso — usou um pedaço de carvão para marcar uma linha nas gargantas das vítimas logo após serem levadas para fora, de forma que os executores cada vez mais nervosos e apreensivos tinham uma orientação precisa a seguir. Continuou sendo uma tarefa horrenda até para homens acostumados ao horror. Mas, como Brzca citou depois que tudo acabou, presunçoso assim como sinistro (e quem saberia mais do que ele?): até o mais terrível martírio deve chegar ao fim.

Quando chegou a noite, os resultados do plano, como uma colheita cruel, foram recolhidos, e, apesar de todos os erros e idiotices, a grande jogada de Bosco estava terminando a seu favor; até mesmo este louco tranquilo ficou perplexo que ela tivesse chegado ao fim. Mas havia uma espécie de reviravolta para acontecer. Com a cidade sob controle, muito mais sucessos do que fracassos, poucos fugitivos e alguns lamentáveis erros de identificação, a notícia da grande vitória de Cale foi divulgada para uma população temerosa e confusa que estava no limite da tensão pelos terríveis acontecimentos do dia. A notícia da vitória deu asas à alegação de que Antagonistas infiltrados na vida da cidade provocaram um levante e foram derrotados a um custo terrível de homens famosos e santos padres da igreja. Tudo fez sentido, e quaisquer outras explicações teriam sido bem menos plausíveis: um golpe? Uma revolução? Aqui em Chartres? Havia, além disso, poucos sobreviventes dispostos a contradizer isso. Em menos de 36 horas, os próprios Redentores foram redimidos, e, na mente de Bosco, o mundo se voltou para o maior e mais definitivo expurgo.

Tarde da noite, o papa Bento se recolheu para dormir sabendo tanto da verdadeira natureza dos acontecimentos do dia quanto as freiras nos conventos sem portas nos arredores. Bosco afinal teve a chance de parar para comer no próprio palácio, acompanhado por Gil. Estavam exaustos, cansados de maneira que os dois não teriam imaginado ser possível, e nenhum deles falou muito.

— Você fez o trabalho de um homem — disse Bosco, finalmente. — E o grande trabalho de Deus também.

— E posso fazer mais — respondeu Gil, mas baixo, como se mal tivesse força para falar.

— Como assim?

Gil olhou para ele como se tivesse uma enorme ofensa na mente que fosse melhor não dizer.

— Quero falar francamente.

— Você sempre pode falar francamente comigo. Agora mais do que nunca.

— Quero falar de algo que não pode ser falado.

— Deve ser realmente algo horrível de se dizer se precisa ficar com tantos rodeios.

— Muito bem. Eu fiz coisas horríveis a seu serviço. Hoje andei com o sangue de homens bons até o joelho. Vou dormir de maneira diferente agora, enquanto for capaz de respirar.

— Ninguém pode negar que você arriscou sua alma em nosso plano.

— Sim, está certo. Minha alma. Mas, por tê-la arriscado diante da porta do próprio inferno, eu não quero ter corrido um risco tão terrível a troco de nada.

— Eu corri o mesmo risco.

— Correu?

— O que quer dizer?

— O senhor é capaz, se tiver coragem, de ser a voz de Deus na Terra. O que o senhor perder na Terra seria perdido no céu. Contudo, o atual mandatário de Deus dorme a uma dúzia de quartos daqui, babando no travesseiro e sonhando com arco-íris e leite quente.

— E daí? Ele é o pontífice.

— Aquela criatura débil mental está na palma da sua mão. Deixe-me fechá-la para o senhor.

Quem sabe os pensamentos que martelavam na mente extraordinária de Bosco, ideias delicadas e em estado bruto misturadas? Ele não falou nada por algum tempo.

— Você devia ter feito — disse Bosco afinal para Gil — e não ter dito nada. Sinto muito que tagarelou e entregou um ato que, se tivesse sido feito sem pedir permissão, eu descobriria depois de ter sido bem executado. Preciso dormir.

Ele saiu da sala, fechando a porta delicadamente. Gil se serviu de uma grande taça de xerez.

— E eu sem dúvida acabaria — falou alto para ninguém — recompensado com um comando na linha de frente da batalha mais encarniçada como Urias, o hitita. — Ele tomou um grande gole do vinho medonho e cantou baixinho:

"Todo mundo sabe, até mesmo um idiota,
Que a oportunidade só bate uma vez na porta."

Mas, como todos sabemos, a confusão nunca acaba.

22

Nas montanhas Golan, os Redentores vitoriosos comemoraram de forma ainda mais sisuda que de costume. Foi um trabalho difícil, o empurra-empurra, os golpes, a matança, e eles estavam exaustos. Mesmo cansado, Cale não conseguia dormir e chamou um par de guardas para trazer um prisioneiro que vira ser levado para o acampamento, o alegre batedor que encontrara na planície havia três semanas, que pareciam mil anos. Ele deixou as mãos do homem amarradas na frente do corpo e os pés presos à cadeira e mandou os guardas saírem — não queria que bisbilhotassem o que iria dizer.

— Que tal soltar as minhas mãos? — disse Fanshawe. — Não é lá muito relaxante falar com alguém com as mãos atadas.

— Não me importo se você está relaxado ou não. Quero fazer uma acomodação com você.

— Perdão?

— Um acordo. Um entendimento.

— Sobre?

— Nós temos quinhentos prisioneiros. As perspectivas deles são sombrias. Quero deixar você tirar 250 daqui e tentar fugir para casa.

— Parece uma armadilha.

— Imagino. Mas não é.

— Por que eu deveria confiar em você?

— No que você pode confiar, Fanshawe, é que, lá pelo meio do dia de amanhã, vai haver dois tipos de prisioneiros lacônicos: os mortos e aqueles que vão morrer.

Ele deixou Fanshawe levar isso em consideração.

— Há quem diga que dá no mesmo morrer encarando a morte ou sendo peão em um jogo.

— Não é um jogo.

— Como vou saber disso?

— Eu pareço estar de brincadeira com você?

— Até que não.

— Tenho minhas razões, que você não precisa saber. Quanto tempo leva até a fronteira?

— Quatro dias, sem oposição.

— Não haverá oposição porque eu estarei seguindo você... alguns quilômetros atrás.

— Por quê?

— Lá vem você de novo.

— Tem que admitir que soa suspeito.

— Soa bastante suspeito.

Fanshawe se recostou e suspirou.

— Não.

— O quê? — Pela primeira vez na conversa, Cale ficou em desvantagem.

— Eles não vão deixar para trás metade dos homens.

— Deixe que eu o convença a mudar de ideia. Você será executado amanhã, e eu não posso impedir. Você já deveria estar morto.

— Eu? — disse Fanshawe, sorrindo. — Você me convenceu quando mencionou a palavra execução. Mas os outros lacônicos não verão as coisas assim. Não é da natureza deles... e, se eu tentar persuadi-los a trair uns aos outros, não sobrevivo até amanhã. Você não teria algo para beber, teria?

Cale serviu uma caneca de água e levou aos lábios de Fanshawe.

— Outra cairia muito bem. — Novamente, Cale fez o que ele pediu.

— Como vou saber se posso confiar que vocês vão continuar em frente e não tentar lutar assim que forem soltos do acampamento?

— Não fomos pagos para fazer uma guerra de guerrilha — disse Fanshawe. — Desde que possamos sair honrosamente, o que significa todo mundo e não metade sendo abandonada, temos o dever de voltar para casa o mais rápido possível. Somos de propriedade do Estado e bem caros.

Ele não falou nada por um momento.

— Quantos de nós morreram hoje?

Cale considerou mentir.

— Oito mil. Aproximadamente.

Isso pareceu chocar até mesmo Fanshawe, que ficou pálido e não falou por algum tempo.

— Vou ser sincero com você.

Cale riu.

— Não, vou ser sincero sim. Não podemos substituir tantos homens em vinte anos. Precisamos destes quinhentos, cada um deles, de volta em casa. Não haverá ataques de vingança.

— Eu pouco me importo com o que vocês vão fazer assim que passarem pela fronteira e derem um jeito de levar a mim e até duzentos dos meus soldados com vocês. É esse o acordo. Eu solto todos os prisioneiros. Você garante que cruzaremos a fronteira em segurança.

— Se minhas mãos estivessem soltas, eu apertaria a sua para selar o acordo.

— Sem chance.

— Eu concordo — mentiu Fanshawe.

— Eu concordo — mentiu Cale de volta. Eles discutiram os detalhes, e, uma hora depois, Fanshawe estava de volta com os outros lacônicos.

Cale explicou o acordo para Henri Embromador e mandou que dispensasse os Purgadores, que guardavam os lacônicos amarrados pelos pés e pelas mãos num pequeno cercado construído para não mais do que cinquenta prisioneiros — prisioneiros normalmente não eram problema para os Redentores. Os Purgadores foram substituídos por um bando de cozinheiros, auxiliares e outras pessoas altamente inadequadas, e o mesmo foi feito com os soldados que guardavam os cavalos de que os lacônicos precisariam para fugir; Cale anunciou uma comemoração a ser feita o mais longe possível do cercado e forneceu o máximo de xerez que conseguiu.

A fuga em si não foi tão dramática quanto se podia esperar, exceto pelos pobres cozinheiros e os faz-tudo sobre cujos destinos nada mais precisa ser dito, infelizmente. Henri Embromador encontrou Fanshawe quando ele chegou ao muro do cercado com os quinhentos e poucos lacônicos que libertou das cordas usando a faca dada por Cale. Tão silenciosos quanto uma revoada de cisnes, eles avançaram até os pobres guardiões dos cavalos e em dez minutos estavam guiando as montarias roubadas para longe do acampamento dos Redentores, em direção às montanhas Golan e passando pelo local da desastrosa derrota tão recente.

Graças a uma falha proposital em deixar claro quem seria responsável pelo próximo turno de guarda do cercado e dos cavalos, era dia claro quando a fuga foi descoberta. Ao ser informado, Cale fingiu ameaçar todo tipo de morte e tortura aos responsáveis antes de ordenar preparativos imediatos para a perseguição dos lacônicos pelos Purgadores, liderados por ele mesmo, que jurou desfazer pessoalmente essa mancha em sua reputação. Se havia perguntas embaraçosas a serem feitas, ninguém as fez, e, por volta das nove horas, Cale, Henri Embromador e mais ou menos duzentos Purgadores saíram em perseguição, sobrecarregados com o que, em outras circunstâncias, poderia ser considerada uma quantidade suspeita e excessiva de suprimentos para uma missão daquele tipo.

Gil ou Bosco também poderiam ter perguntado por que Cale levara Hooke junto, alguém que não teria valor algum em tais circunstâncias. Logo antes de partir, chegou uma mensagem de Bosco dando parabéns pela vitória, contando brevemente os acontecimentos em Chartres e ordenando que Cale retornasse imediatamente se as circunstâncias da vitória permitissem. Ele passou a carta para Henri Embromador.

— Estranho. Imagino o que está acontecendo.

— Vamos torcer que nunca tenhamos a chance de descobrir.

— Você vai responder?

— É melhor.

Depois de instruir o mensageiro a não partir até o dia seguinte, Cale escreveu uma resposta rápida mentindo com o máximo de verdade possível, como era de costume — que um grupo de lacônicos havia fugido e que ele temia que os inimigos pudessem se encontrar com aqueles que escaparam da batalha e possivelmente montar um contra-ataque. Com isso em mente, Cale mandou que cavassem trincheiras para uma grande defesa e decidiu perseguir os fugitivos para destruí-los ou ao menos para ter certeza de que estavam retornando à fronteira, e não planejando mais ataques a Chartres. Com sorte, levaria muitos dias até que Bosco concluísse o que estava acontecendo, e ele, Henri Embromador e Hooke estariam bem longe. Restavam dois problemas: o perigo de perseguir uma tropa que era o dobro da sua e com poderosos motivos para se voltar contra eles se soubessem a verdade; e o que Cale diria para os Purgadores quando eles se dessem conta de que, em vez de serem recebidos de volta ao seio dos Redentores, se tornariam párias novamente?

Na segunda noite da perseguição, Cale exigiu que Fanshawe acendesse um pequeno sinal, para que ele pudesse verificar a posição sem se aproximar muito à luz do dia, algo que envolveria explicações complicadas aos Purgadores caso ele não atacasse. Cale mandou Henri Embromador à frente para ver o fogo e, quando ele retornou, ficou surpreso ao descobrir que Fanshawe fizera o que fora combinado.

— Não achei que ele fosse cumprir o acordo.

— Cumpriu e não cumpriu. O sinal não estava no acampamento deles, eram só dois lacônicos sozinhos.

— Ele pode estar a dezenas de quilômetros daqui.

— Pode, mas não está. Eu cheguei no momento em que eles estavam trocando a guarda e segui os vigias. Fanshawe e os demais estão a cerca de seis quilômetros.

— Veados cruéis que mantêm a palavra. Gente esquisita.

— Quando você vai contar para os Purgadores?

— Amanhã. Se eles não nos matarem, teremos o dia inteiro.

— Antes você do que eu.

— Pensando bem, melhor você ficar longe. Veja como a coisa anda. Se desandar, você pode fugir. Fique com a "luneta".

— Quanta generosidade.

— Eu sou uma pessoa generosa.

Ambos riram, mas Henri Embromador não disse sim ou não.

Na manhã seguinte, depois que a maioria dos Purgadores tomara um desjejum de mingau com frutas secas, preparado por Cale como alternativa ao pé de defunto que alguns dos Purgadores ainda preferiam, ele os reuniu. Dez minutos antes, Cale vira Henri Embromador sair a cavalo do acampamento. Despediram-se com um aceno de cabeça. Assim que ele pulou sobre uma rocha para falar com os Purgadores, Henri Embromador voltou ao acampamento e desmontou. Com mais outro aceno, Cale o encarou por alguns momentos. Mas agora ele tinha outras coisas na cabeça. Cale começava a se arrepender por não ter simplesmente dado no pé com Henri Embromador durante a noite. Por outro lado, a chance de duas pessoas sobreviverem ao atravessar fronteiras tão fortemente guarnecidas não parecia muito grande. Será que essa era a menos pior de duas péssimas escolhas?

— Vocês, meus Lordes Redentores, me conhecem tão bem quanto eu conheço cada um de vocês. Em todas as ocasiões — mentiu Cale —, eu contei para vocês tudo o que era possível contar de maneira simples e direta. — Houve um burburinho de concordância de que isso era, de fato, verdade. — Dois dias atrás, eu menti para vocês.

Outro burburinho. "Muito bem", pensou Henri Embromador de seu ponto seguro ao fundo. A besta estava escondida na grama atrás dele, com a trava de segurança solta.

— Mas foi uma mentira que contei só para salvar suas vidas. — Ele sacudiu no ar um papel parecido com aquele que recebera de Bosco. — Esta é uma carta, mais venenosa que um sapo, de Bosco... um homem em quem eu confiava mais do que a própria vida e cuja palavra me fez arriscar as suas vidas e perder tantos que eram tão queridos por nós, homens que sofreram ao lado de vocês na guerra e na Casa de Detenção. Esta carta tenta nos envolver em uma trama contra o pontífice que amamos, para matar aqueles que lhe são queridos e transformar a Única e Verdadeira Fé em sabe-se lá que mentira tóxica que Bosco tem vergonha de escrever até diante dessas outras traições.

A carta não era de Bosco, mas uma mensagem falsa que Cale bolara junto com Henri Embromador. A verdade sobre a traição de Bosco teria sido tão corrosiva para a sua reputação entre os Purgadores quanto a mentira, mas a verdadeira carta implicava igualmente Cale. Os Purgadores estavam calados agora, muitos ficaram brancos. Cale detalhou os nomes dos recém-falecidos em Chartres — tudo verdade, que seja dito — e observou os olhos de cada rosto conforme os Purgadores, até o último homem, ficaram estáticos se perguntando se deveriam acreditar no inacreditável.

— Eu os trouxe aqui, a dois dias de cavalgada, para que pudessem fazer uma escolha e não serem presos à roda de tortura comigo, pois a minha escolha é jamais aceitar essa desgraça. Cada um de vocês deve optar: retornar ou ir embora comigo. Prometo agora que aquele que não tiver estômago para esta fuga pode partir. Eu mesmo assinarei a soltura e o passaporte para libertá-lo. Este homem terá dez dólares na carteira porque, nessa terrível divisão de nossa fé, eu não queria me imaginar morrendo na companhia de alguém que, de sua própria consciência, não morreria conosco. Leiam esta carta — falou Cale, brandindo a carta na direção deles —, vejam se ela não congela seu sangue, e façam sua escolha. Eu salvei vocês uma vez, e cada um me pagou de volta uma dúzia de vezes. O homem que vier comigo será meu irmão; o que for embora ainda será para sempre meu amigo, mesmo saindo. Vou me afastar e deixar que leiam, mas sejam rápidos: eles sabem da nossa fuga, e os cães estão alertas. — Dito isso, pulou da pedra, foi até Henri Embromador e se sentou.

— O que você vai fazer — perguntou Henri Embromador — se alguns decidirem ir embora?

— Por que não todos?

— E decidirem passar pelos padres rancorosos, os cães, tudo por uma chance de bater à porta do matadouro de Chartres?

— Eles têm a carta.

— E é quase verdade.

Eles observaram enquanto os Purgadores falavam e liam, falavam e liam.

— Belo discurso — disse Henri Embromador.

— Obrigado.

— Não é seu.

— Eu li em um livro na biblioteca de Bosco.

— Você se lembra do nome?

— Do autor, não. Eu me lembro do livro. — Ele fez uma pausa. — Está na ponta da língua.

— Não é muito agradecido...

— *Morte aos Franceses* — interrompeu Cale com satisfação. — Era assim que se chamava.

No final, ficou constatado que Henri Embromador estava errado. Cerca de vinte Purgadores decidiram retornar, o que causou grande hostilidade entre os remanescentes. Cale interrompeu uma briga que teria ficado feia e teve certo prazer em manter suas promessas de soltura e dinheiro. Ele dava valor à reputação de íntegro que tinha entre os Purgadores. Além disso, ser visto como honesto nessas questões garantiria que todos que fossem com ele fariam isso de bom grado. E, de fato, ao vê-lo provando sua honestidade, mais três Purgadores decidiram retornar. Em cinco minutos, já haviam recolhido seus equipamentos e ido embora. Cinco minutos depois, Cale, ainda com pouco mais de 160 homens, tomou a direção oposta após fazer com que Henri Embromador deixasse escapar para um dos líderes dos dissidentes o caminho por onde estavam indo.

— Estou pasmo — disse Hooke, ao partir cavalgando entre Henri Embromador e Cale — que até mesmo um Purgador pudesse se deixar enganar por um truque tão óbvio.

— Cale a boca — falou Henri Embromador.

— E quanto a mim? — perguntou Hooke.

— Quanto a você o quê? — respondeu Henri Embromador.

— O senhor pode ficar com seus dez dólares, mas eu quero um passaporte e uma soltura da mesma forma que ofereceu a eles.

— Você? — disse Cale. — Você é meu de cabo a rabo. Você não vai a lugar nenhum.

— Se sou tão incapaz assim, imagino que seria um alívio me ver pelas costas.

— Tenho certeza de que você pode aprender a ver o mundo mais da forma como eu vejo — falou Cale, dando um sorriso amável e mais ameaçador exatamente por causa disso.

— O que quer dizer?

— Quero dizer que, da próxima vez que eu usar uma de suas invenções em uma batalha, você estará dois passos à minha frente quando tudo começar.

Após mais dois dias seguindo na direção que ele pediu que Henri Embromador deixasse vazar para os Purgadores que retornavam, Cale se deu conta de que aqueles que permaneceram suspeitariam do motivo de eles continuarem seguindo os lacônicos sem enfrentá-los.

— Estou suspendendo a perseguição. Com nossa tropa reduzida em mais de vinte, estamos em desvantagem numérica de um para dois. A fronteira Antagonista está próxima, e, com isso, reforços lacônicos podem estar em qualquer lugar à espreita por nós. Vamos rumar para a Leeds Espanhola.

— Eles são aliados dos Antagonistas — falou alto um Purgador.

— Só em tempos de paz. Os suíços são neutros por natureza... até mesmo quando oferecem ajuda, ela nunca chega. Mesmo assim vocês devem retirar as batinas antes de cruzarmos a fronteira. Não é uma tarefa fácil de qualquer forma e é impossível se estiverem vestidos assim.

— Você está pedindo demais, capitão, para negarmos nossa fé.

— Ficar de boca fechada não é negar nada. Só bom senso.

— Pensei que éramos irmãos, capitão.

— Somos. Eu sou apenas o mais velho. Pegue seu dinheiro, o passaporte e vá embora. A minha promessa ainda vale.

— Eu quero ficar, capitão.

— Não.

— Eu quero ficar, capitão. Eu falo demais.

— Eu não. Vá embora.

Os demais Purgadores, Cale notou, ficaram chocados com a insolência dirigida a ele e contentes com seu arbitrário exercício do poder. Não estavam acostumados com a primeira atitude e ficaram aliviados com a segunda.

Percebendo que o clima geral dos Purgadores estava contra ele, o sujeito partiu rapidamente.

— Devo segui-lo? — perguntou Henri Embromador.

— Segui-lo? — respondeu Cale, fingindo não entender.

— Você sabe o que quero dizer.

Cale balançou a cabeça.

— Você se tornou muito sanguinário na velhice.

— Ele é só um Redentor... a lealdade que um criador de porcos deve ao porco... certo?

Cale sorriu.

— Você anda conversando com Hooke. Aquele homem é má influência, bem como um inútil. Quanto ao outro, deixe-o em paz. Ele está longe demais de Chartres para nos prejudicar, mesmo que chegue lá. O que eu duvido. Quero que leve cinco homens e deixe que Fanshawe dê uma boa olhada em vocês. — Cale desenhou algumas linhas na terra. — Depois retorne, e nós vamos esperar por vocês aqui.

23

Você já deve ter ouvido o diabo ser chamado de Velho Merk, um nome tirado de Nicholas Merk, o mais infame dos infames diplomatas de aluguel, os Talleyrand. No entanto, apesar de todos os conselhos vergonhosamente cínicos que ele deu, temos que admitir que devemos um favor a Merk: ele não disse como os homens devem ser, mas como eles são.

"Um governante determinado a se aventurar no estrangeiro sempre deve tomar o caminho da conquista pela pilhagem em vez da conquista pelo controle. É muito bonito para um grande homem ficar olhando mapas na parede e considerar por quantas horas o sol brilha em seus territórios, mas o problema de conquistar povos é que, se não lhes rouba as posses e vai embora imediatamente, o grande homem tem que governar o país por eles, reparar os canais para que não morram de sede, tapar os buracos nas estradas, encher os celeiros para que não morram de fome. Ele precisa tomar decisões nos conflitos entre os povos, que geralmente são muitos e letais, e pagar os próprios soldados ou os deles quando os acordos que negociou tão pacientemente forem quebrados, como sempre acontece.

"Pode-se considerar uma terra conquistada como uma grande casa herdada — maravilhosa de ser contemplada de início e digna de agradecimento pela sorte que se teve, mas na realidade é nada mais do que um transtorno e uma perda de tempo, paciência, sangue e tesouro. Roube!"

Foi um conflito do tipo infindável previsto por Merk que levou quinhentos Redentores mal-humorados a marcharem até a base da serra de Quantock para lidar com o aumento do número de incursões de bandidos montanheses nas comunidades muçulmanas locais. Estava frio, estava úmido e havia pouca comida porque muita coisa fora roubada dos muçulmanos. Os Redentores não entendiam por que deviam passar por essas privações, isso sem falar em arriscar a vida indo ao resgate de um povo que nem sequer era herege. Eles adoravam falsos deuses, nem mesmo o Deus certo da maneira errada como os Antagonistas. Não era costume do novo governador Redentor de Memphis explicar seus atos para seus soldados, coisa que ele não fez, mas os motivos eram bastante simples: Memphis precisava comer, e parte significante da comida da cidade vinha dos muçulmanos.

As ações daqueles bandidos montanheses eram um transtorno bem sério e uma propaganda de que as regras dos Redentores podiam ser desprezadas de maneira descarada. A expedição não tinha a intenção de restaurar a ordem, mas sim de demonstrar para qualquer um que estivesse vendo o que poderia se esperar se a autoridade dos Redentores fosse desafiada de alguma forma. Os Redentores chegaram como carrascos, não como policiais.

Embora a noção de não ter nada a fazer certamente fosse agradável entre os cleptos, havia grande antipatia por ser obrigado a não ter nada para fazer e cumprir tal obrigação num determinado lugar. Ficar de vigia era, portanto, visto com um desprezo especial e, embora todos com menos de 40 anos fossem obrigados a fazer isso, era um costume, como Mary, a condessa de Pembroke, dizia, "cuja quebra honra mais do que a observância". Aqueles que podiam pagavam outros para ficar em seu lugar, geralmente aqueles que eram preguiçosos, inúteis e estúpidos demais para ganhar a vida de outra maneira. Agora, com tantos cleptos ousados e inteligentes ganhando muito com o aumento do número de incursões em territórios muçulmanos, havia mais dinheiro circulando para mais gente subornar os compatriotas menos competentes para ficarem em uma colina durante o inverno no frio extremo com nada acontecendo e nada para acontecer, provavelmente.

Havia regras rígidas quanto ao uso de fogueiras pelos guardas — só à noite, pequenas, nos recantos de rochas que encobrissem a luz e com lenha muito seca. No frio e na chuva, não era fácil seguir essas regras sensatas, mas desagradáveis. Também havia a completa improbabilidade de um ataque muçulmano no inverno e à noite. Andar às cegas pelas escarpas na escuridão com frio ou chuva, possivelmente os dois, era uma maneira tão boa de acabar morrendo como qualquer outra. Ali no frio ou na umidade, havia a tentação de correr um pequeno risco, provavelmente nem tanto assim, de aumentar a fogueira um pouco, de usar madeira molhada, porque manter qualquer coisa seca lá em cima era um pesadelo — é possível ver como as coisas degringolavam. E assim as consequências da chegada de Kleist se desenrolaram: seu talento deu aos cleptos a oportunidade para mais incursões, e portanto mais riqueza e então mais subornos, ao mesmo tempo em que aumentou a necessidade de uma vigilância que na verdade ficou cada vez menor, em vez de mais intensa. E, se não fosse pelo heroísmo involuntário de Cale ao salvar Riba e por todos os desastres que isso gerou, os vigias que calculavam os riscos de pegar pneumonia contra ter a garganta cortada por muçulmanos no meio da noite teriam sido totalmente sensatos. Mas eles não tinham levado em consideração os Redentores. E por que teriam? Mas, com tudo isso, eram os Redentores que estavam subindo devagar as superfícies geladas dos montes How e Usborne e matando cleptos à luz de fogueiras que eles, em um ato perdoável, deixaram atiçadas demais.

Mas a sorte acaba até mesmo para os maus, e, após o terceiro grupo de guardas cleptos ter sido eliminado, os Redentores foram vistos por um vigia insone que, apesar das fogueiras maiores, estava com frio demais para dormir. Ele morreu na luta que aconteceu a seguir, mas na confusão um dos cleptos fugiu e chegou em casa, avisando os outros postos avançados ao passar. Agora com cautela suficiente para sobreviver, logo chegaram mensageiros com informações mais detalhadas.

Não levou muito tempo conforme a história era contada para Kleist se dar conta de com quem ele estava lidando.

— Talvez — falou Suveri — eles sejam Materazzi. Eles vieram há vinte anos e queimaram uma meia dúzia de vilas.

— Não existem mais Materazzi.

— Não oficialmente, talvez. Mas deve haver uma boa quantidade de homens treinados precisando ganhar um troco.

— Eles não são Materazzi de aluguel ou qualquer outra coisa — disse Kleist.

Ele explicou, e houve silêncio por um certo tempo.

— Quando os Materazzi vieram, simplesmente levantamos acampamento e nos escondemos nas montanhas. Nós esperamos lá fora, eles queimam as vilas. Uma pena. Mas não podem ficar aqui para sempre.

Houve um protesto considerável diante disso: com o aumento recente da riqueza, nem só os mais ricos começaram a construir casas novas mais adequadas às melhores condições de vida. A maioria das moradias estava feita pela metade, e houve muito rancor diante da ideia de abandoná-las para serem destruídas. Esta briga durou por algum tempo.

— Pelo amor de Deus! — disse Kleist quando não conseguiu suportar mais. — Eles não vieram aqui dar uma lição... não para vocês, de qualquer forma, porque não haverá um clepto vivo para aprendê-la. Eles não vieram queimar algumas casas para ensiná-los a não serem gananciosos. Eles vão apagá-los da face da Terra. Vão matar velhos, jovens, as meninas, crianças. Não vão poupar nada que viva. E vão fazer tudo isso na frente de vocês para que seja a última coisa que vejam antes de serem mortos por serras, picaretas, machados e pela forca. Depois vão jogá-los na fornalha. A seguir, vão jogar as cinzas nos rios e córregos para que as águas corram escuras, até que as lembranças de vocês virem pó, até serem lembrados como sinônimo de ruína.

Houve, como era de se imaginar, um terrível silêncio, quebrado por Dick Tarleton, famoso por se recusar a levar qualquer pessoa ou coisa a sério.

— Vai ser ruim assim — disse ele.

— Espere dois dias aqui, idiota, e quero ver você rir.

— Está sugerindo que lutemos?

— Vocês vão perder.

— O que faremos então?

— Saiam.

— E vamos para onde?

— Onde fica a fronteira mais próxima?

— Na Alta Silésia.

— Então vão para a Alta Silésia.

— Centenas de velhos e jovens atravessando a montanha no inverno. É um delírio.

— Bem, é melhor descobrirem um jeito, porque, se vocês ficarem, só vai haver um tipo de clepto, os mortos.

E realmente o que Kleist estava dizendo era impensável e cheio de terríveis possibilidades. Os cleptos discutiram por horas conforme ele contava uma história atrás da outra sobre a crueldade dos Redentores.

— Você está exagerando para conseguir o que quer.

Exausto, frustrado e com medo, Kleist perdeu a paciência, derrubou o cético no chão com um soco e teve que ser arrastado, não sem antes conseguir chutá-lo com tanta força que quebrou duas costelas do homem. A explosão de Kleist pareceu convencer os espectadores chocados de que ele era sincero, mesmo que estivesse errado. Quando se acalmou, ele notou que o clima havia mudado.

Era hora de contar vantagem. O problema com os cleptos, porém, era que eles não só toleravam exageros em relação aos antigos feitos de alguém, como também isso era absolutamente admirado. Criar uma reputação a respeito de alguma coisa sem merecê-la era um feito geralmente mais conceituado do que o próprio feito em si. Este não era um lugar para timidez ou modéstia.

— Vocês me conhecem — começou Kleist. — As novas casas que estão tão dispostos a proteger estão sendo erguidas por minha causa. Minha habilidade tornou vocês ricos; nada mais. Não há alguém aqui que consiga me vencer em uma luta justa ou injusta. Se eu não escolher matá-los a meio quilômetro de distância, posso fazer cara a cara. Não que fosse sobrar muita cara depois que eu arrancasse o nariz com uma mordida ou enfiasse o polegar num dos olhos. — Ele teria apreciado tais floreios se as vidas da esposa e do filho ainda não nascido não estivessem em jogo.

— E onde vocês pensam que eu consegui esses talentos? Embaixo de uma pedra? Eu consegui dos homens que estão a menos de um dia daqui. E lembrem-se de que sou só um pajem, um novato em matança e crueldade comparado aos Redentores que estão vindo aqui. Eles não têm mais piedade que uma mó, ferro é palha para eles, flechas são grama. Vocês têm que levar as mulheres e crianças embora agora, e a maioria dos homens vem comigo. Vamos tentar atraí-los para o mais longe da marcha que for possível. Esta é a minha última palavra. Se não concordarem, eu vou embora, e minha esposa vai comigo.

— Sua esposa, Kleist, está prestes a parir.

— Então vocês sabem que estou sendo sincero. Ela tem mais chances, os dois têm, ao dar à luz em uma vala perto da estrada do que ficando aqui.

Isso não bastou para a assembleia de cleptos, mas eles chamaram Daisy para confirmar o que Kleist havia dito — embora fosse jovem, ela era considerada com um certo respeito. Arrogância era algo admirável, mas levar a esposa com quase nove meses de gravidez para o ermo durante o inverno era algo terrível e convincente demais para ser feito se fosse verdade.

Daisy apareceu e, agora enorme, entrou como uma pata-choca na assembleia com as costas e a bunda doendo. Ela não estava com muito humor para persuasão e deu o resumo direto da situação.

— Pensei que nós admirássemos um homem que sabe quando e como ter medo. Sempre fomos inteligentes e achávamos que éramos melhores do que qualquer outro porque adorávamos a utilidade de um covarde esperto. Sei que suspeitam da coragem do meu marido, mas vocês deviam confiar nele, ainda mais se está pronto a me levar agora, desse jeito, em vez de encarar os Redentores. Mostrem bom senso. Vivam e não morram. — Com isso, ela foi embora de volta para casa a fim de se deitar e ficar aterrorizada.

Houve mais uma hora de discussão em voz alta, e alguns, é claro, se recusaram a correr tamanho risco — e era um risco terrível — pela afirmação de um menino, por mais útil que fosse. Mas seria justo dizer sobre os cleptos que, assim que decidiam fugir, eles não faziam o serviço pela metade — e fugir era algo que sabiam fazer. Apesar de estar desesperado para partir, Kleist percebeu que nada poderia começar a acontecer até o dia seguinte, quando os Redentores poderiam estar a menos de 12 horas dali. Eles tinham que se apronta rapidamente se fossem ter alguma chance de o comboio atravessar as montanhas e chegar às fronteiras.

— Eu quero Megan Macksey comigo como parteira — disse Daisy, tentando soar confiante de uma maneira que não se sentia.

— Mas ela é boa em um aperto como esse?

— Acho que vamos ter que descobrir.

Kleist sorriu.

— Você ficou muito corajosa de repente.

— Retire o que disse. Eu nunca me senti mais covarde do que agora. E quero que você seja um covarde também.

— Confie em mim.

— Eu não confio em você. Você me ama, e esse tipo de coisa torna as pessoas idiotas.

— Você quer que eu ame menos você?

— Eu quero que você me ame o suficiente para permanecer vivo.

— A pessoa tem que correr riscos se quiser permanecer viva. O problema com os cleptos é que eles não se importam em matar, mas não querem morrer ao mesmo tempo.

— Mais uma razão para não se sacrificar em nome deles.

— Eu tenho tanta intenção de morrer em nome dos cleptos quanto eles têm de morrer por mim. Não estou fazendo isso por ninguém mais além de você e esta criatura.

— Ótimo. E você vai se lembrar disso.

— Vou sim. Você é uma garota esquisita, não é?

— O que *você* sabe sobre garotas?

Nenhum dos dois dormiu muito naquela noite, e, na manhã seguinte, os dois foram em silêncio ao primeiro dos pontos de concentração. Kleist se sentiu como uma criança sendo abandonada e um pai desertando os filhos, tudo ao mesmo tempo. Ele sofrera muito na vida antes, mas nada tão forte e profundo como isso. Quando eles chegaram, porém, essas emoções terríveis foram sufocadas por pura fúria. Ficou claro que os cleptos decidiram que, como o que ficaria para trás seria perdido, eles não deixariam nada para trás. Kleist não conseguia acreditar como tão poucas pessoas podiam ter tanta coisa e ser capazes de encaixar tudo naquilo que parecia todos os cavalos, jumentos e mulas do mundo. Do jeito que se sentia, Kleist precisava de pouca provocação e teve um acesso de raiva, cortando cordas e correias de um lado para o outro, gritando com as mulheres e ameaçando os homens até que, em menos de uma hora, formou-se uma imensa pilha de potes, panelas, bricabraques horríveis, seda, caixas, tapetes e rolos de pano roubados em cinquenta anos. Ele puxou os cinco comandantes dos cem homens que guardariam o comboio para um canto e jurou que os estriparia pessoalmente se não limpassem daquele mesmo jeito cada caravana que encontrassem ao sair das montanhas. Isso atrasou ainda mais a partida, e não houve tempo para se despedir de Daisy. Ele a beijou, ajudou-a montar com grande dificuldade em um pequeno, porém forte, cavalo montanhês e segurou sua mão como se não suportasse deixá-la ir embora.

— Tenha cuidado — disse Kleist, finalmente. Mas ela não conseguiu falar quando ele retirou a mão e tentou pegá-la novamente. E aí Daisy encontrou a voz... arrancada de dentro com um soluço de medo. — Eu nunca mais vou segurar a sua mão de novo.

— Vai sim. Eu sei como sobreviver. Acredite em mim.

E Daisy então se afastou, olhando para ele o tempo todo, apesar de o pescoço e as costas doerem como se estivessem em uma tala. Ela não tirou os olhos de Kleist uma vez sequer até fazer a curva para sair da vila e de vista.

O pai de Daisy foi até ele.

— Vamos torcer para que você esteja certo. — Ele quase falou em voz alta, mas o que realmente estava esperando é que Kleist estivesse errado.

O Redentor Rhodri Galgan era o décimo homem a contar da frente de duas fileiras que se estendiam por mais de quinhentos Redentores pelo desfiladeiro de Simon's Yat. Era uma subida íngreme, e ele carregava praticamente metade do próprio peso em equipamento. Para manter a mente longe do esforço, ele rezava para Santo Antônio.

— Querido santo — sussurrou baixinho —, por quem os peixes pularam da água para ouvi-lo pregar, por quem uma mula se ajoelhou quando passou por ela com um relicário da verdadeira forca, que restaurou a perna de um jovem que a cortou por remorso de ter chutado a mãe, tenha piedade deste pobre pecador: perdoe minha audácia, minha lascívia e minha cobiça, meu orgulho e minha gula, raiva, inveja e preguiça, perdoe-me por isso. — Ao erguer os olhos das súplicas por um momento, ele notou um pequeno objeto preto no céu a cerca de 60 metros de distância. O primeiro formigamento de medo começou na nuca quando o objeto, que se movia mais rápido do que uma pedra caindo, acertou seu peito. Ao redor, dezenas de outros caíram, mas a terrível dor e a ardência nos ouvidos o distraíram nos poucos segundos que lhe restaram de vida.

Os Redentores mal compreenderam o que havia acontecido até que mais ou menos cinquenta cleptos liderados por Kleist já estavam subindo o desfiladeiro em fuga, esperando desaparecer antes que os Redentores se recuperassem e os alcançassem. Os inimigos só seriam surpreendidos uma vez, e Kleist esperou só um pouco mais que os cleptos para ver qual havia sido o estrago. Talvez uns 12, pensou, mas não o suficiente ou algo assim. O problema é que os desfiladeiros tornavam as emboscadas fáceis demais, mas também eram largos o bastante para oferecer muita cobertura entre os grandes pedregulhos que caíssem das laterais íngremes.

Como Kleist esperava, os Redentores esvaziaram boa parte do peso das sacolas, deixaram sob a guarda de cinquenta homens e avançaram, mas agora em grupos de dez que ultrapassavam uns aos outros em arrancadas curtas, depois se abrigavam e eram ultrapassados em seguida. O primeiro ataque os atrasou, mas não foi suficiente.

— Vocês têm que se arriscar mais — disse para os cleptos. — Ou eles vão alcançar a coluna.

Se Kleist ficou surpreso com a reação deles é porque não havia compreendido inteiramente o jeito de pensar dos cleptos. Por mais que ele odiasse os conceitos de martírio e abnegação que fora ensinado a considerar a essência de um ser humano de valor, os Redentores haviam, ainda assim, deixado sua marca na maneira de Kleist encarar a guerra. O fato era que os cleptos não morreriam pelo *ideal* de liberdade ou honra (um conceito que julgavam não só ridículo, como incompreensível — para que serviriam liberdade e honra se a pessoa estivesse morta?). Por outro lado, eles ainda assim estavam prontos, com cautela, para morrer pelas vidas de suas famílias. A palavra para herói na antiga língua dos cleptos era sinônimo da palavra para bufão — mas eles não ignoravam o conceito de um tipo de coragem hesitante que devia ser demonstrada só quando fosse absolutamente necessário, um tipo de bravura conhecida como brio. Existem poucos homens, afinal de contas, que não estabelecem um limite em relação à importância das próprias vidas, e, agora convencidos de que não estavam sendo feitos de bobos por Kleist — os cleptos eram obcecados por não serem enganados —, eles começaram a ceder.

Kleist ficou impressionado pela mudança nos cleptos, mas achou difícil ver que diferença prática isso faria. Agora eles estavam determinados, mas como não eram homens de grande habilidade marcial contra Redentores que só possuíam isso, essa determinação tinha valor limitado. Então os cleptos atiraram rochas nos Redentores do alto dos desfiladeiros, atrasaram os inimigos com sua habilidade inferior no arco e flecha e às vezes se viram forçados a ficar cara a cara e brigar. Sempre perderam, e feio. Perderam tanto que Kleist se viu dizendo para eles pararem de ser tão imprudentes — um discurso que se pode dizer que nunca foi dado a um clepto antes. Mas mesmo a sociedade mais obcecada com honra, mais propensa ao martírio e aos princípios idealistas, tem sua cota de traidores. Os Redentores tinham o lendário apóstata Harwood, os Materazzi tinham Oliver Plunkett. Até os lacônicos, cuja obediência lhes era inerente como a coluna vertebral, tinham Burdett-Harris. Para os cleptos desta época o maior perigo era o burgrave Selo. De todos os cleptos, ele era o que tinha mais a perder, sendo de longe o mais rico entre eles. O burgrave Selo era um malandro, um agiota, um janota escorregadio e interesseiro, sedutor, trapaceiro e maria vai com as outras. Ele era capaz de entrar em um vão de 30 centímetros atrás de alguém e surgir na sua frente. Resumindo, o burgrave Selo, um título antigo a que ele, é claro, não tinha direito algum, pensava que podia passar todo mundo para trás. E merece ser dito em sua defesa que o burgrave Selo *tinha* sempre passado todo mundo para trás. Então, por que não consideraria Kleist uma criança e um alarmista que não sabia como virar a casaca e chegar a um acordo que agradasse a todo mundo — em especial o burgrave Selo? Ele tinha certa razão em não acreditar em Kleist, mas acreditava em si próprio, nesse caso com toda a razão. Assim, Selo acreditava sinceramente — apesar de sinceridade não ser uma qualidade que ele possuísse de maneira alguma — que o que era bom para ele seria, no fim das contas, bom para os cleptos, pensando a longo prazo. O burgrave Selo levou, seria justo dizer, muitas horas para fazer as pazes com a consciência, mas, após o que foi para ele uma grande e terrível luta, fez o que pensou ser o melhor no geral. O burgrave Selo se aproximou dos Redentores praticamente em pessoa — correndo risco considerável — ao mandar à noite seu irmão mais confiável gritar para eles que queria conversar. O capitão Redentor no comando, homem treinado por um dos Purgadores de Cale, suspeitou, mas levou em consideração a perda de uma oportunidade e prometeu livre passagem ao irmão de Selo (diziam que quebrar promessas feitas a adoradores de falsos deuses fazia o Redentor Enforcado sorrir de alegria. Não que os cleptos tivessem um deus de uma forma que os Redentores entendessem). Um acordo sem valor foi firmado em que o capitão garantia as vidas da família de Selo, suas posses e sua posição, e que as execuções seriam restritas a uma dúzia de líderes cleptos, mais ou menos. Ao todo, Selo considerou que há males que vêm para bem e que ele saiu por cima, se livrou de inimigos e rivais e preservou a vida dos cleptos, a despeito da estupidez deles, para que todos, ou a maioria, vivessem para lutar de novo.

Assim que o ataque clepto começasse, Selo tinha combinado de conduzir pessoalmente — não daria certo confiar em qualquer outro — metade da tropa de Redentores para fora do desfiladeiro principal de Simon's Yat por um caminho perigoso, mas rápido, pelas montanhas, que saía do outro lado, onde eles poderiam pegar as mulheres e crianças e fazer com que elas retornassem daquilo que Selo considerava, com motivos, uma louca jornada perigosa.

Há só um ano o que aconteceu a seguir não poderia ter ocorrido. O capitão Redentor, um tal de Santos Hall, jamais teria dividido suas forças se não tivesse aprendido a pensar diferente com os Purgadores de Cale. Até o advento de Cale, manter os soldados juntos era regra jamais contestada, o que geralmente era inteligente. Porém, embora a flexibilidade fosse algo difícil de os Redentores adquirirem, a experiência de Hall na estepe ensinou muitas coisas sobre tropas irregulares — e os cleptos eram, aparentemente, bem menos formidáveis que os tribalistas, especialmente levando em conta a má qualidade de seus vigias e a traição dos líderes. Como a missão de Hall era, acima de tudo, de punição, permitir que a maioria de seus alvos escapasse era inaceitável. Selo poderia conduzir os Redentores para uma armadilha ou ser um truque dele para levá-los na direção errada, mas Santos Hall calculou que o burgrave fora completamente sincero na sua falsidade e que os cleptos estavam atacando claramente para tentar atrasá-los por um motivo. Mandar as mulheres embora, mesmo sob circunstâncias tão arriscadas, era exatamente o que eles deveriam fazer dado o que os esperava.

Então, enquanto Santos Hall avançava por Simon's Yat e começava a subir o íngrime desfiladeiro Lydon, metade de seus homens passava lentamente pelo monte Simon em direção ao comboio clepto que saía devagar das montanhas para as planícies que levavam à fronteira, a cinco dias de distância. Hall agora corria menos riscos ao subir o desfiladeiro Lydon lutando e diminuiu o avanço tanto para proteger seus homens quanto para dar a impressão de que as táticas dos cleptos estavam dando certo. Santos Hall agora sabia sobre Kleist através de Selo, e, embora não conhecesse o nome ou a conexão com Thomas Cale — o capitão era agora um fiel seguidor —, isso explicava a terrível precisão de algumas flechas vindo dos cleptos. Se esse Kleist fosse um ex-acólito Redentor, não teria dúvidas do que o esperava se fosse capturado, algo que Santos Hall tinha confiança de que aconteceria. Assim que a outra metade de sua tropa passasse pela montanha, os soldados chegariam ao comboio e dariam a volta para pegar os cleptos lutando nas montanhas pela retaguarda.

Com os Redentores tão cautelosos, os cleptos estavam eufóricos; por mais devagar que estivesse o comboio, a cada hora que se passava ele se afastava uma hora a mais do desastre. Eles pensaram que haviam infligido tantas baixas nos super-homens dos Redentores que era por isso que o passo dos inimigos estava lento. Foi, talvez, totalmente perdoável que alguns cleptos começassem a questionar se a estimativa de Kleist sobre suas capacidades estava certa, assim como a avaliação dos perigos que lhes saíra tão cara. Outros quiseram se ater à ideia de que os Redentores eram monstros da excelência militar — isso os deixava, e quem não entende tal impulso?, ainda mais impressionados com a própria bravura. E ela foi considerável. Os cleptos morreram no que para eles foi um grande número. Eles eram poucos, afinal de contas, e ninguém fugiu da luta. Mas agora, ao mesmo tempo em que infligiam poucas mortes, os cleptos também sofriam menos baixas.

Como Kleist temia o pior, você talvez queira culpá-lo por não questionar a falta de agressividade de seus antigos mestres. Ele questionou. Mas a esperança é um grande obstáculo para o raciocínio claro. Kleist não sabia nada sobre o burgrave Selo e mal tinha falado com ele. Ninguém comentara sobre o caminho que passava pelo monte Simon — pois as trilhas eram abundantes e traiçoeiras para quem não possuísse um guia. Além disso, a mira precisa e sanguinária de Kleist sobressaíra — não havia inibições em matar quando se tratava de padres. Ao menor movimento, ele soltava uma flecha e, para seu próprio deleite cruel e a felicidade ruidosa dos cleptos, Kleist mais acertava o alvo do que errava. O Redentor Santos Hall foi forçado a se sentar atrás de várias rochas bolando punições cada vez mais hediondas para o merdinha que causava tanto sofrimento a ele e seus homens. E, além disso, Kleist jamais havia lutado em outra batalha a não ser na colina Silbury, e aquela não se comparava a essa aqui. Portanto, ele ficou intrigado com a relativa facilidade de seu sucesso, mas, sem ter algo concreto para contestá-lo, não havia outra alternativa a não ser aceitá-lo como era. Portanto, à medida que os cleptos e Redentores lutavam nos desfiladeiros e morriam em pequenos números, 250 homens passavam lentamente pelo topo gelado do monte Simon, avançando atrás das novecentas mulheres e crianças agora entrando em Mulberry Downs e progredindo bem melhor do qualquer um esperaria.

Foi tarde, no segundo dia da lenta retirada dos cleptos desfiladeiro acima, que Kleist se deu conta de que era profundamente errado matar Redentores. Em vez disso, fazia muito mais sentido feri-los. Seja qual fosse a crença dos Redentores no valor do sofrimento dos outros, eles encaravam a própria dor com bem menos paciência, e isso valia para todos os níveis: eles eram extremamente sensíveis quanto a críticas de qualquer espécie e consideravam a menor resistência à sua liberdade de ação, não importa quão brutal fosse, como prova de perseguição ultrajante. No calor da batalha eles sacrificavam os companheiros e a si próprios em grandes números sem pensar duas vezes, mas a seguir cuidavam dos feridos de uma maneira que seria tocante não fosse pela brutalidade dirigida contra os inimigos. Os Redentores eram superiores a todo mundo no tratamento de feridas e tinham uma grande disposição, que não era voltada para nenhum outro campo do conhecimento, para experimentar qualquer método novo de cura. Daquele momento em diante, Kleist atirou em braços, pernas e estômagos, sabendo que na lenta guerra de emboscadas desse tipo, eles seriam obrigados a parar a fim de tratar dos feridos. O resultado foi um aumento satisfatório do choro e do trincar dos dentes de seus velhos algozes e uma diminuição ainda maior de seu avanço.

Mas agora os outros Redentores haviam saído do monte Simon e desciam rapidamente por Mulberry Downs. Quando alcançaram o comboio, os cleptos ainda estavam a mais de dois dias da segurança.

O que há para dizer sobre o que aconteceu a seguir? O grande Neechy considerava verdade que até mesmo os mais corajosos têm o direito de desviar o olhar.

Perto do pôr do sol, cerca de cinco horas depois de alcançarem o comboio, os Redentores estavam cavalgando de volta para as montanhas a fim de atacar os cleptos que agora estavam totalmente destituídos de esposas, filhos e parentes. Eles deixaram para trás dez forcas com pilhas de cinzas ao redor.

24

Por dois dias Henri Embromador procurou a fronteira suíça de cima a baixo para achar a travessia onde IdrisPukke tinha prometido, se sobrevivesse, tentar arrumar uma passagem segura. Mas ele alertara Henri Embromador para tomar cuidado, e o plano não incluía vir acompanhado de quase 160 Purgadores, cuja presença provavelmente demoveria até mesmo o guarda mais bem subornado. Na verdade, quando Henri Embromador reconheceu a travessia Rudlow que IdrisPukke havia descrito e gritou a senha "IdrisPukke", a resposta que ele recebeu cerca de vinte segundos depois foi uma saraivada de flechas e setas de bestas.

Ao retornar, Henri Embromador deu a má notícia para Cale. Ele estava sentado sozinho diante de uma pequena fogueira, como sempre fazia quando Henri Embromador estava ausente. Seu desprezo pelos Purgadores e a recusa a ter algo a ver com eles, a não ser que fosse obrigado, eram interpretados como sinal de seu esplêndido isolamento — marca de santidade, não de hostilidade. Cale estava lendo a carta que Bosco lhe dera antes da segunda batalha em Golan, que tinha colocado em um de seus vários bolsos e esquecido diante de assuntos mais urgentes.

— O que é isso? — perguntou Henri Embromador no momento em que Cale ergueu o olhar da leitura e rapidamente colocou a carta de lado.

— Nada.

— Por que está tão ansioso para esconder nada?

— Quando eu falei que era nada significa que não é da sua conta.

A conversa a seguir sobre o que Henri Embromador achara na sua expedição foi previsivelmente irritada. Quando eles terminaram, Henri Embromador saiu para armar a própria fogueira.

Eles partiram na alvorada e vasculharam a fronteira mais ao norte por quase dois dias, procurando por um possível ponto fraco onde pudesse ocorrer uma entrada silenciosa. Mas ficou claro pelas trincheiras, cercas e outras obstruções em construção que os suíços estavam ficando nervosos e se preparavam para algo desagradável.

No fim das contas, eles decidiram encontrar a travessia menos guarnecida e mais próxima da Leeds Espanhola e sair correndo. Os suíços, insones e nervosos, podiam estar esperando alguma coisa, mas não *agora*, naquela noite. De qualquer forma, os guardas na travessia Wanderley eram inexperientes, e a súbita aparição de 160 soldados saindo da escuridão às três da madrugada os pegou totalmente de surpresa. Eles se renderam imediatamente e foram amarrados na guarnição. Todos menos um, que se escondeu na floresta próxima e, assim que os Purgadores partiram, atirou uma flecha ousada em Henri Embromador, que o acertou em cheio no rosto enquanto verificava se todo mundo havia passado em segurança.

O Redentor Gil ficou em silêncio no salão Vamian observando Bosco olhar para fora da janela da grande Capela das Lágrimas, onde os príncipes sobreviventes da igreja foram trancados e receberam ordens de não sair até que chegassem a um sábio veredicto em harmonia com a evidente vontade de Deus. Este sábio veredicto em harmonia com a evidente vontade de Deus era a eleição de Bosco como pontífice para substituir o papa Bento, que morrera de um ataque cardíaco após ter recebido a notícia da grande vitória nas montanhas Golan, durante um breve acesso de consciência. Ele também fora informado que Gant e Parsi tramaram matá-lo, mas agora estavam mortos juntamente com um grande número de traidores que seguiam os Antagonistas. A mistura de euforia seguida por horror provou ser demais para a saúde frágil do velho.

E assim o último grande problema de Bosco na busca do objetivo de se tornar representante supremo de Deus na Terra se dispersou como as brumas em Vallombrosa de manhãzinha. Foi como se ele estivesse parado no topo de uma montanha impossível e, depois de ter vencido todos os obstáculos de pedras, gelo e precipícios, olhasse para baixo e percebesse o horror repugnante do que tentara fazer. Mas não foi sua vida que correu o risco de uma queda terrível e a ameaça de os ossos serem esmagados, e sim a alma imortal. Olhando a Capela das Lágrimas, Bosco começou a tremer — não que até mesmo o atento Gil notasse algo além de sua calma pensativa de sempre. Mas a alma de Bosco vibrava como o eco do grande sino de bronze da igreja de São Geraldo, que só batia na ocasião da eleição de um papa da Igreja Universal do Redentor Enforcado. Diziam que se a pessoa segurasse um diapasão diante do sino mesmo uma semana depois de ter batido, ele ressoaria por causa da vibração que ainda continuava. Mas, para Bosco, o golpe do horror que ele provocara permaneceria ao seu lado até o dia em que morresse. O ideal mais terrível, afinal de contas, continuava diante dele: a morte purificante de tudo. Bosco quase desmaiou por causa da enormidade do que havia feito e do que ainda tinha que fazer. A atmosfera estranha do salão deixou Gil inquieto, por menos que entendesse sua origem. Por fim, ele não conseguiu mais suportar.

— O finado pontífice passou pelo ritual do Argentum Pango e foi levado para o necrotério para os preparativos do funeral.

O Argentum Pango era um teste cujas origens se perderam na bruma das tradições dos Redentores. Envolvia dar três golpes na testa do pontífice com um martelo de prata para ter bastante certeza de que ele estava morto. O Redentor que deu o primeiro dos três golpes jamais havia feito o ritual antes, pois fazia tempo demais desde a morte do papa anterior, e bateu na testa do cadáver com tanta força que deixou marca. Um irritado Gil chamou a atenção ao fato de que ele deveria acordá-lo e não garantir que morresse e, depois de pegar o martelo do Redentor, terminou o serviço com duas batidinhas de leve.

Gil também confirmou, pois pensou equivocadamente que Bosco parecia estar numa calma fora do comum, a informação mais importante de que Cale tinha realmente usado a perseguição aos lacônicos como uma forma de escapar e que consideravam que ele já estivesse na Leeds Espanhola com seus Purgadores.

Houve uma nítida frieza entre Gil e Bosco depois da sugestão do primeiro de que ele tivesse a permissão de acelerar a morte do finado papa. Gil ainda se sentia profundamente ressentido com a recusa, embora a situação tivesse se resolvido tão convenientemente sem a necessidade de dar um passo tão perigoso. *Pura sorte*, foi o que Gil pensou, *que eu estava certo*. Bosco não tentou de forma alguma ressaltar sua grande sabedoria ou discernimento sobre a questão, pois também achava que tinha dado sorte. Mas ele não precisou fazer isso, como era da natureza de tais ressentimentos. Olhou para as chaminés sem fumaça da Capela das Lágrimas, usadas para sinalizar a eleição de um novo pontífice.

— Se demorarem mais — disse ele —, eu vou dar um motivo para que eles chorem.

Mas o que realmente estava na mente deles não era a eleição pontificial, sobre a qual não havia dúvida, mas Thomas Cale. Só alguns dias atrás, Gil teria se oferecido para seguir aquele merdinha traidor até o fim dos quatro cantos do mundo e ficaria muito contente em limpar o suor da testa com o coração ainda pulsante daquele herege ingrato.

Agora, aparentemente seu antigo mestre se tornara orgulhoso demais para ouvir o que ele tinha a dizer. Ainda assim, Gil não podia perder a oportunidade de passar sal nas feridas de Bosco.

— O que o senhor quer fazer com Cale?

Sem olhar para Gil, Bosco falou baixinho.

— Nada. Deixe que o céu cuide dele. O Pai Nosso o fisgou com um anzol e linha invisíveis que são suficientes para deixá-lo perambular até o fim do mundo e ainda assim trazê-lo de volta com um puxão.

É o que você pensa, quis dizer o Redentor Gil. Em sua opinião, nenhum dos dois veria Cale novamente, não nesta vida, nem se vivessem até a idade de Matusalém. Ou a não ser que ocorresse um desastre.

Houve uma batida alta na porta como se a pessoa do outro lado estivesse desesperada para escapar da perseguição de um demônio faminto de almas.

— Redentor Bosco! Redentor Bosco! Abra a porta! Abra a porta!

Não era fácil assustar Bosco, mas mesmo através dos 15 centímetros de madeira a confusão e o medo de quem quer que estivesse do outro lado eram evidentes. Bosco fez um sinal para Gil, que abriu a porta com uma mão e manteve a outra no cabo da faca, tão assustado que estava pelo terror na voz. Ele abriu rapidamente e deu um passo para trás.

De início Gil mal reconheceu o homem, cujo rosto estava tão distorcido de surpresa e medo.

— Qual é o problema, afinal de contas? Burdett, não é?

— Sim, Lorde — falou o aflito Redentor.

— Acalme-se. — Gil virou-se para Bosco. — Este é o Redentor encarregado do ritual funerário do pontífice.

— Meu Lorde — começou Burdett. Ficou claro que a situação era demais para ele. O sujeito começou a arfar tão alto como se fossem os soluços de uma criança amedrontada.

— Controle-se, Redentor — disse Bosco, baixinho. — Nós esperamos por você.

Burdett o encarou com olhos arregalados, completamente arrasado.

— O senhor tem que vir, Lorde.

Percebendo que não tirariam mais nada do Redentor profundamente perturbado, Bosco mandou que ele indicasse o caminho. Os dois o seguiram em silêncio, mas agora também sentiam como se martelos, e não martelos de prata, batessem na sua cabeça. O silêncio foi interrompido só pelos ofegos ainda nervosos do Redentor que os conduzia para as profundezas das celas da grande catedral. Em não mais do que cinco minutos, eles desceram a uma parte do complexo que nunca imaginaram existir, feia, sem graça e marrom, com infinitos corredores que saíam do caminho mal iluminado para a grande escuridão ao longe.

Após alguns minutos, o Redentor parou em frente a uma porta roxa e a escancarou sem bater, mantendo aberta para os dois homens cuja presença parecia deixá-lo mais aterrorizado a cada momento. Ambos estavam acostumados ao medo dos outros em sua presença, mas havia algo profundamente perturbador sobre esse sujeito, mais ansiedade do que medo.

Com Bosco na frente, os dois entraram apreensivos e desconfiados, totalmente sem saber que desastre os esperava, embora sentissem que fosse um desastre. A sala não tinha janelas, mas era bem iluminada pelas melhores velas, incluindo uma quase da grossura da cintura de um homem bem ao lado do que parecia uma cama, mas não era. Na mesa de embalsamento, coberto até o pescoço por um lençol de linho, estava o finado papa. De cada lado dele, evidentes pelos aventais e pelas luvas, estavam dois embalsamadores com rostos de tom branco-amarelado de marfim velho e expressões que passavam a mesma ansiedade intensa.

— Já chega — disse Bosco. — Do que se trata isso?

Burdett olhou para os dois embalsamadores como se mal evitasse vomitar e acenou com a cabeça. Os homens pegaram o lençol de linho que cobria o corpo do papa, rapidamente o rolaram até os pés e o retiraram sem drama. O corpo do finado papa estava nu e era magro, branco azedo, enrugado, velho e pelancudo. Porém, as pernas estavam estranhamente separadas, um pouco mais do que era de esperar ao se exibir o corpo nu de um papa. Houve um terrível silêncio, talvez um diferente de qualquer outro na história do silêncio. Foi Gil que falou primeiro.

— Meu Deus, roubaram o caralho do Papa!

25

— Não seja idiota! — disse Bosco, frio e furioso. — É uma mulher.

Isso foi grosseria. Gil não era culpado por ser completamente ignorante quanto à anatomia das mulheres. Como seria de outra forma? Se a conclusão a que ele chegou parecia bizarra, com certeza não era tão monstruosa quanto a verdade: que a pedra fundamental da Igreja Sagrada do Redentor Enforcado era uma criatura considerada provavelmente sem alma por muitos teologistas moderados. Antes do derrame que arruinara a mente do pontífice, esta era muito admirada por Bosco por ser objetiva e implacável. Mesmo em meio à confusão de um cérebro arruinado, este papa exigira com ardor e grande entusiasmo a terrível morte da donzela de Blackbird Leys. Gil estava quase atordoado demais, mas não o suficiente, para ser insultado.

— Me dê as chaves da sala — disse Bosco para Burdett. Houve um som metálico e agudo considerável enquanto Burdett soltava a chave do crematório de sua enorme coleção. — Você falou sobre isso com mais alguém?

— Não, Lorde — disse Burdett.

Bosco olhou para o primeiro embalsamador.

— Você falou sobre isso com mais alguém?

— Não, Lorde.

Ele olhou para o segundo.

— Você falou sobre isso com mais alguém?

O homem balançou a cabeça, mudo pelo horror.

— Fiquem aqui até que eu mande o Redentor Gil. E cubram essa monstruosidade. — Ele acompanhou Gil para fora e trancou a porta ao sair.

Levou meia hora, depois de terem se perdido duas vezes nas passagens subterrâneas de Chartres, até que Bosco e Gil voltassem ao salão Vamian. Ainda assim foram dez minutos antes que qualquer um deles falasse — o terremoto continuava tremendo nas suas almas.

— Como isso pode ter acontecido? — perguntou Gil.

— Não aconteceu. Você vai dar um jeito para que o corpo seja exibido normalmente. Na verdade, tudo vai proceder normalmente. Porque nada que não seja normal aconteceu.

— E se houver outras?

— Então a ameaça à Única e Verdadeira Fé é mortal. Você vai preparar uma investigação sobre esta possibilidade, mas dentro do maior sigilo possível.

Também vai preparar uma carta encíclica dizendo que é pecado mortal, punível com a danação eterna no fogo do inferno, discutir a questão da mulher.

— A questão da mulher?

— Claro.

Houve uma palpitação.

— Qual *é* a questão da mulher?

Bosco olhou para ele, mas não estava claro se Gil estava brincando ou não.

— Você não sabe?

— Eu necessito de orientação.

Bosco olhou para ele por um momento.

— A questão da mulher envolve o tipo de pecado que seria entrar em qualquer discussão quanto à ordenação de mulheres. A resposta é: um pecado que clama aos céus por vingança.

Gil ficou embasbacado.

— E *alguém* está discutindo isso?

Bosco olhou para ele.

— Você me pergunta isso, com aquele ginecoide horrendo deitado no porão?

Não havia resposta óbvia para isso.

— E os três Redentores no necrotério? O que devo fazer quanto a eles?

Bosco suspirou.

— Você se lembra da história de Urias, o hitita?

— Sim.

— Certifique-se de que eles não dirão nada. Não quero mais sangue inocente nas minhas mãos, mas você tem que ter certeza sobre eles. Não diga nada. Não permita que nada seja dito. Não deixe que ninguém diga alguma coisa.

Algo fora da janela chamou a atenção do olhar do Redentor Gil — da grande chaminé da Capela das Lágrimas saía lentamente uma fumaça branca e curva no ar úmido.

— Nós temos um papa — ele falou para Bosco. — Parabéns, Sua Santidade.

26

O chanceler Vipond correu para seus aposentos seguido por IdrisPukke. Se isso soa grandioso para alguém que não era mais o chanceler de coisa alguma além dos restos de um conceito, eram só dois quartos, nenhum deles muito grande. As cortinas pesadas, porém encardidas, foram abertas, embora fosse o meio do dia e elas já tivessem sido abertas por Vipond pela manhã. IdrisPukke, que tinha uma natureza mais alerta para essas pequenas excentricidades, estava prestes a detê-lo, mas seu meio-irmão foi mais rápido e abriu as cortinas com a maior e mais súbita ligeireza.

— Bom Deus! — gritou Vipond. IdrisPukke colocou a mão na espada assim que a cortina começou a se abrir, a arma foi sacada e erguida no momento em que Vipond recuou com grande susto. Ambos olharam estupefatos para a visão de Cale sentado no grosso parapeito da janela com uma faca no colo, encarando os dois.

— Melhor ter cuidado com isso — disse ele, olhando para IdrisPukke. — Vai arrancar os olhos de alguém.

— Que brincadeira é essa, em nome de Deus? — berrou Vipond.

Cale saiu do parapeito e pôs a faca de lado.

— Eu teria pedido ao mordomo para me anunciar devidamente, mas não gostei da cara dele. Os olhos eram próximos demais.

— Você fez isso de propósito — Vipond falou e se sentou.

Cale não respondeu.

— Você sabe, Cale, que os ghurkhas fazem um juramento de nunca embainharem a espada até que ela tenha provado sangue.

— Sorte sua que você não é um ghurkha então.

— Onde está Henri Embromador?

— Ele está ferido. É grave. Levou uma flechada no rosto na fronteira. Não dá para tirar. Precisamos de um cirurgião.

— Temos dois aqui conosco, eu acho. Vou ver...

— Não um cirurgião Materazzi. Não se ofendam.

— Vou ver o que posso fazer. Onde ele está?

Cale explicou sobre os Purgadores.

— Você está me dizendo — falou Vipond — que trouxe 160 Redentores para cá?

— Eles não são exatamente Redentores.

— E o que você espera que eu faça com esses 160 não Redentores?

— Bem, eu não vou contar para ninguém quem eles são, se vocês não contarem. Já viu um mercenário cazaque?

— Não — falou Vipond.

Cale olhou para IdrisPukke.

— Não — disse ele, finalmente.

— Então eles são mercenários cazaques. Quem vai saber a diferença?

— Essa mentira é meio fraca — disse IdrisPukke.

— Vai ter que servir. Me preocupo com isso depois. O importante é Henri Embromador.

— Ele deve estar com muita dor.

— Na verdade, não.

— Qualquer filósofo pode suportar uma dor de dente, exceto o que a está sofrendo, certo?

— Não. Você já viu aquele kit que tenho para dar pontos em ferimentos e tudo o mais.

— Eu lembro.

— Tem uma pequena porção de ópio no kit.

— Você nunca comentou.

— Por que comentaria?

— Isso parece um pouco tolerante em se tratando de Redentores — disse IdrisPukke.

— Eles conseguem ser muito generosos quando a situação os envolve. Ninguém gosta da ideia de morrer em agonia se isso pode ser evitado. De qualquer forma, com 160 de nós é possível manter Henri Embromador chapado por um longo tempo. Tiramos a haste da flecha, mas ela se partiu, e a ponta está bem enterrada.

No fim das contas, IdrisPukke convenceu Cale a trazer Henri Embromador para a Leeds Espanhola enquanto ele arrumava um cirurgião. Cale levou rações para dois dias até os Purgadores em uma de duas carroças que despachou para a floresta, a 30 quilômetros de distância, com dois Purgadores que estavam guardando Henri Embromador. A seguir, acompanhado por Hooke, que se considerava um pouco médico, Cale voltou para a Leeds Espanhola com o quase inconsciente Henri Embromador deitado no fundo da outra carroça. Desde que conseguissem evitar seus ocasionais acessos de gritos, eles teriam uma boa chance de entrar na cidade. As fronteiras podiam estar tensas, mas a Leeds Espanhola era uma cidade mercante e os homens que a enriqueciam ainda não viam necessidade de começar a irritar os consumidores ou encorajar as autoridades a meter o nariz em coisas que não lhes diziam respeito. Assim,

Hooke deu mais uma meia porção de ópio para Henri Embromador a fim de mantê-lo quieto e jogou uma pilha de cobertores sobre ele. Eles entraram na cidade sem problemas, e logo Henri Embromador voltou a roncar em leve estado de inconsciência no quarto de Vipond, sendo examinado por um cirurgião tenso, um tal de John Bradmore, que IdrisPukke conseguiu subornar para chamar e dar sua opinião.

O cirurgião passou vinte minutos examinando Henri Embromador e ditando para a secretária.

— A ponta da flecha entrou no rosto do paciente bem abaixo do olho. — Ele apalpou a lateral do pescoço de Henri Embromador. Um gemido. — Felizmente, eu acho que ela é uma ponta do tipo estilete, talvez com 12 ou 15 centímetros. Hum... nem pensar em empurrá-la para dentro do ferimento... levaríamos meio cérebro com a ponta. — Ele fungou e fez uma careta. — Perto da jugular. Complicado. — Por mais três ou quatro minutos, o cirurgião tocou e apertou, aparentemente indiferente aos gritos abafados e contínuos do pobre Henri Embromador. Ele ditou mais algumas observações e a seguir se virou para IdrisPukke.

— O que Painter lhe disse?

— Perdão? — IdrisPukke deu uma evasiva.

— Eu sei que você o consultou. Além disso, não precisa me dizer, eu já sei. Ele disse que o ferimento deve ser deixado assim por 14 dias até a flecha se soltar com o pus. Não?

IdrisPukke deu de ombros.

— Isso vai funcionar. Assim que o ferimento se encher de pus, a flecha ficará fácil de ser removida. Saiba que ele vai morrer. Aos poucos, de infecção sanguínea, ou rapidamente, assim que a retirada romper a veia jugular putrefata ao sair. — Bradmore suspirou. — É muito difícil, perceba. A ponta da flecha está entalada contra o osso. É questão de pegá-la, mas ela está muito profunda e presa. É por isso que Painter quer que a flecha saia por apodrecimento.

— O que você sugere?

— Não isso, de qualquer forma. O ferimento tem que ser limpo e profundamente. A infecção já começou. Ela tem que ser detida enquanto descubro uma maneira de agarrar a ponta da flecha.

Houve um pequeno silêncio rompido por Hooke, que entrou de mansinho sem ninguém perceber e se escondeu no fundo do quarto.

— Acho que eu posso ajudar.

Henri Embromador deu um gemido abafado. Não era de dor, mas de protesto. Infelizmente, o ferimento e o ópio faziam com que ninguém conseguisse entender uma palavra que ele dizia.

27

Enquanto Henri Embromador estava com a vida sendo posta a contragosto nas mãos de um homem em que não tinha a menor confiança, Kleist também estava lutando para sobreviver nas montanhas ao lado de menos de cem cleptos.

Os Redentores que mataram os idosos, as mulheres e crianças no comboio de cleptos em fuga retornaram às montanhas e atacaram os homens no desfiladeiro Lydon pela retaguarda. Sem poder ir adiante ou recuar, eles começaram a sofrer baixas em quantidade cada vez maior. Os Redentores agora tinham pressa. Alvejavam os cleptos com setas e flechas e investiam em ataques fortemente armados que duravam só alguns minutos, porém infligiam muitas baixas. Em mais dois dias, eles teriam terminado o serviço com quase nenhum prejuízo ao próprio número de homens, mas os Redentores responsáveis pelo massacre cometeram o erro de gritar à noite o que tinham feito com as mulheres e crianças dos cleptos havia três dias. Levar um homem ao desespero é uma coisa bastante desejável se a esperança ou a liberdade, a segurança, a volta a uma família que o ame são o que o mantém lutando. Era na atitude de se sacrificar que os cleptos se diferenciavam tanto de quase todos os outros homens. Agora, com a terrível provocação dos Redentores, os padres involuntariamente libertaram os cleptos daquela grande esperança que surgia acima de tudo. O desespero lhes tirou a maior fraqueza como soldados: a disposição para matar, porém não morrer, ao mesmo tempo.

O próprio Kleist estava terrivelmente abalado, mas, conhecendo os Redentores e sua capacidade de usar mentiras contra um inimigo, ele ainda era atormentado pela esperança de que a esposa e o filho não nascido estivessem vivos. Agora não era o momento de dar esperança aos cleptos. Somente a convicção de que não havia mais ninguém vivo serviria. Ele os impediu de avançar contra os Redentores e os convenceu a esperar até a alvorada para atacar sob sua orientação de um jeito que sairia mais caro para os inimigos. Enquanto isso, as provocações e zombarias dos Redentores que os cercavam na escuridão foram como um nobre discurso para homens honrados na medida que deixou os cleptos determinados a morrer causando o máximo de destruição possível. Kleist sabia que os cleptos estavam perdidos, mas fez o melhor possível e não tinha intenção de se perder com eles. Kleist fez o que deu para fazer, mas tinha a intenção de usar o ataque para romper a linha de frente sozinho e descobrir se a esposa estava morta ou não. Não seria seu fim nessa montanha no fim do mundo.

Kleist reuniu os cerca de noventa sobreviventes e desenhou um mapa na terra empedrada. A situação era muito simples: eles estavam encurralados em um desfiladeiro de mais ou menos 100 metros de largura com paredões laterais íngremes com os Redentores remanescentes distribuídos igualmente na sua frente e noventa na retaguarda.

— Nós atacamos os Redentores que subiram da planície. São esses que queremos, certo?

Houve acenos de cabeça por toda parte.

— No meu ponto de vista, nós atacamos a linha de frente aqui em duas cunhas pelas laterais e depois tentamos rompê-la e nos reunir atrás deles. Nós sequer conseguiremos fazer isso, com quase toda a certeza, mas os Redentores serão surpreendidos, e mataremos mais deles. Se chegarmos a nos reunir, teremos todos eles à nossa frente. Será bem mais difícil para eles se conseguirmos fazer isso. — O plano era provavelmente impossível, e certamente pareceu fraco quando Kleist falou em voz alta, mas com rapidez, surpresa e o novo desespero dos cleptos ele poderia abrir um espaço para fugir. Kleist devia algo a essa gente, mas não sua vida, e os cleptos teriam visto a situação da mesma forma que ele. Também não teriam se martirizado por isso.

"Isso é o melhor que posso fazer", ele pensou. "*Mea culpa. Mea culpa. Mea maxima culpa.* Não posso salvá-los, mas posso me salvar. É só isso."

Kleist quase desistiu ao repensar o plano, mas não exatamente — a vozinha baixa da sobrevivência que gritava na sua alma fez com que fosse até o final.

Quando terminou, dividiu o contingente em dois com algumas trocas por razões familiares e se colocou no flanco direito porque julgou que aquele grupo tinha os melhores guerreiros.

Como ele não queria nenhuma gritaria ou barulho de qualquer espécie que sinalizasse o ataque e prejudicasse a surpresa, os cleptos esticaram um barbante entre os dois grupos. Kleist daria um puxão forte quando achasse que fosse o momento certo para o ataque. A única concessão de Kleist em relação à negação de sua nobreza foi dizer para os cleptos que rumassem para um mastro de bandeira que ele fincaria atrás dos Redentores para mostrar onde deveriam se reagrupar. Kleist se arrependeu de ter feito essa promessa assim que falou, mas isso significava que ele tinha uma boa razão para ultrapassar os demais. Assim que fincasse o mastro, eles estariam por conta própria.

Teria sido muito esperar que os Redentores estivessem despreparados, mas as circunstâncias eram ideais para os cleptos, visto que a vingança fez com que não se preocupassem com as próprias vidas, para variar. Eles eram velozes, e este era seu terreno. Era difícil discernir o que dava ou não para ver na luz de manhãzinha, e os cleptos estavam quase em cima dos vigias dos Redentores quando soou o grito de alerta — cada vigia levou um ou dois cleptos com ele, mas o resto obedeceu e avançou silenciosamente para o acampamento em si já agitado, mas ainda assim surpreso. Kleist, com a vara de bambu na mão, já estava à frente, correndo e atravessando o acampamento, gritando "Recuem! Recuem!", como se ele fosse um dos Redentores fugindo em pânico. — Cale a boca! — gritou um dos centuriões que puxou o braço de Kleist ao passar, mas jamais imaginou que fosse algo mais do que um jovem Redentor assustado. Kleist puxou o braço de volta e correu como um louco. Assim que estava prestes a sair do acampamento, outro Redentor parou na sua frente e o derrubou.

— Mostre alguma...

Mas o que ele deveria mostrar não foi dito, porque Kleist ficou de pé e o esfaqueou no peito com só um movimento, pegou a bandeira e pulou o muro de pedras que os Redentores erigiram para cobrir a retaguarda, jamais esperando que fosse usado. Seria um excelente muro de defesa para os cleptos. Kleist soltou o grande pano vermelho de seda e cravou o mastro na fenda, onde todo mundo que sobrevivesse veria facilmente. A seguir, subiu correndo a montanha, rápido e ágil como um cabrito e jamais olhou para trás.

Um dia depois, Kleist saiu da montanha. Mais outro dia e ele estava diante de dez forcas dos Redentores e das pilhas de cinzas e ossos secos debaixo delas. Ficou parado um instante, então se sentou com a cabeça nas mãos e chorou. Ele ainda estava lá um dia depois quando, em grupos de três e quatro, os 21 cleptos que sobreviveram à luta nas montanhas chegaram e se sentaram ao seu lado. Se conhecesse melhor os cleptos, Kleist teria percebido que nunca ocorreu a nenhum deles que ele ficaria.

Eles não podiam enterrar as mulheres e crianças porque os Redentores com certeza estavam seguindo. Eles partiram, prometendo retornar, e avançaram da melhor maneira possível.

28

Como raramente acontecia entre médicos, que geralmente suspeitavam uns dos outros de roubo de tratamentos, Hooke e Bradmore se deram bem como irmãos, sem dúvida porque a linha divisória de suas habilidades era tão evidente. Ficou claro que o ferimento devia ser alargado corretamente para possibilitar a ideia de Hooke. Ele pretendia fazer um conjunto de pinças ocas e invertidas da largura da flecha. Elas seriam inseridas no ferimento e dentro da haste de metal da flecha. Aí, por meio de um parafuso, a ponta do instrumento já dividida em duas seria forçada devagar para dentro da haste e a agarraria firmemente. A ponta poderia então ser puxada pelo caminho que entrou. Enquanto Hooke ia para a fundição a fim de fazer o pequenino instrumento sutil, Bradmore começou a alargar o ferimento para que ele pudesse ser introduzido. Primeiro Bradmore fez um conjunto de sondas de pau de amieiro também da espessura de uma haste de flecha, secou e cobriu com linho embebido em mel de rosas para prevenir infecção. Com a sonda mais curta entrando primeiro, enfiou na ferida de Henri Embromador e depois foi progressivamente metendo as sondas maiores até se convencer de que chegara ao fundo do ferimento. Levou três dias, e, ao fim deste processo imensamente doloroso, Hooke, através de muita tentativa e muito erro, chegou com um instrumento, convencido de que era capaz de fazer o serviço. Diante do rosto de Henri Embromador, ele parou com o instrumento no mesmo ângulo da entrada da flecha, colocou a ponta do mecanismo no centro da ferida e empurrou devagar pelos 15 centímetros necessários para a ponta das pinças caberem no encaixe da ponta de flecha. Eles foram obrigados a mexê-lo muito para a frente e para trás. Então Hooke apertou o parafuso em cima do instrumento, torcendo para que ele abrisse na ponta, pegasse a flecha e ficasse firme o bastante para que pudessem extraí-la.

Eles passaram a mexer o instrumento para frente e para trás, puxando com firmeza e, aos poucos, arrancaram afinal a ponta da flecha do rosto de Henri Embromador. Da agonia que o pobre menino passou só deve ser dito que não há ópio no mundo que aplacasse a dor daquele procedimento.

O sofrimento dele não acabou, de qualquer maneira. O enorme perigo de uma ferida daquelas era o terrível risco de infecção, assunto em que Bradmore era um grande gênio. Assim que a ponta de flecha saiu — e era tão grande que ficou em um prato —, Bradmore pegou uma seringa, encheu de vinho branco e borrifou no ferimento. A seguir, introduziu novas sondas feitas de pedaços de linho embebidos em bicarbonato de sódio bem peneirado, terebintina e mel. Ele deixou assim por um dia e depois trocou os pedaços de linho por outros menores e assim por diante por mais vinte dias. Após isso, Bradmore cobriu a ferida com um unguento escuro chamado Unguentum Fuscum, sobre o qual era bem sigiloso. Depois do fim desse tratamento, o inferno não era mais tão aterrorizante quanto antes para Henri Embromador.

Bradmore chocou-se com o quanto de ópio Cale andara dando para Henri Embromador. O cirurgião exigiu que Cale lhe entregasse a droga antes que matasse Henri Embromador, nem que fosse por uma explosão, pois ele fora acometido de uma terrível prisão de ventre. Cale passou o máximo de tempo que podia sentado com o amigo, que geralmente estava com dores demais para responder ou alucinando, mesmo com a dose muito limitada de ópio que Bradmore se dispôs a dar para ele. Bradmore mandou Cale ao mercado, quase tão famoso quanto o antigo de Memphis, para que comprasse vários tipos de comida de que nunca ouvira falar, quase todos extremamente caros.

— Você ferrou com ele, agora vai dar um jeito nele.

O problema era que ninguém tinha dinheiro — a questão do pagamento de Bradmore foi cuidadosamente evitada. Bradmore presumiu que os Materazzi haviam escapado com ao menos um pouco de sua famosa riqueza. Não fora o caso, como Cale bem sabia, e o que eles tinham não seria gasto com despesas médicas arrasadoras de um menino qualquer. Já tinham problemas suficientes. Vipond concordara em dar a impressão para Bradmore de que o dinheiro não era uma questão quanto ao tratamento de Henri Embromador, mas pagar seria problema de Cale. A única opção de Cale era vender um pequeno rubi que roubara de um diadema da estátua da Mãe do Redentor na antessala de Chartres. Pelo menos ele esperava que fosse um rubi, ou no mínimo valioso.

Esse não era o único problema financeiro de Cale. Ele tinha que pagar pelo futuro dos Purgadores, e pelo de Henri Embromador. Parte de Cale queria que eles simplesmente sumissem, mas sabia que isso não aconteceria. Não só os Purgadores eram dedicados a ele, mas Cale também sabia que controlar 160 guerreiros experientes lhe daria uma grande influência diante do que estava para acontecer. Mas eles tinham que ser pagos e mantidos fora de vista. Se algum dos Materazzi descobrisse quem eram os Purgadores, haveria problema.

Assim sendo, no dia seguinte à retirada da flecha por Bradmore, Cale saiu sozinho não só para comprar comida a fim de curar a terrível prisão de ventre de Henri Embromador, mas também para ver se conseguia algo pelo rubi. Enquanto passava pelas barracas e pelos gritos incompreensíveis dos vendedores ("Bompos! Bompos! Bompos! Túberas! Pimenta lascada! Cogumelos bem baratinhos, amor, pra cozinhar pra alguém de que você nem gosta!"), Cale notou três lojas juntas em frente a uma barraca de cenouras, nabos e couves-flores que formavam um rosto de maneira fantástica. Em cada uma havia uma mulher costurando roupas em uma mesa. Ele observou as duas primeiras por alguns minutos, mas parou na última, em parte porque a mulher era mais jovem que as demais, mas também porque estava trabalhando em um ritmo surpreendente. Cale observou por vários minutos, fascinado não somente pela velocidade, mas também pela habilidade quase mágica com que costurava um colarinho em um paletó. Ele gostava de ver gente habilidosa trabalhar. Ela ergueu o olhar algumas vezes para Cale — não havia vidro na janela — e finalmente falou.

— Quer um paletó?

— Não.

— Então caia fora.

Não era de seu feitio permitir que alguém desse a última palavra, mesmo a garota de uma loja, mas Cale se sentiu cansado e doente. Devia ter pegado alguma coisa, pensou ele, melhor ir em frente. Cale foi embora, e ela não tirou os olhos do trabalho. Depois de uma volta de dez minutos que geralmente levava cinco, chegou a Wallbow Gardens. Diferente das praças comerciais comuns da Leeds Espanhola, havia meia dúzia de guardas com uniformes extravagantes perambulando para manter criminosos longe das cerca de vinte ourivesarias e joalherias que compunham a praça e agora substituíam Memphis como centro de comércio de metais preciosos dos quatro cantos do mundo.

O primeiro joalheiro disse para ele que o rubi era só semiprecioso e valia cerca de cinquenta dólares. Isso agradou Cale porque era óbvio que o joalheiro estava mentindo, o que significava que valia consideravelmente mais. Quando disse para o homem que queria a pedra de volta, o joalheiro ofereceu mais, porém Cale achou melhor seguir em frente. O próximo alegou que o rubi era vidro. O seguinte novamente alegou que a pedra era só semipreciosa e ofereceu 150 dólares.

Finalmente, e algo desanimado porque sabia que o rubi valia alguma coisa, mas não muito, ele entrou na Casa de Metais Preciosos de Carcaterra. O homem atrás do balcão tinha 30 e poucos anos e provavelmente era judeu, pensou Cale, porque as únicas pessoas que já vira usando quipás eram judeus.

— Posso ajudá-lo? — perguntou o homem, um pouco desconfiado. Cale colocou o rubi ou seja lá o que fosse na mesa. O sujeito pegou, interessado, e segurou contra uma vela, examinando a luz se refratar através da pedra com a calma e o cuidado de alguém que sabia o que estava fazendo. Um minuto depois, ele olhou para Cale.

— Você não parece bem, meu jovem. Gostaria de se sentar?

— Só quero saber quanto isso vale. Saiba que já sei, só quero saber se vai tentar roubá-lo de mim.

— Posso tentar roubá-lo da mesma forma, tanto com você sentado quanto em pé.

Na verdade, Cale não estava só cansado, mas exausto. As olheiras eram tão grandes quanto os círculos pretos ao redor dos olhos do panda no zoológico de Memphis. Havia um banco atrás dele, e, quando foi se sentar, as pernas quase cederam.

— Gostaria de uma xícara de chá?

— Quero saber quanto ele vale.

— Eu posso dizer quanto vale e servir uma xícara de chá.

Cale se sentiu arrasado demais para bancar o difícil.

— Obrigado.

— David! — chamou o joalheiro. — Pode fazer a gentileza de trazer uma xícará de chá? Forte, por favor.

Houve um grito de confirmação, e o joalheiro voltou a examinar a gema. Passado algum tempo, David, presumiu Cale, trouxe uma xícara sobre um pires, e o joalheiro acenou para que ele fosse até Cale. Todos os três notaram que, quando Cale pegou a xícara, ela e o pires começaram a tremer como se estivessem na mão de um velho. David, intrigado, deixou-os a sós.

— Você sabe o que é isso? — perguntou o joalheiro.

— Sei que vale muito.

— Isso depende de seu conceito de valor, creio eu. É um tipo de gema chamada de berilo vermelho. Vem das montanhas Beskidy, e eu sei disso não só porque sou bem informado em relação a gemas, mas também porque é o único local onde pode ser encontrada. Concorda?

— Se você diz.

— Digo sim. E a coisa mais interessante é que há tempos imemoriais as montanhas Beskidy são controladas pela Única e Verdadeira Fé do Redentor Enforcado. Você sabia disso?

— Posso afirmar honestamente que não sabia.

— Logo, essa pedra ou é muito antiga, eu só tinha visto duas antes de hoje, ou foi retirada da estátua da Mãe do Redentor Enforcado, para a qual essa gema em especial foi reservada, pelo que sei.

— Isso mesmo. — Cale estava exausto demais para tentar inventar alguma coisa e impressionado com a capacidade e o conhecimento do homem.

— Infelizmente eu não lido com artefatos religiosos roubados.

Cale terminou o chá e, ainda tremendo, pousou a xícara ao lado no banco.

— Não creio que conheça alguém que faça isso?

— Eu não sou um receptador, meu jovem.

— Perdão.

Cale ficou de pé não só se sentindo exausto, mas sim completamente esgotado, e foi até o joalheiro, que devolveu a gema.

— Eu não roubei. — Ele fez uma pausa. — Está bem, eu roubei *sim*. Porém, nenhuma pessoa jamais mereceu tanto algo que tenha roubado quanto eu e o berilo vermelho aqui.

Ele andou até a porta. Ao sair, o joalheiro falou alto:

— Tente não vender por menos de seiscentos dólares. — E, dito isso, Cale fechou a porta ao sair e foi para a praça, pensando se tinha energia para chegar ao seu quarto.

— Você é Cale? — perguntou uma voz agradável.

Cale ignorou e continuou andando sem erguer o olhar.

Ele tentou prosseguir, mas o caminho foi barrado por dois tipos durões de quem Cale teria desconfiado na melhor das ocasiões. Esta não era a melhor das ocasiões.

— E tem mais três de nós também — disse a voz agradável.

Cale olhou para o sujeito.

— Você é o cara da colina Silbury.

— Que bom que você se lembra — disse Cadbury.

— Não morreu então?

— Eu? Só estava de passagem. E IdrisPukke?

— Ainda vivo.

— Então é verdade, só os bons morrem cedo.

— E seu patrão, Harry Peixe-Bruxa?

— Que coincidência, tremenda coincidência que você pergunte. Kitty das Lebres gostaria de conversar.

— Eu tenho um mordomo agora. Marque com ele.

— Agora chega de papo, filhote. Meu patrão não gosta de ficar esperando. Além disso, parece que seria bom você se sentar um pouco. Você piorou desde que nos vimos pela última vez. Se Kitty das Lebres quisesse lhe fazer mal, não estaríamos conversando agora. — Cadbury apontou o caminho, e Cale seguiu com tanta elegância quanto conseguiu.

Felizmente, não tiveram que ir longe. Depois de algumas curvas, eles entraram no distrito do canal, com casas ricas e suas enormes janelas abertas para deixar a luz entrar junto com a inveja dos transeuntes. Eles pararam diante de uma das mais imponentes e foram recebidos como se fossem esperados a qualquer momento. Cadbury indicou que Cale continuasse entrando pela casa até uma sala grande e arejada, que dava vista para um jardim elegante com um labirinto de buxos e espaldeiras de árvores frutíferas em quatro fileiras verticais e horizontais até a altura do nariz.

— Sente-se antes que caia — disse Cadbury ao puxar uma cadeira.

— Alguém está cozinhando cebolas? — perguntou Cale.

— Não.

A porta abriu, um criado entrou e acendeu várias velas. A seguir, ele fechou as cortinas com um pouco de esforço porque eram grossas e altas, mais parecidas com as de um palco do que com as cortinas de uma casa. Pouco depois, a porta abriu, e Kitty das Lebres se juntou à sala. Nenhuma outra expressão serviria. Na pouca claridade, o capuz que ele usava era grande o suficiente para cobrir o rosto, e o robe se parecia com um modelo infantil grande demais. Não havia, porém, nada de padre a respeito dele. O cheiro também era diferente. Os Redentores tinham um odor de pouco banho e um cheiro indefinido de azedo; Kitty das Lebres cheirava a alguma coisa não exatamente desagradável nem só estranho, mas estranhamente estranho. Cadbury segurou uma cadeira para Kitty das Lebres enquanto observava Cale com cuidado para ver como ele reagia a essa criatura perturbadora. Ninguém falou nada, nem se mexeu. Havia só o ritmo diferente da respiração de Kitty, uma coisa parecida com um cachorro ofegante, mas não exatamente isso.

— Você queria... — começou Cale.

— Vá para a luz para que eu veja bem você — interrompeu Kitty. O rosto encoberto e a grande atuação da chegada praticamente no escuro fizeram com que Cale esperasse uma voz que combinasse com todo esse drama... ameaçadora e sombria. Mas foram o sussurro e o ceceio, o tom melífluo e quase feminino que arrepiaram os pelinhos dos braços de Cale, por mais suados que estivessem. — Por favor, faça o que pedi — disse Kitty.

Abalado e indisposto, Cale avançou arrastando os pés, mas pouco. Ele estava cauteloso no momento porque se sentia fraco, mas também sentia uma certa liberdade. Não estava em condições de nenhum heroísmo — mal conseguiria andar até a porta, quanto mais correr para lá. No atual estado, ele teria problemas em lutar contra um coelhinho.

— Então é com isso que a fúria de Deus se parece — disse Kitty. — Original. Você não acha, Cadbury?

— Sim, Kitty.

— Mas faz sentido, se se parar para pensar, usar uma criança para representar a fúria do Todo-Poderoso, levando-se em consideração aquilo que tantos de seus inocentes têm que sofrer. Você não está bem, acho eu.

— Só um resfriado.

— Bem, não passe para a gente, hein, Cadbury?

Isso podia ter sido dito em tom jovial — era difícil para Cale dizer.

— Eu ouvi muita coisa sobre você, mocinho. Metade é verdade?

— Mais.

— Ele é orgulhoso, Cadbury, como eu gosto disso em um deus.

— O que você quer? — O cheiro estranho e doce que a princípio não incomodara Cale agora estava se tornando cada vez mais desagradável e começando a fazer com que se sentisse ainda pior.

— Você tem informação?

— Sobre?

— Muita coisa, sem dúvida, mas não vou insultá-lo ao tentar comprar informações sobre seus amigos. Apesar de estar curioso sobre onde Vipond e o irmão dele estão metendo os narizes, quero informações que estejam disponíveis para mim e que acho que você dividirá alegremente.

— Sobre?

— Os Redentores. Bosco. Agora que ele é o papa...

Caso estivesse se sentindo menos ruim, Cale talvez tivesse escondido melhor a surpresa.

— Você não sabia. — Kitty obviamente se divertiu.

— Eu saí correndo quando tive chance. Portanto, entenda que não valho o que você pensou.

— De maneira alguma. Notícias eu sempre posso conseguir facilmente. Informações são outros quinhentos. Você era mais do que íntimo de Bosco e pode me dizer os planos que ele tinha para você e para a sua fé, agora que Bosco é a pedra fundamental dela. Essas coisas são valiosas para mim. Vai haver uma guerra, mas será um novo tipo, creio eu. Se for o caso, quero saber qual é. — Ele se recostou na cadeira. — Você será bem pago, mas o mais importante é que terá influência através de mim em um mundo que até agora não tem muito tempo para você. Uma influência mais preciosa do que rubis. Quanto aos seus Purgadores, encontre uma desculpa para a presença deles em breve.

— Ele ficou de pé enquanto Cadbury rapidamente puxava a cadeira. — Em alguns dias, quando você estiver se sentindo melhor, vamos conversar mais. Cadbury vai lhe trazer um chá. Hortelã pode dar um ânimo a você. — Dito isto, ele foi em direção à porta, que foi aberta pelo lado de fora por alguém que devia ter uma audição impressionante, e a seguir Kitty das Lebres foi embora. O mesmo criado de antes entrou, abriu as cortinas e, para o grande alívio de Cale, porque imaginou que vomitaria por causa do cheiro, ele também abriu as janelas para arejar o ambiente. Cadbury pediu chá, e Cale foi para a janela respirar o ar puro como se tivesse passado os últimos dez minutos no fundo de um lago imundo.

— O que esperava? — disse Cadbury.

Cale não respondeu. Cadbury entregou a ele um pequeno jarro com um rótulo escrito em letras grandes: CRISMA DA SRA. NOLTE.

— Isso vai ajudar se você enfiar no nariz da próxima vez que vier. Só não deixe uma mancha ao redor das narinas. Kitty se ofende.

Quando Cale voltou para o quarto se sentindo mais forte após o chá — preto, em vez de hortelã — e duas fatias de torta de creme, ele pegou no sono e dormiu 14 das últimas 24 horas — isso para alguém que só dormia umas seis ou sete. Quando acordou, notou que um grande envelope fora enfiado por baixo da porta. Era um convite para um jantar no grande salão do castelo da Leeds Espanhola. Ele mal tinha terminado de ler pela terceira vez quando houve uma batida na porta.

— IdrisPukke.

Cale abriu a porta com o convite na outra mão. Ele tinha uma decoração tão pomposa e grandiosa que era impossível não ser notado — e IdrisPukke não era, de qualquer forma, uma pessoa que deixasse de notar as coisas.

— Posso? — disse ele, puxando o convite da mão de Cale.

— Fique à vontade. — Cale estava curioso para saber no que consistia o grande jantar e por que fora convidado, mas, antes que tivesse a chance de espremer a informação de IdrisPukke, ele recebeu um conselho inequívoco.

— Você não pode ir.

— Por quê?

— É uma armadilha.

— É um jantar.

— Para todos os demais. Para você é uma armadilha.

— Sou todo ouvidos.

— O convite é de Bose Ikard.

— Aqui diz o Lorde Prefeito.

— Ele quer que haja uma confusão para que possa persuadir o rei de que é perigoso ter os remanescentes de um império ressentido lotando sua segunda maior cidade e torcendo por uma guerra para recuperar a fortuna perdida.

— Ele tem razão.

— Tem mesmo.

— O que isso tem a ver comigo?

— Sua reputação lhe precede.

— Isso quer dizer?

— Que aonde quer que você vá o desastre o segue como um cocker spaniel. — Cale não costumava ficar sem palavras, mas mesmo ele ficou assustado com isso. — Bose Ikard quer ver uma briga entre você e os Materazzi e tem uma boa ideia de como começá-la. Você vai se encontrar sentado diante de Arbell e do marido dela.

Isso provocou um silêncio de um tipo completamente diferente.

— Vipond sabe disso?

— Vipond me mandou aqui.

— Então ele espera que eu obedeça.

— Alguma vez você obedece? Hoje em dia todos nós sabemos que você é um deus e não um brigão esquentado com uma mão pesada.

— Eu sou a *fúria* de Deus, não *um* deus. Já expliquei isso.

— Vipond está alertando você para não fazer o que alguém que lhe deseja mal quer que você faça. Mostre algum bom senso. — Ele fez uma pausa. — Por favor.

Cale tinha ficado empolgado com a ideia de um grande jantar, mas pôde ver que IdrisPukke tinha razão. Mas era tão impossível para ele ficar de fora quanto impedir que caísse no chão após pular da torre mais alta da Leeds Espanhola.

29

Grande a nuvem de incenso, puros os sopranos, sonoras as notas graves na catedral no coração de Chartres onde o novo papa, Bosco XVI, foi coroado na velha rocha fundamental da Única e Verdadeira Fé. E as vestimentas de gala douradas e verdes, laranja, amarelas e azuis. Um arco-íris picotado de santidade. Exceto, é claro, pelas vinte freiras que receberam a permissão de participar, vestidas completamente de preto e com só um pouco de branco ao redor do rosto. Mas que rostos! Ao erguerem o olhar para o Santo Pai, com as mãos amarradas nas costas para prevenir um toque repugnante, elas deram sorrisos de êxtase tão intensos que parecia que outra morte santa ia acontecer para se somar àquela da Abençoada Imelda Lambertini, que morrera de êxtase durante a comunhão na idade imensamente espiritual dos 11 anos.

Mas grande era o ânimo de prelados, bispos, cardeais, núncios, delegados, gonfaloneiros. Muitos foram recém-empossados, com seus antecessores mandados para as fogueiras, masmorras ou valas no deserto, virando comida de raposas. Este era o papa deles, a sua chance, a hora de serem pessoalmente responsáveis por trazer o fim dos tempos e a grande renovação.

O novo papa Bosco subiu a catedral passo a passo, obrigado a parar para reverência e santa subserviência diante de cada um, de forma que levou meia hora de resignação para Bosco chegar ao topo e ao grande púlpito que se projetava no enorme espaço da Capela Sistina, dando a impressão de que ele estava prestes a pular sobre a congregação que olhava para cima, esperando ouvir sobre uma nova vida e um novo propósito.

Eles sabiam muito bem o que estava por vir; vinham sendo iniciados nas novas crenças havia anos. Sabiam que Deus perdera a paciência novamente e que, em vez de eles serem sacrificados com chuva e água como da outra vez, agora haveria fogo e uma espada empunhada por um menino que não era menino, mas sim a manifestação da irritação de Deus. E não haveria uma arca oferecendo uma chance desta vez. Primeiro os Antagonistas, a seguir todo o resto do mundo, e então a própria fé dos Redentores definharia. Tudo isso fora dito para uma plateia que mal conseguia conter a animada expectativa pela ação de Deus com respeito à ruína de sua criação tão podre.

— O vento da mudança está soprando pelo nosso mundo — disse o novo papa. — Nada pode deter uma ideia abençoada cuja hora chegou. Então devemos abordar a questão da mulher.

Houve um certo murmúrio de surpresa entre os padres e monges. *Que questão da mulher?* E a mesma pergunta, embora ainda mais trepidante, entre as freiras. *Que questão da mulher?*

Havia sempre algo ligeiramente escorregadio no tom de voz de um Redentor quando falava bem das mulheres, o que não era de maneira alguma um fato tão raro quanto o seguidor casual da fé poderia imaginar. As freiras nervosas estavam prestes a receber uma dose completa de elogios. Quando se elogia, a pessoa deve exagerar.

— Abençoada seja a mulher cujas palavras podem encorajar, mas não influenciar. Como não respeitar a força de sua obediência, admirar a submissão obstinada que Deus, e o homem feito à sua semelhança, exige de sua feminilidade? Os Redentores são famosos pelo respeito fora do comum pelo sexo feminino, que complementa e ajuda o trabalho dos homens e dos padres através de incansável colaboração. Mas a grande abadessa Kuhne está mais certa do que nunca quando diz que a virgindade é a verdadeira emancipação e o estado apropriado das mulheres. Na expectativa da vida por vir, os fiéis do Redentor não se casarão mais. Ambos, homens e mulheres, a partir desse dia serão virgens. Eu separei os dias em que as obrigações conjugais, que mais parecem a união da besta dentro de nós, não podem ser cumpridas entre homem e mulher.

"Todas as quintas-feiras, em memória da prisão do Redentor Enforcado (52 dias ao ano).

"Todas as sextas-feiras, em memória da morte do Redentor Enforcado (outros 52 dias).

"Todos os sábados, em homenagem à Virgem Mãe do Redentor Enforcado (outros 52 dias).

"Todos os domingos, em homenagem à ressurreição (mais 52 dias).

"Todas as segundas-feiras, para lembrar as almas dos falecidos (52 dias)."

Além de proibir o sexo conjugal em 270 dos 365 dias do ano, Bosco continuou e proibiu qualquer tipo de contato físico antes e depois de pelo menos meia dúzia de feriados religiosos.

Gil, que não era ruim de contas, levou vários minutos para concluir que, no primeiro ano, os casais só conseguiriam transar em cinco dias do ano.

— Você acha que é demais? — perguntou um preocupado Bosco. — No terceiro ano, tudo isso não importará mais.

— Mais do que o suficiente — disse Gil. — Porém, de onde virão nossos soldados?

— Temos o suficiente para limpar o mundo com uma esponja do jeito que estamos. Eu e você temos que estar aqui para ver os Redentores definharem de modo que Deus possa recomeçar com uma criatura mais merecedora de suas dádivas.

A outra questão, a questão de Cale, foi tratada com a menção a uma grande profecia secreta envolvendo seu retorno, agora trancada nos cofres da cidade sagrada de Chartres e corroborada por um grupo de freiras com quem Cale falara quando elas visitaram as montanhas Golan. A seguir, ele desaparecera, embora ninguém o tivesse visto de fato sumir. Assim, surgira a convicção bem a calhar de que Cale voltaria para cumprir seus deveres escatológicos só se os Redentores enfrentassem um grande perigo na tentativa de varrer o homem maligno e sua terrível natureza da face da Terra.

— E se descobrirem a verdade?

— Eles não sabem a verdade.

— Ele nos traiu, aquele merdinha ingrato.

— Você continua falando sobre Cale como se ele fosse uma pessoa. Ele não é. Cale vai voltar quando se der conta disso e quando outros perceberem, porque se ele não fizer parte do futuro dilúvio, então sua existência não tem sentido. Na hora certa, um puxão na linha vai servir.

Gil tinha se perguntado se o sumiço de Cale iria prejudicar a causa. Qual era o sentido de um salvador ausente? Porém, em poucos dias Gil se deu conta de que a ausência de Cale, que ele sabia ser uma traição aos demais fiéis, tornava a salvação de Chartres mais imprescindível. Deus mostrara suas cartas quando fora necessário, mas as recolhera com a exigência explícita de que os Redentores em pessoa deveriam agir. De outra maneira, qual o sentido dos Redentores? Por mais destruição que fosse necessário espalhar pelo mundo, inclusive a dos próprios Redentores, Deus não precisava deles para isso. Ao enviar Cale para interferir tão miraculosamente, Deus deixara isso totalmente claro. Ao retirar Cale, Deus mostrara que não os abandonara e que, se os Redentores Lhe seguissem a vontade ao destruir todos os apóstatas e infiéis, Ele não se esqueceria deles quando chegasse a hora de destruí-los. A aniquilação dos Redentores seria com certeza uma porta para o próximo mundo. Foi refletindo sobre seu erro que Gil, que ainda acreditava piamente no fim da humanidade, começou a ver que Cale não servia mais para nada, não importava o que Bosco pensasse. Um Cale permanentemente ausente não prejudicaria nada. Pelo contrário. Um Cale vivo, por outro lado, poderia e provavelmente se tornaria uma séria ameaça. Algo devia ser feito.

Para dar o clímax ao grande discurso, Bosco alertou contra um novo tipo perigoso de mulher que ele sabia estar surgindo, que não eram as belas indecentes dos Materazzi com seus pescoços emproados, o andar afetado e o cabelo longo — que Deus atacaria com sarna na hora que bem quisesse —, nem as libertinas da Leeds Espanhola, que tinham guizos nos pés porque em breve teriam o preço ao redor das barrigas em vez de cintos. Mas havia a nova ameaça das mulheres que queriam ser equivalentes espirituais do homem, demonstrar rigor e perseguir qualquer um que não fosse suficientemente devoto e até mesmo queimar outras mulheres como um alerta, mostrando que também podiam ser tão implacáveis no que dizia respeito à ortodoxia e à moralidade. A congregação aquiesceu, mas não entendeu que a fúria de Bosco era voltada ao seu antecessor e ao medo de que houvesse mais pessoas como ele. Talvez muitas mais. Talvez estivessem em toda parte. Havia rumores por aí, porém, penetrando fundo como lesmas se preparando para o inverno, surgindo em meio a fofocas e conversas de fim de noite entre amigos bêbados, mas nada, de maneira alguma, como a verdade de que uma mulher, nem melhor ou pior do que seus antecessores masculinos, havia reinado sobre os Redentores por vinte anos.

— Pensem nas últimas quatro coisas ao voltarem para suas dioceses — encerrou Bosco. — E se preparem para os extremos que virão.

Depois de sair da comemoração que acompanhou o discurso inaugural de Bosco, Gil voltou para seus enormes aposentos, onde o novo secretário, monsenhor Chadwick, que não fora convidado, torcia desesperadamente para que Gil estivesse a fim de contar alguma novidade sobre quem estivera presente, o que acontecera e como era o novo Santo Pai. Ele ficaria desapontado.

— Chame os Dois Trevors — falou um irritado Gil. A esperança no rosto de Chadwick foi substituída por desânimo instantâneo.

— Ah — disse Chadwick, seguido por uma longa pausa. — O senhor faz a menor ideia de onde eles estariam, por acaso?

— Não — respondeu Gil. — Agora ande com isso. — Enquanto Chadwick fechava a porta, da maneira mais melancólica que uma porta pode ser fechada, Gil sabia muito bem que estava agindo de maneira absurda. Os Dois Trevors eram um par nada fácil de ser encontrado, até mesmo impossível, não importava quem você fosse.

— Mais luz? — perguntou Cale.

— Eu consigo enxergar muito bem — disse a costureira da feira. — A questão é: o que estou vendo?

— A velha que engoliu uma mosca — cantou Henri Embromador.

— O que ele está dizendo?

— Está cantando uma música... está bem fora de si. Não se preocupe. Eu quero que você costure o rosto dele. Ele não vai sentir nada... ou muita coisa, de qualquer forma.

— Você é maluco. Eu só costuro roupas. Não entendo nada desse tipo de coisa.

— Mas eu sim. Já costurei pessoas centenas de vezes.

— Então costure *você*. Eu vou me meter em encrenca.

— Você não vai se meter em encrenca. Eu sou uma pessoa muito importante.

— Você não parece alguém importante.

— Como saberia disso? Você só ganha a vida costurando roupas.

— Você quer que eu faça uma coisa desse tipo e me insulta? Estou saindo daqui. — Ela fez menção de ir à porta.

— Cinquenta dólares! — Ela parou e olhou para Cale. — Ele é meu amigo! Ajude-o.

— Me deixe ver o dinheiro.

Por causa da generosidade de Kitty das Lebres, uma carteira com trezentos dólares fora entregue no dia seguinte à reunião; ele contou o dinheiro na mesa ali mesmo. A garota pensou por um momento.

— Cem dólares.

— Ele não é tão meu amigo assim.

Os dois fecharam em 65 dólares.

Enquanto ela examinava o caos do rosto de Henri Embromador, ele começou a cantar sobre cabras.

— Ele não vai sentir nada enquanto você trabalha e eu vou indicando o caminho. Sei o que precisa ser feito, mas é necessário delicadeza para o rosto ser salvo. Encare como se estivesse costurando o colarinho num paletó. Faça o trabalho mais caprichado que conseguir. — Ele se lembrou de elogiá-la. — Sem você, ele vai se parecer com o traseiro de um cavalo. Eu sei como você é boa. Tem talento, qualquer pessoa de bom senso percebe. Esqueça que é o rosto de alguém, pense que é um paletó ou algo assim. — Amaciada pelos elogios e compreensivelmente tentada pela grande soma de dinheiro, ela passou a encarar Henri Embromador como um problema profissional.

— Ele precisa de um enchimento.

— O que é um enchimento?

— Achei que você soubesse tudo sobre costura.

— Se isso fosse verdade, eu não precisaria de você. O que é um enchimento?

— Há um buraco do tamanho de um dedo no rosto dele. Eu não consigo costurar sobre um buraco nem mesmo em tecido, quanto mais em pele. Tenho que preencher com alguma coisa.

— Com o quê?

— Como vou saber? Em um paletó ou coisa do gênero, a gente usaria feltro.

— Não podemos fazer isso. Eu já vi o que acontece quando até um pouquinho de pano fica dentro de uma ferida.

— Se vamos remendar um paletó velho, nós usamos um pouco de material de um lugar que a pessoa não veja. Assim fica igual e não repuxa quando se molha.

— Você está dizendo que devemos cortar um pedaço dele de algum outro lugar e enfiar no buraco no rosto?

Ela só estava pensando em voz alta, mas então se assustou.

— Não, eu não disse isso, só estava pensando. *Igual com igual* é o que dizemos. Só estava pensando.

— Por que não? Faz sentido.

— As coisas podem piorar.

— As coisas sempre podem piorar.

— Se ele é seu amigo, talvez você pudesse arrancar um pedaço de si mesmo.

— Não seja estúpida, diabos — disse Cale, com delicadeza.

— Ninguém tem maior amor do que este, de dar a sua vida pelos seus amigos.

— Quem foi o idiota que lhe disse isso?

A costureira ficou muito indignada pelo desrespeito de Cale, mas a essa altura já estava determinada a ganhar o dinheiro e também a vencer o desafio. Ela não era de se acanhar em enfrentar o mundo.

E assim, a engenhosa operação nascida de sorte, esperteza, habilidade e ignorância começou e provou ser um sucesso maravilhoso. Após tranquilizar a costureira de que ele sabia o que estava fazendo em se tratando de facas, Cale cortou um belo filete de carne redondo das nádegas de Henri Embromador, onde achou que faria menos falta, e a costureira prontamente preencheu o buraco no rosto. Com uma habilidade que tocou o coração de Cale ao observá-la, ela cortou e costurou com cuidado, com uma perfeição de fábula, o rosto gravemente destruído de Henri Embromador. Ele a acompanhou o tempo todo com mais canções envolvendo moscas, velhas, gatos e cabras. Quando ela terminou, os dois se afastaram para admirar o que ela tinha feito — e era digno de admiração. Apesar de estar em carne viva, qualquer um podia notar a habilidade com que um buraco irregular fora transformado em algo que simplesmente parecia direito. Cale sabia que podia infeccionar ou o filete de carne podia morrer, e aí sabe Deus o que aconteceria. Mas por ora *parecia* direito.

E realmente foi. Por dois dias, o remendo inflamou de maneira preocupante, apesar de toda a perfeição, e, na terceira manhã, ele começou a ficar rosa, a irritação diminuiu e claramente estava sarando. Henri Embromador tinha só uma reclamação:

— Por que minha bunda está tão dolorida?

Quanto à grande cooperação e à boa sorte de ter descoberto por acaso esse processo engenhoso, isso raramente passou pela cabeça de Cale ou da costureira e se perdeu completamente da humanidade.

30

Era a noite do banquete, e IdrisPukke e seu meio-irmão, Vipond, estavam especialmente afiados. O primeiro provocou as mulheres em relação à beleza delas e zombou dos homens sobre não estarem à altura das mulheres. Vipond, que era um humorista mais contido quando sentia vontade, provocou uma onda de gargalhadas com uma história divertida sobre a vaidade do bispo de Colchester e uma desventura envolvendo um pato, que foi concluída com a observação de que "não importam as descobertas feitas na terra das ilusões, muitas regiões desconhecidas ainda restam para ser exploradas".

Não querendo ficar para trás, IdrisPukke adotou uma postura aforística e passou a oferecer para aqueles ao redor a sabedoria de sua experiência de muitos anos sobre a estupidez, o absurdo e a maldade da humanidade, incluindo, é preciso reconhecer, sua própria estupidez, seu absurdo e sua maldade.

— Jamais discuta com alguém sobre qualquer coisa. Não, nem mesmo Vipond, embora ele possivelmente seja o homem mais inteligente que jamais viveu. — Vipond, logo ali do outro lado da mesa, gostou do desempenho do meio-irmão e do duplo elogio envolvido na zombaria. Ele riu, acompanhando os demais e as batidinhas de aprovação de meia dúzia de Materazzi ligeiramente embriagados.

— Quando se fala de ilusão, meu irmão está completamente certo. A pessoa pode conversar com Vipond por mil anos e mal chegar perto do número de coisas absurdas em que ele acredita.

A seguir, Vipond mudou de expressão, e, por um breve momento, IdrisPukke imaginou se não tinha ido longe demais. Mas foi algo que ele não viu que assustou o chanceler. IdrisPukke acompanhou o olhar apreensivo para o topo do salão. Embora o burburinho e as risadas continuassem pelo resto do enorme aposento, a mesa ao redor dos meios-irmãos ficou muito quieta.

No topo da escadaria que descia até o salão estava Cale, vestido do pescoço aos pés em um traje preto bem parecido com uma batina muito elegante que estava na moda entre os jovens ricos da Leeds Espanhola. Ele mandara sua costureira fazer especialmente e pagara novamente com o dinheiro de Kitty das Lebres.

Ele parecia um prego e não ligava para quem achava isso. Mas, como era de se esperar, a maior surpresa entre as poucas dezenas de pessoas que o reconheceram foi sentida por Arbell Materazzi, sentada ao lado do marido e grávida de oito meses. Se uma mulher podia ficar branca como um fantasma e radiante ao mesmo tempo, era assim que ela estava, com as veias azuis das pálpebras como os filamentos de mármore.

IdrisPukke, desanimando e perdendo o humor, observou Cale percorrer a fileira de assentos como a bruxa má de um conto de fadas, os olhos envoltos por olheiras que combinavam com as roupas e fixos na linda grávida diante dele. Ele devia ter imaginado, pensou IdrisPukke, realmente devia. A cadeira ao seu lado, reservada para a ausência de Cale, foi puxada por um criado assim que ele, cheio de si pela catástrofe satisfatória que sua presença estava causando, chegou, deu um aceno delicado de cabeça para Vipond e a seguir fixou o olhar de desprezo em Arbell Pescoço de Cisne. Não havia palavra suficientemente forte para descrever a expressão no rosto de Conn, mas ninguém teve muita dificuldade em imaginar o que estava acontecendo dentro de sua alma. A questão se ele sabia ou não muitas vezes surgiu na mente de IdrisPukke depois. Era difícil acreditar que, se ele soubesse, a noite terminaria bem. Bose Ikard devia ter torcido para que houvesse problemas, uma vez que ele devia saber sobre Conn e Thomas Cale. Mas ele tropeçou em algo bem pior do que uma rixa metida a besta entre meninos precoces.

Há muitas palavras para os diferentes tipos de silêncio que existem entre pessoas que se odeiam. IdrisPukke calculou que, se um dia voltasse à prisão com um ou dois anos para ponderar, talvez chegasse a uma lista adequada. Mas, seja lá qual fosse aquele tipo de silêncio, acabou quando um convidado de Vipond, *señor* Eddie Gray, uma espécie de embaixador dos noruegueses, tentou entender, como tantos outros, o que de fato o Materazzi faria a seguir e como isso poderia afetá-los. Provocador e arrogante por natureza, olhou Cale de cima a baixo acintosamente.

— O senhor tem a cor certa para um Anjo da Morte, sr. Cale. Mas é um pouco baixinho.

Houve o som inaudível de almas respirando. Cale sequer fez uma pausa ao tirar os olhos de Arbell pela primeira vez e encarar Gray.

— É como o senhor diz. Mas se eu cortasse a sua cabeça e colocasse debaixo dos meus pés, eu ficaria mais alto.

O cordão de silêncio daqueles que perceberam que algo estava acontecendo se estendeu então para ambos os lados dos Materazzi, incluindo, não por acaso, Bose Ikard. Alertados pelo desprezo no tom de Gray e pela estranha aparição do jovem de preto, eles notaram o repúdio de Gray e a resposta arrasadora, e caíram na gargalhada.

Tomado por uma venenosa mistura de ódio, adoração, amor e muito orgulho diante da própria língua afiada, Cale deixou que colocassem a cadeira para se sentar e virou o olhar ao mesmo tempo ridículo e assustador para a pobre Pescoço de Cisne. Nem um touro fustigado por vespas na perfumaria teria liberado uma mistura tão incontrolável como as nuvens de luxúria, ressentimento, traições e desejos frustrados que se uniam e sopravam pelo salão estupendo. Não foi surpresa que o bebê no útero da mãe tivesse começado a chutar e se contorcer como um porquinho num saco. Foi um atestado à boa criação de Arbell Materazzi que não tivesse parido o primeiro filho ali mesmo.

Mas houve um sinal de péssima criação que veio, de propósito, de Cale: quando os criados começaram a servir carne, feijão e ervilha em seu prato, Cale agradeceu por cada um mesmo sabendo muito bem, porque IdrisPukke tinha repetido várias vezes, que não se devia reconhecer a chegada de comida de maneira alguma, mas sim continuar a conversar à esquerda ou à direita como se as línguas de cotovia ou escalopes de pavão tivessem aparecido magicamente por própria vontade suicida. — Obrigado. Obrigado — disse Cale, cada expressão de gratidão totalmente falsa com a intenção de ser um golpe no coração da bela sentada diante dele e um chute na canela do marido de olhar furioso.

Somos todos cínicos hoje em dia, creio eu, e até um bebê choramingão sabe que salvar uma vida é fazer um eterno inimigo. Mas embora Conn tivesse despachado certas suspeitas para o fundo da mente e apesar de ter que odiar o homem que o salvara de morte horrorosa na colina Silbury, nas masmorras da alma ele ainda se lembrava em sonhos terríveis dos horrores da morte — Conn não conseguia, por mais que tentasse, se livrar da gratidão insistente.

O problema de Cale era que ele havia iniciado sua ópera de vingança brilhantemente, mas agora não sabia o que cantar. O deboche do *señor* Eddie Gray tinha sido como jogar pão doce para um urso. Ele sabia como lidar com agressão, verbal ou física. Arbell simplesmente abaixara o olhar para o prato de sopa como se esperasse que o conteúdo se abrisse como o Mar Vemelho e a engolisse inteira. Conn só olhava furioso para Cale.

Apesar de todo o sofrimento, ela estava linda, uma beleza de cortar o coração. Os lábios, geralmente de um tom marrom-claro, estavam bem vermelhos e os dentes brancos, que apareciam só um pouco atrás deles, tornaram lírico o ódio de Cale, que pensou em rosas com neve entre as pétalas escarlates. Cale passara tanto tempo pensando nela nos últimos meses horrendos que, agora que Arbell estava perto, parecia incompreensível que, apesar de todo o ódio, ela não fosse rir de alegria como costumava fazer quando ele fechava a porta de seus aposentos ao entrar, nem o abraçasse com força e enchesse seu rosto de beijos como se jamais fosse se cansar do toque e do gosto. Como era possível que ela tivesse se cansado de Cale? Como era possível que Arbell preferisse a criatura do lado, que tivesse deixado que ele...? Mas esse pensamento chegava muito perto da loucura, e ele já estava próximo demais. Sequer ocorreu a Cale — você deve desculpar sua completa ignorância dessas coisas — que pudesse ser o pai do bastardo dando pulos dentro do útero da mãe. Nem também ocorreu a ele que, aos olhos de qualquer pessoa objetiva, a obviedade da escolha de Arbell Materazzi por um jovem alto e bonito de sua própria espécie e criação, a grande esperança de futuro para todos os Materazzi, em vez de um assassino baixinho, de cabelos escuros e alma implacável que odiava o mundo, era algo que ninguém questionaria. Era verdade que Arbell devia a vida a Cale, e de uma forma extraordinária a vida do irmão mais novo, mas gratidão é uma emoção esquisita até quando a situação é favorável, até ou especialmente em relação àqueles que a pessoa um dia adorou. A gratidão é particularmente difícil para lindas princesas porque elas, numa maneira de dizer, nascem para receber coisas — e até mesmo uma capacidade normal para gratidão seria mais difícil para elas do que a natureza humana é geralmente capaz de suportar.

— Você está bem? — disse Cale finalmente. Nunca antes na história do mundo essa pergunta tinha sido feita como se fosse uma ameaça.

Ela ergueu brevemente os olhos, a audácia natural vencendo a própria confusão.

— Muito bem.

— Fico feliz em saber. Da minha parte, os tempos têm sido difíceis desde que nos vimos pela última vez.

— Todos nós sofremos.

— Pessoalmente, eu causei mais sofrimento do que passei.

— Não é sempre assim com você?

— Você tem a memória curta... e pior ainda, já que ficou me devendo tantas vezes.

— Olhe os modos — disse Conn, que teria se levantado e atirado a cadeira para trás com um gesto dramático não fosse pelo fato de Vipond ter agarrado sua coxa e apertado com uma força surpreendente para um homem de sua idade e profissão.

— Como está sua perna? — respondeu Cale. Ele era, afinal de contas, ainda jovem sob vários aspectos.

— Pelo amor de Deus — sussurrou IdrisPukke. A essa altura, a onda de silêncio atento se espalhara por metade do salão. Mas tendo vindo com a intenção de atormentar Arbell por muito tempo, Cale se deu conta de que o controle que teria feito isso ser ao menos plausível o abandonara — um reservatório de sofrimento e fúria se abrira mais fundo do que ele imaginava sentir, e Cale teve certeza de que era profundo.

— Você não é bem-vindo aqui — disse Conn. — Por que não para de passar vergonha e vai embora? — Qualquer um desses teria servido. Como o fole de uma fornalha alimentada por um louco frenético, Cale estava exaltado e incontrolável. Ele ficou de pé e foi pegar algo no cinto quando uma mão fraca agarrou seu pulso.

— Olá, Tom — disse Henri Embromador, gentilmente. — Eu trouxe alguém para ver você. — Como água fria, sua voz se derramou sobre o silêncio atento dos espectadores. Cale encarou por um momento a pele branca e a marca ainda impressionante no seu rosto, e depois viu os dois sujeitos perto dele: Simon Materazzi e o sempre relutante Koolhaus.

— Simon Materazzi diz olá, Cale — falou Koolhaus. O jovem surdo e mudo abraçou Cale e não o soltou até os dois estarem fora do salão, fumando no ar frio e úmido da Leeds Espanhola.

Duas horas depois, IdrisPukke os achou através do simples artifício de esperar no quarto de Cale até que ele retornasse.

— Leve Henri e Simon para a cama antes que eles caiam — disse Cale para Koolhaus, que obedeceu alegremente. Cale se sentou na cama sem olhar para IdrisPukke.

— Espero que esteja contente consigo mesmo. Sua reputação deixou de ser a fúria de Deus, está mais para o idiota da aldeia.

Isso o ofendeu a ponto de Cale ao menos olhar para ele, embora continuasse sem falar nada, triste como um tambor desafinado.

— Você acha que consegue intimidar o mundo?

— Eu tenho conseguido até agora.

— Até agora creio que sim. Mas isso não é tudo, considerando que você é muito jovem e ainda há muito do mundo pela frente.

Nenhum dos dois disse nada por um minuto inteiro.

— Eu quero que ela sofra. Ela merece. — Ele falou tão baixinho e com tanta tristeza que IdrisPukke mal soube o que dizer.

— Eu sei o quanto é duro abandonar um grande amor.

— Eu salvei a vida dela.

— Sim.

— Eu fiz algo de errado?

— Não.

— Por que então?

— Ninguém sabe a resposta para isso. Não dá para dizer para alguém "ame esta mulher" ou "ame este homem".

— Mas ela me amava.

— O que os amantes dizem uns para outros está escrito no vento e na água. Um poeta qualquer disse isso, mas ainda assim é verdade.

— Ela me entregou para Bosco. Não é justo perdoar isso.

IdrisPukke podia, pelo bem da neutralidade e da justiça, ter ressaltado que Arbell estivera numa situação difícil naquele momento. Mas havia anos que ele não era mais tolo o bastante para dizer algo assim.

— Infelizmente, nós vivemos em uma época interessante. Você pode ter muita influência sobre ela, talvez a maior de todas... portanto, jovem como você é e por mais que isso lhe doa, nas questões de amor, política e guerra, as pequenas coisas da vida têm que ceder a vez para as grandes.

Cale olhou para ele.

— Não se as pequenas vierem na frente.

Outro longo silêncio. Nem mesmo IdrisPukke conseguiu pensar numa resposta. Ele mudou de assunto.

— Não sei o que os Redentores e seu papa vão fazer com você. Eu não apostaria que seja nada. Você arruma inimigos da mesma maneira que as outras pessoas respiram. Falar com raiva da maneira que você faz, demonstrar ódio pelas coisas que diz ou pelo jeito de olhar é procedimento desnecessário: é perigoso, tolo, ridículo e vulgar... embora eu ache que a vulgaridade seja o menor dos seus problemas. Você tem que aprender a ser mais discreto ou começar a correr agora.

Cale não falou nada enquanto IdrisPukke ficou sentado na cama sentindo pena do estranho menino ao seu lado. Após alguns minutos, IdrisPukke começou a se preocupar que, com seu silêncio, Cale estivesse se afastando demais.

— Você olhou para o céu à noite enquanto esteve fora?

Cale deu uma risada baixa e estranha, pensou IdrisPukke, mas era melhor que o silêncio de antes.

— Não — disse Cale. — As estrelas ainda brilham?

— Você já foi o mestre de cerimônias — disse Vipond para IdrisPukke mais tarde naquela noite — de muitíssimos desastres, mas este deve ter sido um de seus melhores.

— De maneira alguma. Eu já estive envolvido em coisas muito piores do que uma briguinha entre dois amantes.

— Você sabe que a situação é bem pior que isso. Bose Ikard quer nos expulsar, e você pode ter muita certeza de que o relatório sobre uma briga entre os herdeiros Materazzi e seu amigo vilão de quinta categoria está a caminho do rei da Suíça neste exato momento... e bem rebuscado, ainda por cima.

— O rei Zog pode ser um frouxo, mas não vai nos expulsar por conta de uma briguinha como essa, por mais que Ikard a provoque.

— Ele vai nos expulsar se Ikard contar que paira alguma dúvida sobre a paternidade do filho de Arbell.

— O que você acha?

— O que *você* acha?

— É possível.

— Não há como discutir isso. A questão é que os rumores estão entrando por debaixo de todas as portas da Leeds Espanhola. O rei Zog vê comportamento promíscuo com maus olhos, especialmente entre uma aristocrata e um brigão qualquer que não passa de um carvoeiro.

— Ele é muito mais do que isso.

— Não para o rei Zog da Suíça. Deus jamais criou um esnobe maior que ele. Sua única leitura é passar horas suspirando de prazer e deleite diante de seu antigo *Almanaque de Gota.*

— Caso você não tenha notado, irmão — IdrisPukke jamais o chamava assim a não ser que estivesse especialmente irritado com ele —, os Materazzi desceram a uma espécie de nada. Sem Cale para detê-los, os Redentores estão prontos para passar por cima dos Antagonistas, dos lacônicos, da Suíça e de todo mundo como um tapete velho. E vão mijar no rei Zog ao passarem.

— Conn Materazzi é uma esperança, com tempo.

— Cale tramou a nossa destruição e a dos lacônicos. Nada mau para um brigão que não passa de um carvoeiro. Se você acha que Conn Materazzi tem essa capacidade, você deve ser o maior de todos os velhos tolos.

— Só temos a palavra dele a respeito da derrota dos lacônicos.

— Nós estávamos em Silbury para testemunhar o que os planos de Cale fizeram conosco.

— Pondo de lado todas as desculpas, aquilo foi tão sorte quanto planejamento.

— E o que não é?

— Você não consegue controlá-lo.

— Não.

— Ele não consegue se controlar.

— Ele não seria o primeiro. Ele é jovem, vai superar isso.

— Você está errado quanto a isso. Eu ouvi Cale ameaçá-la quando saiu de Memphis e novamente ontem à noite. Ele jamais ficará livre dela. As pessoas falam sobre as crianças como se elas fossem de alguma forma diferentes dos adultos. Mas não existe diferença, não mesmo. Só almas loucas por amor. O amante e o assassino dentro dele são inseparáveis como unha e carne.

— Então tire Arbell da Leeds Espanhola juntamente com Conn. Longe dos olhos, longe do coração. A seguir use Cale para bolar um plano a fim de lidar com os Redentores.

— Por que ele nos ajudaria?

— Cale odeia Arbell porque a amava e a salvou, e ainda assim ela o entregou para eles.

— Todos nós fizemos isso.

— Fale por você. E ele não adorava o chão que você pisa. É do interesse de Cale fazer um acordo conosco porque ele não tem muito para onde ir. Com Cale no comando de um exército suíço, pelo menos há uma chance para nós e para ele. Cale vai entender isso. Com ou sem Arbell, ele sempre teve a sobrevivência na cabeça.

— Ele não é um perigo para todo mundo?

— Então temos que manter a atenção dele concentrada onde possa causar mais estragos.

— Isso não é lá um grande plano.

— É, quando a pessoa não tem um melhor.

— Você sabe que ele andou falando com Kitty das Lebres?

— Sim.

— Mentiroso! — Como se fossem meninos de novo, ninguém se ofendeu ou quis ofender.

— Você conta para alguém o que anda fazendo? — perguntou IdrisPukke.

— Sou famoso por minha natureza discreta.

— Exatamente. Se ele vai salvar o que resta de nós dos Redentores, rezo a Deus que ele esteja controlando o máximo de peças possíveis do jogo.

— Seria útil outra ameaça a Arbell por parte dos Redentores... uma boa desculpa para encorajar a ausência dela.

— Conn iria com ela?

— Seria demais esperar por isso. Além do mais, Zog não aceitará um pivete na liderança de um exército que ele esteja pagando, não importa o que você pense.

— Então ele é um tolo.

— Ninguém jamais discutiu isso.

— Você consegue controlar Conn?

— Sim — respondeu Vipond.

— O suficiente para ele virar testa de ferro de alguém que pode ser pai de seu primogênito?

— Não é uma abordagem que eu estivesse pensando em tentar. Além disso, temos uma vantagem.

— Qual é?

— Ele não quer acreditar nisso. Temos que encorajar esse desejo natural o máximo que for possível.

Mas o plano deles, fraco ou não, possuía uma falha imprevista. Embora isso fosse algo que não teria surpreendido nenhum dos dois.

Parte do plano de Bose Ikard de fazer os Materazzi se sentirem indesejados envolvia acomodações inadequadas. Com relação a Arbell, a mensagem foi dada ao colocá-la em aposentos destinados há duzentos anos como moradia para a então nova noiva do rei, a infanta Pilar. A infanta jamais cresceu mais do que dois cúbitos e meio (o cúbito era a distância do cotovelo à ponta dos dedos de uma mão estendida). Adorada pela boa índole, inteligência e generosidade com os pobres, ela inspirou tantos prédios na onda de loucura por tudo que fosse espanhol que deu o nome extra e fora do comum ao que era meramente Leeds. Antigamente um sinônimo para tudo que fosse deplorável ("Você se parece com Leeds" era uma velha piada às custas dos pobres coitados — e às custas de Leeds), o desejo de agradar a minúscula infanta levou a uma explosão de prédios públicos e casas particulares em estilo espanhol. Os aposentos pessoais da infanta foram construídos pelo marido dedicado na escala dela em vez da proporção dos gigantes que a cercavam. O resultado para Arbell é que, apesar de os aposentos serem dignos de uma rainha, eles eram adequados para uma rainha bem pequena de um metro de altura. Para a infanta, o teto era alto, para Arbell, havia muitas partes dos aposentos onde ela tinha que abaixar o lindo pescoço um pouquinho.

Era a noite após o terrível banquete, e Conn e Arbell estavam sentados nos aposentos dela. Uma vez que ambos eram altos, isso deu um tom cômico às proporções do quarto como se estivessem sentados em um lugar a meio caminho de uma cabine de navio e uma grande casa de bonecas.

Arbell estava olhando para os seios e a barriga.

— Eu me sinto — disse para Conn em tom melancólico — como se tivesse comido um boi. Um boi gordo. Deus, quanto tempo mais?

— Você está muito bonita.

— Eu fiz você dizer isso.

Conn sorriu.

— É verdade que você me fez dizer isso. Mas é verdade mesmo assim.

— Você mente de um jeito tão gostoso que é quase um prazer ser enganada por você.

— Seja como você quiser então — disse Conn, pegando a mão dela.

— Prometa que você vai ficar longe de Thomas Cale — falou Arbell.

— Eu imaginava quanto tempo você levaria para falar dele.

— Agora você sabe. Prometa.

— Você se esquece de que ele salvou a minha vida. Não é fácil matar alguém a quem se deve tanto. Ele salvou a sua também, e isso ainda torna mais difícil. Então eu prometo, mesmo que ele tenha sido tão grosseiro com você.

— Eu vou sobreviver. Mas quero pedir algo mais difícil.

— O quê?

— Ele não é tão generoso. Quero que você prometa se afastar se ele vier procurá-lo.

— Mais difícil.

— Pelo meu bem.

— E meu orgulho?

— Não é nada. Vai passar. Orgulho não é nada.

— Você diz isso porque é uma mulher.

— E daí eu não tenho orgulho algum?

— O que a torna orgulhosa é diferente, então o que é possível ou impossível é diferente.

— Você vai se orgulhar de dar a Cale o que ele quer? Ele não é estúpido o bastante de provocá-lo quando você estiver com a armadura completa. Ele sabe que você teria a vantagem. — Algum elogio, provavelmente verdadeiro, era preciso aqui. Ela já tinha exigido demais de Conn.

— E o que devo fazer se ele me desafiar?

— Meu Deus, você parece um menino de escola!

— Se você escolheu não entender. — Ele estava chateado de ser tratado dessa forma, mas era preciso dar um desconto para as mulheres, especialmente para aquelas nos últimos estágios da gravidez. — Se eu me afastar dele, então a minha reputação, a coisa que eu sou, se afasta de mim ao mesmo tempo. Você me diz que vai continuar a me respeitar, mas vai mesmo?

— Claro que sim.

— É o que você diz agora. Mas eu não terei o respeito de mais ninguém.

Ela suspirou e não disse nada por um tempo.

— Eu sei o que você é... você é corajoso, habilidoso e ousado. — Mais elogios necessários, e também verdadeiros. — Mas ele não é — Arbell procurou bastante pela palavra certa e não achou —, não é normal. Ele não provoca uma catástrofe, ele *é* uma catástrofe. O amigo, Kleist, aquele que nunca gostou de Cale, disse que ele tinha funerais no cérebro. Bem, é verdade.

— Como alguém pode viver sem respeito? Qual é o sentido?

Ela suspirou novamente, mexeu o pescoço dolorido de um lado para o outro e gemeu. *Olhe para você*, pensou Arbell, *gorda como a gula*.

— Quando isso vai acabar? — disse em voz alta e olhou de lado o marido. — Você deve sua vida a ele.

— Sim.

— Então como você pode matá-lo honrosamente? Espalhe ainda mais por aí que ele agiu com bravura, vá além, elogie a coragem de Cale para que as pessoas admirem mais você do que ele. Deixe claro que você está inevitavelmente em dívida com ele e todos o elogiarão por se afastar se Cale o provocar. Que coragem! Que verdadeira honra que Conn Materazzi seja capaz de lutar tão facilmente e ainda assim arrisque esta honra para ser honrado. É verdade, afinal, você mesmo disse.

— Isso não significaria que ele ganharia uma reputação... — Ele teve que pensar um pouco a esse respeito: essa não era uma objeção honrosa a ser feita nas circunstâncias? — ...um nome pela coragem?

— Não se preocupe com isso — respondeu Arbell. — Cale em breve arruinará a boa opinião que todos têm sobre ele. Cale acha que está acima de ser admirado por pessoas que despreza, e ele despreza todo mundo.

— Você é muito esperta.

— Sim, sou. — Ela apertou a mão dele. — Agora vá embora e me deixe dormir.

Conn ficou de pé e bateu com a cabeça no teto.

— Au!

Arbell fez a mesma careta que ele, mas notou que Conn não se machucara. Ela se mexeu a fim de dar um beijinho para sarar — o que não foi fácil.

— Fique onde está — disse ele.

Ela não precisava do incentivo.

— Fico, se não se importar. — Conn se abaixou e beijou de leve os lábios dela. Então, com cuidado exageradamente cômico, ele foi até a porta e saiu. Arbell se recostou ainda mais no sofá, virando de um lado para outro para aliviar a dor nas costas, e decidiu esperar por mais dez minutos até fazer o esforço de ir para a cama. Fechou os olhos, curtindo a paz e a tranquilidade.

E aí, das sombras do fundo do quarto, uma voz baixa falou suavemente.

— Eu ainda atormento você.

Alguns dizem que o mundo acabará em gelo. Se for o caso, foi algo daquele frio terminal que gelou os pelos da nuca da jovem futura mãe. Ela se mexeu rápido, apesar da dor nas costas e do imenso bojo, e se virou horrorizada conforme Cale surgia à luz das velas.

— Caso esteja se perguntando — disse ele, apontando exatamente para o maior medo na mente de Arbell —, eu escutei tudo o que você disse. Não foi muito gentil.

— Eu vou gritar.

— Eu não gritaria. A situação vai ficar feia para quem entrar pela porta quando você gritar.

— Você espera que eu morra calada?

— Deus, não. Eu não esperaria que você penteasse o cabelo sem reclamar. — Isso não foi justo. Ela não era uma pessoa trivial, de forma alguma. — Reclame o quanto quiser, Sua Majestade, mas seja rápida.

— Você vai me matar?

— Estou *pensando* em matar você.

— Eu sei que você acredita que o ofendi, mas meu bebê o ofendeu?

— É por isso que estou pensando a respeito.

— É seu.

— Sabia que você diria isso.

— É verdade.

— É verdade que eu salvei a sua vida duas vezes e você me disse que me amava mais profundamente do que... — Ele sorriu, mas não foi um sorriso agradável. — ...Você sabe que não consigo me lembrar, mas era uma coisa com grande profundidade. Talvez possa me ajudar.

— *É* verdade — disse Arbell, com uma voz quase impossível de se ouvir.

— O rumor na feira é de que você é uma vagabunda, e as apostas estão equilibradas sobre quem é o pai: ou o idiota da vila de Memphis ou o carvoeiro.

— Você sabe que isso não é verdade.

— Não sei. Você me vendeu para homens que, até onde você sabia, iriam me levar a um local de execução, me enforcar e a seguir me cortar vivo, estripar... enquanto eu assistia... fritar as tripas... enquanto eu assistia... cortar meu caralho e o saco... enquanto eu assistia. Bem, você entendeu. Uma situação ruim.

— Eles me prometeram que não iriam machucar você.

— E o que lhe fez pensar que uma promessa significava mais para eles do que para você? Você se cansou de mim, queria me ver pelas costas e não se importava como.

— Isso não é verdade. — Ela estava chorando agora, mas praticamente inaudível.

— Pode não ser toda a verdade, mas é verdade o suficiente. De qualquer maneira, estou cheio de ouvir você.

— Eles não fizeram nada dessas coisas com você. Ele me prometeu que o transformaria em um grande homem. Você não é? Ele não manteve a promessa?

Isso foi demais. Em poucos passos, Cale foi para cima dela à medida que Arbell recuou para a parede, esticando as mãos em terror para proteger o filho. Ele meteu a mão atrás da cabeça dela, pegou o rabo de cavalo dourado e a arrastou até o sofá, forçando Arbell a ficar de joelhos.

— Vou mostrar como ele manteve a promessa, sua piranha mentirosa. — Cale continuou com a mão firme no cabelo dela e puxou a lâmpada sobre a mesa ao lado do sofá para iluminar mais. A seguir, meteu a mão livre no bolso de trás e tirou a carta dada por Bosco e pela qual havia brigado com Henri Embromador. Cale desdobrou o papel no tapete em frente ao sofá e empurrou a cabeça de Arbell com tanta violência que ela quase tocou a carta.

— Leia! — disse ele.

— Você está me machucando.

Cale torceu o cabelo com força. Arbell berrou.

— Grite baixinho — sussurrou ele. — Alguém pode dar o azar de ouvir. Agora leia de quem é. — Outro puxão encorajador.

— General Redentor Archer, comandante das forças da estepe, ao general Redentor Bosco.

— Você pode pular as primeiras cinco linhas.

Arbell continuou com alguma dificuldade — a pegada de Cale era forte, e ela estava perto demais do texto.

— "Antes de partir, Thomas Cale nos mandou varrer cada vilarejo na estepe dentro de 80 quilômetros de nossos acampamentos e trazer todas as mulheres e crianças. Os animais deles deveriam ser usados para alimentar as três mil almas que conseguimos encarcerar. Alguma espécie de sarna matou a maior parte do gado e reduziu muito o leite das vacas que sobreviveram. Como muitas vezes faltavam provisões suficientes para nós, não havia nenhuma para dividir. Por causa da fraqueza, muitos deles já sucumbiram à inanição, ao sarampo e à diarreia, no total cerca de 2.500 almas. Eu não fui informado até ser tarde demais e, quando inspecionei o acampamento, vi tanta desgraça que qualquer coração teria se lamentado da imagem..."

— Não se preocupe com a próxima passagem — disse Cale apontando mais para baixo na carta —, comece aqui de novo.

— "Eles surgiam engatinhando de todos os cantos porque as pernas não conseguiam mais sustentá-los; se pareciam com a própria anatomia da morte e falavam em sussurros como fantasmas gritando das covas. Fui informado de que não viam problema em comer musgo onde conseguiam encontrar e de que, em desespero, limpavam ossadas em covas também. Sei que o senhor é uma pessoa clemente, mas, embora eu tenha descrito coisas lamentáveis e mais fáceis de ler a respeito do que testemunhar, não há esperança de que esses Antagonistas vão se corrigir, e é necessário que sejam cortados. Este julgamento dos céus que nos faz tremer nos emociona, não sem piedade."

— Já basta — disse Cale ao soltar o cabelo e bater com a cabeça dela contra a almofada macia do sofá, não foi a violência mais cruel que ele ofereceu ao mundo, devemos dizer.

Aos poucos ela se ergueu e ficou sentada.

— Eu não compreendo — Arbell finalmente falou. — O que isso tem a ver comigo? Ou até mesmo com você? Essa coisa horrível não foi a sua intenção, foi?

— Você não sabe? De boas intenções, o inferno está cheio. Minha *intenção* é ser deixado em paz com uma cama decente e uma comida decente para acompanhar. Mas o que eu *faço* é simplesmente o que você disse. A catástrofe me segue por toda parte. Eu fiquei sentado ali atrás nas sombras, ouvindo o seu prodígio covarde choramingando sobre a reputação dele...

— Ele não é covarde!

— Calada. Minha *reputação* é a de uma criança sanguinária que se importa tanto com a vida das pessoas quanto com a de um cachorro. Minha reputação é de que eu dou cabo de tudo o que toco. *Você* me devolveu a eles. O sangue de todo mundo que matei desde então está em suas mãos assim como nas minhas.

— Por que você simplesmente não para de matar as pessoas em vez de culpar todo mundo?

Arbell disse isso com um pouco mais de violência do que talvez fosse prudente, dadas as circunstâncias. Mas não faltava coragem a ela.

— Então me diga como eu devo fazer isso. Os Redentores não vão parar por nada. Eles planejam embrulhar o mundo em um cobertor, jogar piche em cima e a seguir atear fogo. Não há como *parar*. — Ele recuou e a encarou com um olhar penetrante como um monstro. Justiça seja feita, ela o encarou de volta com a mesma intensidade. — Agora eu vou sair pela porta, não foi como eu entrei, caso esteja se perguntando. Quero que pense nisso nas noites que virão. Você não vai chamar alguém porque vou matá-los se fizer isso e, mesmo que eu seja capturado, farei questão de mencionar ao prodígio covarde do seu marido que você disse que sou o pai do filho dele.

— Ele não vai acreditar em você.

— Vai sim, um pouquinho.

E, dito isto, ele andou até a porta e saiu.

Cale passou rapidamente pelos corredores praticamente vazios — onde os únicos guardas eram jovens, inexperientes e fáceis de serem evitados — e avaliou o serviço daquela noite com uma satisfação especial. Ele fizera Arbell se sentir pior e era isso o que importava. Se ele realmente estava arrasado pelas consequências de suas ordens envolvendo as mulheres e crianças era difícil saber. Como o filósofo inglês costumava dizer: a verdade depende de onde se começa a história.

No dia seguinte, Cale estava pensando melhor sobre a visita tarde da noite. Ele tinha, no fim das contas, ameaçado uma grávida com violência e havia se mostrado como o monstro que Arbell dissera que era enquanto ele escutava nas sombras. E, quanto à criança, ela certamente estava mentindo para salvar a pele. Cale mal aguentava pensar no que significaria se Arbell não estivesse mentindo. Portanto, não pensou.

Deprimido e envergonhado, ele saiu para dar uma volta e esbarrou por acidente no grande parque que se espalhava na forma excêntrica de salamandra, logo ao norte do centro da cidade. Era um dia quente de sol forte para aquela época do ano, e o parque estava cheio de gente, jovens flertando, crianças brincando e gritando, casais mais velhos andando para cima e para baixo pelas grandes alamedas com limoeiros fazendo a *passegiata* pela qual a Leeds Espanhola era famosa por duzentos anos — ver e ser visto. Sentindo-se estranhamente zonzo e com um ouvido tapado como se tivesse entrado água do banho, Cale andou pelo sol até chegar a um dos limites do Parque Salamandra — um enorme muro entalhado no granito que ficava ao norte da cidade. O muro fora aplainado na pedra e era cheio de entalhes das grandes figuras da Reforma Antagonista que se refugiaram na Leeds Espanhola durante a perseguição inicial, antes de saírem para encontrar a cidade Antagonista de Salt Lake. Havia relevos de um metro de altura dos homens que lutaram contra os Redentores até uma morte horrenda, e, no entanto, Cale nunca tinha ouvido falar deles: Butzer, Hus e Philip Melanchthon, Menno Simons, Zwingli, Hutt e os Irmãos Mosarghu, de aparência infeliz. Quem eram esses gigantes diante dele e no que, em nome de Deus, acreditavam? Era quase impossível entender que a rejeição dos Redentores tivesse tanta importância assim. A seguir, ele atravessou o parque, se sentindo cada vez mais distante e excluído do fluxo de felicidade das pessoas comuns que apreciavam o sol e umas às outras, como fariam essa semana e por todo o verão e toda a primavera. E agora Cale tinha que ir embora, sair pelos grandes portões de ferro ornamentado do norte do parque e dar a volta para se dirigir ao seu quarto. Mas ele estava muito cansado nesse momento, totalmente esgotado, exausto de uma maneira que era completamente nova para ele. Passou a andar ainda mais devagar pela rua como se cada passo o envelhecesse em um ano, mas era muito pior que fadiga normal. Sentiu-se como se estivesse andando há mil anos e não houvesse lugar para se sentar, nenhum descanso, nenhuma paz, nada além de luta e o medo do próximo golpe. O coração estava tão pesado no peito que estava fazendo Cale diminuir a velocidade até parar. Como era possível se sentir assim e viver? A esta altura ele chegou ao Portão Oeste, parou e apoiou a cabeça, suando no arenito.

— Você está bem, filho? — Mas ele não teve forças para responder. Mais tarde, ele não conseguia se lembrar de como chegara ao quarto, nem de ter destrancado a porta, só se recordava de deitar na cama arfando como um peixe se afogando em terra seca. Daí a memória voltou.... o terremoto nas entranhas, uma tremedeira e uma avalanche de colapso e ruptura. O mundo interior desmoronou, carne e alma juntos, dor horrível de lágrimas e erupção. Cale correu para a latrina e vomitou e vomitou, sem colocar nada para fora, mas foi tão violento que parecia que a alma queria sair das entranhas e da barriga enquanto ele estava vivo. E assim continuou, uma hora atrás da outra. E então ele voltou para a cama e chorou, não como qualquer criança ou homem, e nada a ver com libertação. E quando ele pensou, seja lá o que fosse pensar, que o berro de dor sem lágrimas jamais iria parar, foi então que Cale começou a gargalhar sem parar por horas. E foi rindo que Henri Embromador o encontrou logo antes do amanhecer, ainda gargalhando, chorando e vomitando.

31

Por uma semana eles mantiveram Cale no quarto, mas ele não melhorava. Dormia por 12 horas ou mais, mas acordava mais exausto e cheio de olheiras de cansaço do que tinha ido dormir. Ele parava por três horas deitado de lado e com os joelhos recolhidos, e aí começava a vomitar de novo — um som horroroso, mais parecido com um grande animal tentando expelir algo venenoso que comera. Depois de alguns dias, a gargalhada terrível parou — sem alívio para Cale, só para aqueles que tinham que escutá-la. Ele continuou vomitando, e o choro claramente não lhe dava desafogo ou paz. Em pouco tempo as lágrimas pararam também. Mas Cale continuou vomitando, embora jamais estivesse enjoado e sempre comesse com fome suficiente. Depois daquela semana, a situação entrou em um padrão terrível: horas de sonho que não davam descanso algum, fome gulosa, daí espasmos que duravam uma hora, depois descanso em silêncio, outro ataque, mais comida e a seguir sono exausto. Então o ciclo recomeçava.

Eles trouxeram médicos que receitaram substâncias intragáveis e caríssimas que Cale se recusava a tomar. Então, finalmente, em desespero, trouxeram John Bradmore por sugestão de Henri Embromador.

Ele se sentou com Cale por uma hora ou duas, tentou dar um pouco de mel misturado com vinho e ópio, o que pareceu acalmá-lo até que, pela primeira vez, ele vomitou tudo de uma vez só no chão do quarto.

Depois, IdrisPukke, Vipond e Henri Embromador falaram com Bradmore do lado de fora.

— Além de ressaltar que ele está terrivelmente doente, eu não descubro nada de errado. Pelo que vocês dizem, ele não piora nem melhora. Se puderem pagar, eu posso tentar chamar Robert de Salerno.

— Salerno fica a 800 quilômetros.

— Mas é a aposta certa. Ele trata das filhas loucas da aristocracia e dos mercadores da Leeds Espanhola, Deus sabe que existem muitas.

— Cale não é uma menina.

— Nem está doente de uma forma que eu possa tratar. Robert de Salerno é uma irritação e uma peste, é cheio de si, mas tem bons resultados com pessoas que estão doentes na cabeça.

— Bradmore está certo — disse Robert de Salerno, parado no dia seguinte no mesmo corredor. — Isso é dentro da minha área de conhecimento. Não haverá aparelhos engenhosos aqui.

— Obrigado. A questão é?

Robert de Salerno com cem dólares do dinheiro de Kitty das Lebres no bolso não era tão fácil de se insultar como normalmente seria o caso — normalmente era muito fácil, na verdade.

— O senhor sabe onde pode ser encontrado o melhor retrato da alma humana?

— Tenho certeza de que você vai me contar.

— Por cem dólares, eu conto para qualquer um. O melhor retrato da alma humana, sr. IdrisPukke, é o corpo humano. A alma tem rins e fígado, estômago, braços e pernas. E tem doença para cada membro e órgão também: há tantas febres da alma como as do corpo, como escarlatina e febre amarela; para cada erupção que estraga a pele existe uma para a força de vontade, a alma tem seus abscessos duros e secretórios; existem muitas úlceras da mente, cânceres de paixões.

— Nós compreendemos — disse Vipond. — E o menino?

— Creio que o senhor sabe tão bem quanto eu o que há de errado com ele. De acordo com este jovem — Robert de Salerno gesticulou para Henri Embromador —, o senhor conhece a história. Ele foi tratado como um cachorro a vida inteira, foi explorado, apanhou, recebeu comida ruim de homens perversos. Ele viu e fez coisas horríveis.

— Por que isso não aconteceu comigo? — disse Henri Embromador.

— Quem pode dizer que não vai acontecer? Já estive em cidades em que a peste bubônica matou três quartos da população e deixou o resto intocado. Quem sabe a resposta para essas coisas?

— Cem dólares no seu bolso dizem que você deveria saber.

— Como minha velha enfermeira costumava dizer: "O médico que pode curar esse menino não nasceu, e a mãe dele está morta." Seu garoto é como uma daquelas árvores nas montanhas que nasceu contra o vento. Esta é a forma dele e não é possível dobrá-lo em outra.

— Então o que devemos fazer agora? Nada?

Robert de Salerno suspirou.

— Trate-o com carinho e não permitam que ninguém faça tratamentos dolorosos. Existem muitos que vão se oferecer para curá-lo através de métodos cruéis. Não permitam. Eles vão abrir buracos no crânio dele, mantê-lo em banheiras de água gelada por um dia e dar drogas que matariam um cavalo. Seria melhor afogá-lo em um balde para demonstrar seu amor por ele. Eu vou escrever uma carta para as Irmãs da Misericórdia em Chipre. As pessoas lhe dirão que elas são esquisitas, e são mesmo, mas têm bom caráter. Elas ajudam os loucos através de conversa e bondade. Não vão deixá-lo pior.

— Quanto tempo o senhor acha que leva até ele melhorar? — indagou Henri Embromador.

Robert de Salerno olhou para ele e não respondeu à questão.

— O senhor quer que eu faça os preparativos?

— Sim — falou Vipond.

Robert de Salerno curvou-se bem pouquinho e foi embora.

Ao mesmo tempo, a cerca de 300 quilômetros de distância em Alta Silésia, Kleist, juntamente com 26 homens entre as idades de 18 e 42 anos, entrou na cidade carvoeira de Bytom, uma pocilga tão sombria quanto qualquer outra que jamais tinham visto.

— Se isso é a Alta Silésia, como é, em nome de Deus, a Baixa Silésia? — falou Tarleton. Ninguém disse nada, muito menos riu. Eles estavam cheios demais de um ódio desesperador. Queriam vingança, era verdade, mas estavam debilitados pela vergonha e pelo desespero diante do que permitiram que acontecesse às suas esposas e aos seus filhos.

Eles compraram suprimentos para uma semana com o dinheiro que sobrou e pararam na praça principal para conversar sobre o que fazer a seguir. Decidiram após meia hora. Quatro iriam para o norte, até onde a terra os levasse para o mais longe possível dos Redentores. Os 22 remanescentes e Kleist decidiram rumar para a Leeds Espanhola, onde tinham ouvido, incorretamente, que um exército estava sendo reunido para lutar contra os Redentores. Os quatro a caminho do norte pegaram sua parte dos suprimentos, trocaram apertos de mão e partiram. Os 22 e Kleist foram para o leste.

Dois dias depois de eles terem saído de Bytom, a viúva Kleist, em gravidez avançada e se achando a última sobrevivente de um obscuro clã da serra de Quantock, passou pela mesma praça em direção à Leeds Espanhola, onde tinha esperança de que o filho nascesse um cidadão daquela cidade e daquele país, em que diziam que as viúvas recebiam uma pensão do Estado e que havia leite de graça para bebês com menos de 3 anos de idade.

O Redentor Gil levou algum tempo para aprender a apreciar o novo poder, mesmo que não aprovasse a satisfação de ter uma enorme mesa com entalhes enfeitados de várias atrocidades cometidas nos corpos dos fiéis, nem a velocidade e a adulação da resposta ao seu sino, conforme ele convocava e dispensava homens que eram de grande importância em Chartres, mas que agora demonstravam uma necessidade tão óbvia de agradá-lo. Havia pontadas de culpa de vez em quando como devia acontecer com um Redentor, mas cada vez menos frequentes, ou se não eram menos frequentes, então eram cada vez menos agudas. Há alguns meses o Redentor Warren, o homem diante dele ouvindo com tanta seriedade e atenção, teria considerado Gil um integrante imundo dos Militantes que não deveria ser tratado com desprezo, mas certamente com condescendência. Agora ele estava encarando Gil, terrivelmente animado com a responsabilidade envolvida naquilo que estava sendo instruído a executar.

— Você vai contar o segredo somente para os mais confiáveis e discretos, poucos deles, mas não dirá nada da verdadeira identidade da impostora que roubou o papado. Eles devem saber só que estão procurando por mulheres desprezíveis que temos razão de suspeitar que possam ter se disfarçado como integrantes do clero. Eles terão que arrancar a verdade desta situação de uma forma ou de outra. Se não for o caso, eu tenho que saber. Quanto à forma como essa abominação conseguiu virar papa, eu quero que você chegue ao fundo da questão de como isso foi feito. Foi uma conspiração ou essa criatura estava agindo sozinha?

Houve uma batida na porta, e o monsenhor Chadwick entrou, fez uma saudação para Warren, andou até Gil e sussurrou em seu ouvido:

— Os Dois Trevors. — Gil não falou nada, mas Chadwick saiu deslizando para fora da sala como se estivesse de patins.

— Você deve me desculpar, Redentor — disse Gil para Warren. — Você tem perguntas, mas são poucas as respostas. Pense no que eu falei e diga o que acha em um dia ou dois. Não deve falar nada do que ouviu até conversarmos novamente.

Warren ficou de pé, andou até a porta em estado de choque e saiu. Um minuto depois, houve outra batida em uma porta pequena à esquerda da sala. Novamente ela se abriu e novamente era Chadwick. Desta vez ele abriu caminho para deixar dois homens entrarem. Um se parecia com um galgo, o outro não era só bonito, mas envolvente, com uma expressão receptiva e bem-humorada. Gil fez um gesto para que eles se aproximassem e para Chadwick sair.

— Obrigado por terem vindo. Sentem-se.

Trevor Lugavoy, com um rosto de enguia, esticou as pernas de uma maneira insolente para deixar claro que não se importava se estava aqui ou em outro lugar qualquer. Foi o envolvente Trevor Kovtun que falou.

— Você quer que apresentemos alguém à Morte? — Foi mais jocoso, porém tão abusado quanto as pernas esticadas do companheiro.

— Para que certas profecias sejam cumpridas como mandam as Escrituras, é necessário que vocês martirizem alguém.

Eles pareceram nitidamente incomodados com a ideia, embora não pelo crime envolvido.

— Não punimos ninguém antes de matar — disse Trevor Kovtun.

— Sim, não somos torturadores comuns — acrescentou Trevor Lugavoy.

Gil não iria aceitar qualquer tolice, não importava a reputação dos dois.

— Felizmente para as suas delicadas sensibilidades, nenhuma punição é necessária. Vocês serão muito bem pagos, mas deixem-me lembrá-los de que vocês estão refugiados por minha autorização em território Redentor há muitos anos. — O argumento não precisou ser mais elaborado.

— Quem é, então? — perguntou Trevor Lugavoy.

— Thomas Cale.

Isso chamou a atenção dos dois — a arrogância das pernas esticadas e a insolência da violenta profissão diminuíram bastante, de maneira satisfatória.

— E, para evitar dúvidas, não quero que o apresentem à Morte, o que quer que isso signifique. Eu o quero morto.

AGRADECIMENTOS

Meus agradecimentos ao meu editor Alex Clarke e às suas anotações inteligentes e perspicazes sobre o manuscrito original.

"Tradição não é o culto às cinzas, mas a preservação do fogo."
Gustav Mahler

Há muitos casos justos de roubo nesses três livros, de *Paraíso perdido* a uma propaganda de xampu dos anos 1960, de Francis Bacon a uma canção da torcida do Millwall Footbal Club. Dois dos discursos de Bosco em *As Últimas Quatro Coisas*, sobre a inutilidade inerente à humanidade e a grandeza solitária do carrasco, são baseados em ensaios do filósofo católico Joseph de Maistre.

Há um monte de cenas que se devem a Mary Herbert, há muito esquecida, especialmente *Morte aos Franceses* e *The Unhappy Prima*. Arthur Schopenhauer e La Rochefoucauld recebem crédito pelas observações de IdrisPukke e Vipond. A maioria das táticas e a ideia por trás do episódio do barranco de Duffer vieram do imaginativo manual de treinamento da Segunda Guerra dos Bôeres, escrito por E. D. Swington, *The Defense of Duffer's Drift* (fora de catálogo, mas disponível na internet). Citações e meias citações da Bíblia do Rei James estão por toda parte, as belas e as feias. É óbvia a utilidade prática da *Ilíada* para mim e de suas descrições de violência. A internet em geral, e especialmente o YouTube, tornaram possível o uso dos gritos e berros dos homens no meio das batalhas do Iraque e do Afeganistão. Também permitiram que eu encontrasse vídeos das acusações feitas por Saddam Hussein a seus rivais prestes a serem executados durante a assembleia do partido Ba'ath em 1979, aqui usadas na estratégia similar de Bosco no Congresso de Chartres.

A ideia dos cleptos surgiu na breve, porém incisiva, discussão de John Keegan sobre esses bandidos gregos nada heroicos nas páginas de *Uma História da Guerra*. Os detalhes da operação de Henri Embromador batem com o relato do sargento John Bradmore sobre a tentativa bem-sucedida de retirar uma flecha do rosto do príncipe Henrique (mais tarde Henrique V), com 15 anos de idade, em 1403. Quem duvidar da força física em potencial ou habilidade tática de adolescentes deve ler os relatos das campanhas militares da juventude do príncipe Henrique, e notar que ele recebeu a horrível cicatriz no rosto no início da batalha de Shrewsbury, onde lutou "mano a mano" pelo resto do dia e depois liderou uma carga de cavalaria à noite que teve importante efeito no resultado final.

A assustadora descrição da inanição dos tribalistas que Cale força Arbell a ler em voz alta vem de *A View of the Present State of Ireland*, de Edmund Spenser, autor de *A Rainha das Fadas*. Spenser não só é o responsável pelo terrível brilhantismo da descrição da fome, um brilhantismo esperado daquele que é considerado um dos maiores dentre todos os poetas ingleses, mas também pela visão de que uma política de genocídio pela fome era a única solução para o problema da Irlanda. Qualquer um que acredite que seja impossível escrever ideias horrorosas de uma bela maneira talvez vá gostar de ler o texto completo. A hipótese de que alguém tão nocivo quanto Hitler, um pintor completamente sem talento, jamais pudesse ser por definição um grande artista tem que ser confrontada com essa obra pouco conhecida.

A ideia de Cale de um campo de concentração para isolar seus oponentes do apoio da população nativa foi executada pela primeira vez na Guerra dos Bôeres, com as mesmas consequências confessadamente inesperadas.

Agradecimentos também a Nick Lowndes da Penguin e Mark Handsley pelo trabalho na preparação do texto. Como sempre, a Alexandra Hoffman e a meu agente, Anthony Goff. Anna Swan leu o manuscrito com os mais atentos dos olhos. Eu continuo imensamente agradecido a Kate Burton (nome de solteira Brotherhood) por lançar este livro em tantas línguas.

Este livro foi impresso na
LENA GRÁFICA EDITORA LTDA.
Viela Urga, 144 – Bonsucesso
CEP 07175-332 – Guarulhos – SP
Fone: (11) 2088-9191 – Fax: (11) 2088-9192
lenagrafica@lenagrafica.com.br – www.lenagrafica.com.br